O ESPADACHIM DE CARVÃO

E A VOZ DO GUARDIÃO CEGO

AFFONSO SOLANO

O ESPADACHIM DE CARVÃO

E A VOZ DO GUARDIÃO CEGO

Copyright © 2021 Affonso Solano
Copyright © 2021 Casa dos Mundos / LeYa Brasil

Todos os direitos reservados e protegidos pela Lei 9.610, de 19.2.1998.
É proibida a reprodução total ou parcial sem a expressa anuência da editora.

Este livro foi revisado segundo o Novo Acordo Ortográfico da Língua Portuguesa.

Editora executiva
Izabel Aleixo

Edição de texto
Fernanda Cardoso Zimmerhansl

Produção editorial
Ana Bittencourt, Carolina Vaz e
Emanoelle Veloso

Preparação
Carolina Leocádio

Revisão
João Rodrigues

Capa
Kelson Spalato

Ilustração de capa
Rafael Damiani

Diagramação
Filigrana

Ilustrações do miolo
Affonso Solano

Dados Internacionais de Catalogação na Publicação (CIP)
Angélica Ilacqua CRB-8/7057

Solano, Affonso
   O espadachim de carvão e a voz do guardião cego /
Affonso Solano. – São Paulo: LeYa Brasil, 2021.
   304 p.

ISBN 978-65-5643-136-9

   1. Literatura brasileira 2. Fantasia 3. Ficção I. Título II.
Solano, Affonso

21-3564   CDD B869.3

Índices para catálogo sistemático:

1. Literatura brasileira – Ficção

LeYa Brasil é um selo editorial da empresa Casa dos Mundos.

Todos os direitos reservados à
CASA DOS MUNDOS PRODUÇÃO EDITORIAL E GAMES LTDA.
Rua Frei Caneca, 91 | Sala 11 – Consolação
01307-001 – São Paulo – SP
www.leyabrasil.com.br

*Para meu sobrinho Matteo, capaz de enxergar
nos galhos mais simples as espadas mais poderosas.*

Porto de Isin, lua 43 de Abzuku Aräh,
ciclo 1700 da Era dos Mortais

Não tenho certeza de para quem estou escrevendo isto. Creio que para você, Sirara, se algum dia puser as mãos neste diário na esperança de compreender um pouco mais sobre aquele clandestino de pele negra e olhos brancos que você descobriu no convés do seu navio. Não vou julgá--la. Talvez, em parte, eu também esteja fazendo este registro para mim mesmo, com um objetivo semelhante. Nos livros de Tamtul e Magano, sempre que os heróis precisam "organizar os pensamentos", eles os colocam no papel desta forma (ao mesmo tempo que relembram, convenientemente, aos leitores o que aconteceu nas aventuras anteriores).

"Organizar os pensamentos." Meu Pai costumava dizer que os sonhos servem para isso. Enquanto escrevo estas palavras, você sonha na cama a alguns passos desta mesa, a luz trêmula do lampião desenhando sua silhueta contra a parede. A imponente capitã Sirara, mergulhada num sono merecido.

~~*Eu gostaria de sonhar como um mortal.*~~

Provavelmente eu deva começar do início, então.

Meu nome é Adapak. Sou o filho de Enki' När; ou, como vocês mortais estão mais acostumados a chamá-lo, "a Voz Esmeralda". Ou, pelo menos, assim eu pensava.

Até os quatro ciclos de idade, fui criado por um casal de ~~mortais~~ sacerdotes humanos chamados Barutir e Nafaela. Nós morávamos numa pequena casa afastada da vila, onde aprendi o que era o amor de uma pequena família. Ainda consigo sentir o cheiro do fumo na mão de Barutir, pensativo no sofá enquanto Nafaela lia para mim.

Nunca entendi por que eu era tão diferente daquelas pessoas. Não precisava entender.

Quando a doença de Nafaela piorou, Barutir não teve escolha senão me levar até a montanha do Lago Sem Ilha, onde descobri que eu não era um mortal, mas sim o filho de Um dos Quatro Que São Um. Enki' När havia pedido ao casal que cuidasse de mim até que eu tivesse idade suficiente para conhecer a minha verdadeira origem.

Entre lágrimas, Barutir me deixou lá.

Passei a viver com aquele que eu aprenderia a amar e a chamar de Pai. Proibido de deixar o meu novo lar, mas com todo o conhecimento dos Dingirï ao meu dispor, fui apresentado a uma nova Kurgala por meio das próprias palavras da Voz Esmeralda e do conhecimento que sua Casa guardava.

Enquanto crescia no Lago Sem Ilha, convivi com apenas dois mortais: o ~~ushariani~~ pele-de-vidro Telalec e a ~~inannariana~~ flor-da-lua T'arish (preciso me acostumar a usar os nomes populares de cada povo).

Com Telalec, um dos ex-alunos do templo de Barutir, aprendi a letal arte dos Círculos Tibaul. Através dos Arcos da Casa de meu Pai, transferi o conhecimento da mente de Telalec para a minha, e o ushariani se tornou, a partir de então, meu mestre e amigo. Ele me presenteou com duas de suas espadas gêmeas, Igi e Sumi, e manteve a terceira, Lukur, consigo, prometendo que ela também seria minha no dia em que nosso treinamento se encerrasse.

O que aprendi com T'arish? Acho que aprendi ~~sobre o amor~~ sobre corações partidos.

Quando completei dezenove ciclos de idade, o mundo em que eu vivia foi mais uma vez rachado quando um grupo de assassinos invadiu nossa Casa e fez o que até então me parecia impossível: tirar a vida do meu Pai e destruir nossa Casa. Me vi forçado a fugir para não sofrer o mesmo destino.

"Corra, Adapak", foram as últimas palavras dele para mim.

No início, tudo que eu sabia sobre meus algozes era que pareciam estar sob o efeito de algum tipo de condicionamento mental, proferindo sistematicamente a palavra "Ikibu" (até então desconhecida para mim) quando me viam. Descobri também que alguns portavam relíquias Dingirï, as ferramentas que meu Pai e Seus Irmãos deixaram para trás quando se trancaram em suas Casas. É tão estranho vê-las amarradas de forma grosseira na ponta de lâminas ou usadas ao redor do pescoço como amuletos mágicos... Pensar que outrora ergueram cidades e remodelaram montanhas.

Munido apenas de Igi e Sumi, viajei até a cidade portuária de Urpur, onde eu sabia que Barutir e Nafaela residiam desde que passei a morar com o meu Pai. Ainda nos portões, descobri que posso ser confundido com um kishpü por conta de certas semelhanças físicas que, sob uma observação superficial, compartilho com esses misteriosos feiticeiros. Relutante, aceitei a máscara, aprendendo como os mortais se esforçam para encaixar o que não compreendem em alguma categoria que os deixe mais confortáveis.

Antes de adentrar a cidade, porém, me envolvi numa confusão com um sujeito escorregadio chamado Jarkenum; um humano de cabelos compridos, com uma estranha armadura vermelha e um chicote laminado. Os Círculos, ~~este presente~~ esta maldição que herdei de Telalec, se iluminaram quando o homem simplesmente tocou o meu ombro, e eu por pouco não o matei com um movimento. Felizmente, antes que a situação se agravasse, ambos fomos derrubados pelo olhar de um guarda nekelmuliano.

Despertei, ao lado de Jarkenum, numa cela fria da prisão de Urpur. Estranhamente, minha cabeça agora estava inundada com imagens de uma caverna triangular e a palavra "Ikibu" repetida num cântico perturbador; como se tivesse virado a chave de um baú antigo, o olhar do nekelmuliano parecia ter destrancado memórias proibidas do meu passado.

Atormentado pela nova peça do enigma, mas sem opção senão pagar minha sentença até a manhã seguinte, aguardei. Durante a noite, um jovem guarda me chamou de "S'almu Saruma", um antigo profeta que se matou ateando fogo ao próprio corpo. "Mais uma máscara que me colocam", pensei.

Na madrugada, a prisão foi invadida pelos meus implacáveis perseguidores. Como eles sabiam do meu paradeiro? Sobrevivi à emboscada e, com a ajuda de outro guarda (um antigo aluno de Barutir chamado Dannum), escapei do prédio na companhia de Jarkenum.

De volta às ruas de Urpur, me separei do meu colega de cela após uma desagradável discussão. Hoje compreendo que o homem tentou, ain-

da que de forma desajeitada, me alertar sobre os perigos futuros que a minha inocência poderia trazer. Envergonhado pela fragilidade que ele expôs em mim, retruquei com palavras que o feriram de volta. Não me orgulho disso. Os humanos são particularmente habilidosos em esconder a tristeza sob sorrisos e deboches sarcásticos, e Jarkenum não era exceção.

Ciente do endereço de Barutir e Nafaela (graças a Dannum), rumei então para a residência dos meus primeiros "pai" e "mãe". Lá, porém, me deparei com um Barutir muito diferente daquele que havia me criado; um homem arruinado pela morte da esposa, cuspindo maldições a Enki' När por ter se negado a usar seu poder para salvá-la.

Nosso amargo reencontro durou pouco; fomos surpreendidos pela chegada de meu outro antigo mestre e amigo, Telalec. Para meu horror, contudo, o pele-de-vidro decapitou Barutir e decepou a minha mão direita ao tentar me executar também.

"Chega de mentiras, filho de Anu' När", disse ele.

Escapei com vida da armadilha, cambaleei até o porto de Urpur e me esgueirei até o porão de um navio prestes a zarpar, onde desmaiei. Quando despertei, fui encontrado pela tripulação e apresentado à capitã: você, a intrépida humana Sirara Nanshe, que permitiu (ainda que a contragosto) que eu permanecesse em sua embarcação até que aportássemos na ilha de Eninnü – ou "Caspama", como vocês, mortais, a chamam hoje.

Ao longo da nossa viagem, descobri que os perigos do mar são muito diferentes daqueles descritos nas aventuras literárias de Tamtul e Magano. Até hoje não estou certo do que me horrorizou mais: a perspectiva de sua embarcação ser devorada por aquele ~~mursuazague~~ verme-do-mar faminto ou de ser sequestrada pelo motim instigado por N'ashic. Ainda me lembro do gemido de agonia daquele mau'lin desprezível quando você lhe enfiou a espada nas partes baixas.

Em meio a tudo isso, constatei, perplexo, que minha mão amputada estava crescendo de volta.

Aportados em Caspama, caminhei solitário por ruas estreitas e provei comidas exóticas. Um perfume familiar me levou a conhecer um estabelecimento onde pessoas vendiam os próprios corpos para o prazer alheio. "Somos animais vestindo pano por cima da carcaça", uma delas me disse. Acho que a ofendi. Os mortais parecem ter medo de perguntas.

Conheci também um feiticeiro chamado Ubara, que me ajudou a desvendar que a palavra "Ikibu" quer dizer "resultado" no idioma dos mellat. No seu exótico estabelecimento, o sábio humano também revelou que Igi, Sumi e Lukur são poderosas armas criadas há mais de mil ciclos por um ushariani chamado Puzur, e que, graças às relíquias Dingirï ocultas em seus cabos, são capazes de dois feitos inacreditáveis: se encontrar quando separadas e "transportar" seu portador através dos pilares espalhados por Kurgala.

Ciente de que a terceira espada, Lukur, sempre esteve em poder de Telalec, finalmente entendi como ele era constantemente capaz de me encontrar.

E o covarde o fez novamente, usando você de refém em frente ao pilar Dingirï da praça. O fio afiado de Lukur próximo ao seu pescoço é uma imagem que me assombrará para a eternidade. Sob a forte chuva que castigava a ilha, nossas espadas se acenderam em sincronia com o pilar e então, como mágica, nós três fomos "transportados" para o destino que Telalec tinha em mente: o interior da Casa de Anu' När, o Artesão.

Meu verdadeiro local de nascimento, eu estava prestes a descobrir.

Com o cadáver do Artesão sentado num majestoso trono de cristal a alguns passos de nós, ouvimos Telalec confessar que, ao final do ciclo anterior, durante uma missão de guerra, ele havia acidentalmente adentrado na Casa do Dingirï e descoberto o deus morto. Desolado, meu antigo mestre usou os Arcos da Casa para acessar as memórias de Anu' När e tentar compreender o que havia acontecido.

Não achei que as palavras a seguir seriam tão difíceis de colocar no papel.

Os Arcos supostamente mostravam que eu sou o resultado de um "experimento" dos Dingirï. A união artificial de todos os mortais de Kurgala. O objetivo? Telalec infelizmente alegou ter sido incapaz de compreender nos registros.

O experimento teria sido interrompido quando os Quatro se separaram, após Enki' När prender Tiamatu e Abzuku na Prisão de Cristal, mas o Artesão o teria finalizado em segredo na sua Casa, com a ajuda dos seus mellat. Enki' När teria descoberto isso e então assassinado o irmão antes que o ~~resultado~~ eu fosse apresentado aos outros Dingirï.

O motivo do assassinato? Outra incógnita. Telalec teorizou que Enki' När o fez porque sabia que a minha existência representaria o fim de Kurgala, uma vez que, com o experimento completo, os Quatro Que São Um poderiam finalmente retornar aos céus, deixando Kurgala à mercê de seus governantes originais: Tiamatu e Abzuku, que por ódio aos mortais retornariam seu mundo ao mar que um dia ele foi.

Teria Enki' När se arrependido do experimento? Por que então ele simplesmente não me destruiu, certificando-se de que os outros Dingirï nunca me descobrissem? Por que me criar como seu filho? Piedade? Se o que Telalec viu nos Arcos for verdade, não estou certo de que os Quatro sejam capazes de tal sentimento.

De qualquer forma, após assassinar Anu' När, ~~meu pai~~ (devo chamá-lo de "pai"?) Enki' När teria convocado Barutir até a Casa do Artesão (a "caverna triangular" que eu enxerguei em minhas memórias reprimidas) e me deixou sob os cuidados do humano e sua esposa, como relatei linhas atrás.

Ao descobrir tudo isso, Telalec então traçou um plano: utilizar os recursos da Casa do Artesão para planejar o meu assassinato e o dos Quatro Que São Um, livrando Kurgala dos Dingirï. Ele atraiu soldados e mercenários locais para a Casa do Artesão e usou os Arcos para envenenar a mente deles com um desejo assassino contra mim ("Ikibu"!), armando-os com relíquias e enviando-os ao meu encalço.

O que aconteceu depois disso ainda é quase um borrão. Você sangrando no solo cristalino da Casa. Telalec e eu nos enfrentando como um mestre e sua própria sombra.

Ironicamente, foi graças aos Arcos que fui capaz de derrotá-lo.

Usando as três espadas, você e eu partimos da Casa do Artesão, fechando o último capítulo do pesadelo. Diferentemente dos livros de aventura de que eu tanto gosto, no entanto, senti como se aquele desfecho tivesse me deixado com mais perguntas do que respostas.

Desde que fui acolhido no seu navio e no seu coração, venho tentando digerir tudo isso. Sei que você faz questão de desafiar a veracidade da história sempre que o assunto surge entre nós, principalmente no que diz respeito à sanidade de Telalec. Teria o meu antigo mestre ushariani simplesmente enlouquecido após se deparar com algo com que sua mente mortal era incapaz de lidar? Teria ele nos contado uma reinterpretação das memórias de Anu' Närr?

Ainda assim, o que ele enxergou nos Arcos?

É tarde e o óleo da lamparina está quase no fim. No meu antigo lar, quando eu queria luz, simplesmente pedia e a Casa se acendia. Aqui no seu mundo, é preciso queimar a gordura da carcaça de um animal do mar. Telalec uma vez me disse que a ausência dos Quatro fez dos mortais tão criativos quanto destruidores. Não é irônico que eu sinta falta da sabedoria dele?

Por falar em sabedoria, ouvi Kashi dizendo que há uma biblioteca em algum lugar da cidade. Será que você me levaria lá um dia?

– Adapak

Despertar

Você serve ao mesmo deus para o qual reza?

Istarä de Der, em *Tamtul e Magano
em busca da Torre Invertida.*

O FILETE de luz tocou as pálpebras de Adapak, resgatando sua consciência à realidade. Piscando, seus olhos brancos aos poucos desvendaram a penumbra do estranho aposento almofadado onde ele se encontrava deitado, fracamente iluminado pelos raios de sol que venciam as brechas nas cortinas. Ajoelhadas ao redor, quatro silhuetas sussurravam entre si, alheias ao seu despertar. Um familiar aroma adocicado se mesclava ao incenso que permeava o ambiente.

T'arish?

Adapak tentou articular o pensamento, mas sua voz o traiu, falha e rouca como se oriunda de uma caverna esquecida. Pigarreando, ele se sentou. Uma leve onda de dor atravessou-lhe o corpo.

– T-T'arish, você está aí? – insistiu o rapaz, fazendo uma careta contra o desconforto. As presenças cessaram o murmúrio e se inclinaram na sua direção. Uma delas se levantou e afastou parcialmente as cortinas, clareando o cenário.

T'arish não estava ali.

O espadachim de carvão se encontrava numa grande tenda de cor esmeralda, quase tão suntuosa como os aposentos imperiais descritos nas aventuras que ele lera na infância. Acomodadas sobre o felpudo tapete que forrava o recinto, quatro fêmeas de diferentes espécies o encaravam com expressões que iam do assombro ao fascínio. Belos trajes de seda esverdeada cobriam seus corpos jovens e saudáveis, enfeitados com joias, braceletes e colares de osso. Sobre os móveis dispostos em cada um dos cantos do cômodo, incensários despendiam harmoniosos fios de fumaça que se elevavam até as flâmulas que pendiam do teto triangular.

– O Imperador Negro desperta e nós sabemos o Seu Nome – proferiu a mau'lin, admirando-o com seu par de grandes olhos amarelos. De corpo atlético, ela tinha a pele branca e naturalmente enrugada da espécie marcada por antigas cicatrizes. Uma bela faixa de cabelos presos partia de trás de sua cabeça e pendia até o início das costas.

– O-onde eu estou...? – balbuciou o espadachim. Sua cabeça latejava. Seriam trovoadas que ele ouvia lá fora?

– Sua carne está curada, meu Senhor? – indagou a ïannariana, responsável pelo aroma que confundira a memória do rapaz ao despertar. As similaridades com T'arish, contudo, se resumiam ao que era comum da espécie dos flor-da-lua; seus traços, cabeça raspada e pele da cor do mar, a distanciavam bastante da antiga paixão de Adapak. Fixo entre seus seios havia um estranho cristal verde, emoldurado por uma intrincada tatuagem branca.

Adapak abriu a boca para indagar novamente onde estava, mas se assustou quando a humana do grupo lhe tocou os pés descalços. A jovem tinha o rosto e os ombros encobertos por um longo véu, que se derramou sobre o tapete quando ela se curvou. Suas mãos eram quentes e delicadas, e o espadachim notou que tinham o tom de pele marrom-escuro.

– D-devo chamar o meu pai – disse a maior das fêmeas, uma enorme sadummuniana de pelagem rubra e longas tranças sob o queixo.

Atravessando as cortinas frontais, ela deixou apressada o aposento, chacoalhando os braceletes que lhe enfeitavam os seis braços musculosos.

– Devo anunciar que S'almu Saruma despertou!

E com a menção daquele nome as lembranças de Adapak o atingiram como uma tempestade.

A biblioteca. Os monges. As mortes.

Sua mão flutuando num jarro.

O espadachim se ergueu; os joelhos enfraquecidos reclamaram, mas obedeceram. O mundo girou e ele quase perdeu o equilíbrio, amparado pelas três fêmeas restantes. Olhando para si, notou que trajava apenas uma tanga de pano branco sobre as partes íntimas. Bandagens lhe envolviam parcialmente a coxa esquerda e o torso. Não pareciam manchadas de sangue.

Quanto tempo fiquei desacordado?

– "No Terceiro Dia, os dignos enxergarão seus reflexos nas minhas lâminas" – citou a mau'lin, recuando até um dos cantos da tenda e abrindo um velho baú.

– Minhas... lâminas – repetiu Adapak, desorientado. Do lado de fora da tenda ele ouvia um burburinho crescente de frases incompreensíveis. A humana de rosto encoberto se curvou para lhe tocar os pés novamente, mas hesitou quando o aposento inteiro sofreu um solavanco.

As estranhas trovoadas cessaram.

– Saia da frente, Aishara. – A mau'lin afastou a moça e entregou ao rapaz a bainha com as espadas Igi e Sumi.

Incrédulo, Adapak as segurou. Tal qual o dono, as armas haviam sido limpas dos registros sangrentos do confronto em Isin.

Fuja.

Depois de amarrar a bainha dupla ao redor do quadril, o espadachim abriu caminho entre as três fêmeas, tropeçando nas almofadas e atravessando as cortinas da entrada.

O sol da alvorada lhe saudou a pele negra, mas puniu seus olhos pelo tempo que haviam passado na escuridão. Quando voltou a abri-los, o rapaz julgou que se encontrava num acampamento armado no topo de uma estranha montanha rochosa de cor vermelho-escura. Indivíduos de espécies, gêneros e idades variadas saíam de suas tendas para saudá-lo de maneira exaltada; alguns trajando as mesmas vestes dos monges que o tinham encurralado na biblioteca em Isin. Sisus de carga dividiam currais com animais de abate. Ensopados oleosos ferviam em panelas de barro. Do solo rugoso, esparsos espigões irregulares cresciam como árvores de um pesadelo surreal em direção ao céu azul, ligados por varais de roupa, redes de dormir e bandeiras – muitas exibindo o desenho de uma mão negra com cinco dedos.

S'almu Saruma despertou!

Adapak sentiu o coração acelerar. Ele conhecia aquela sensação. Sabia o que ela precedia.

Ouça os Círculos, Filho de Enki' När, ecoou a voz de Telalec em sua mente.

– F-fiquem longe de mim! – gritou o espadachim, erguendo a mão direita cinzenta.

A visão do membro que havia crescido de volta após ser decepado por seu antigo mestre exaltou ainda mais os ânimos da plateia. Emocionados, muitos levavam as costas das próprias mãos à testa e esticavam os dedos, como se representando uma estrela. Adapak varreu o cenário em busca de uma forma de descer da montanha, mas um aglomerado de adoradores já havia se formado ao seu redor como um cardume faminto. Não havia *armas*; somente mãos tentando tocá-lo.

Ainda assim, os Círculos se acenderam.

– PARA TRÁS! – ordenou ele, resistindo ao instinto de tocar as espadas.

Gisbanianos. Humanos. Sadummunianos. Adultos e crianças. Os Círculos calculavam seus destinos e não havia nada que Adapak pudesse fazer.

Eles não estão armados. Não estão armados.

– Deixe-me ver o meu reflexo, S'almu Saruma! – disse uma humana corpulenta, tocando o peito do espadachim.

– Eu não sou quem vocês pensam! – gritou Adapak, empurrando-a com dificuldade contra a multidão. A frase da mulher foi repetida pelo resto do culto e se tornou um pequeno coro atrás do rapaz, que forçou caminho entre os que o cercavam; precisava escapar daquele acampamento bizarro.

– Não somos *dignos?* – indagou uma esuru de bico azulado, bloqueando novamente a passagem. Ela segurava uma criança de colo nos braços.

– Afastem-se de mim!! – Adapak empurrou a esuru para o lado.

– Não somos dignos! – gritou ela, seguida do choro da criança. – NOVE MIL SERÃO ESCOLHIDOS!

Uma faca reluziu na multidão.

Os Círculos coloriram o velho mau'lin que a empunhava. Antes que ele descesse a lâmina contra o jovem de olhos brancos, a espada Sumi já havia despertado da bainha e lhe decepado o membro num movimento ascendente. Sangue respingou na plateia. Alguém agarrou o braço esquerdo de Adapak por trás e recebeu uma cotovelada com o direito, que – já em poder de Igi – retornou na direção oposta e empalou o agressor.

Vá para o alto. Enxergue o terreno.

Adapak se jogou contra o muro vivo à sua frente, desprendendo a lâmina do corpo de quem acabara de assassinar. Uma passagem se abriu e o espadachim correu com dificuldade na direção do espigão mais próximo; tal qual o estranho solo de onde brotava, a estrutura tinha a textura rugosa e áspera, quase como a casca de uma árvore ressecada. Embainhando as armas, ele fez uso dos sulcos e das saliências do espigão e começou a escalar. *Deixe a dor para depois*, pensou, sentindo como se os músculos estivessem em chamas. Acima do caos ele enxergaria a melhor maneira de descer da montanha.

– Pela Matriarca... – sussurrou Adapak ao completar a subida.

Não era uma montanha.

O acampamento do culto havia sido armado sobre o casco de um kusari – um *gigantesco* kusari de transporte, cujo tamanho descomunal desafiava qualquer enciclopédia já lida por Adapak. Apelidados de "patas--de-trovão", os ecos de suas passadas faziam jus ao nome; apoiada sobre seis membros extensos, a carapaça vermelho-escura do animal repousava a mais de uma centena de cascos de altura do descampado abaixo, pontuado com os sulcos profundos resultantes do seu lento e pesado caminhar.

Adapak sentiu o espigão balançar e retornou sua atenção à gravidade do momento; entoando cânticos em nome de S'almu Saruma, uma fila de indivíduos escalava a estrutura em seu encalço. O mais próximo, um velho ushariani desdentado, arriscou uma navalha na perna do espadachim, que por pouco a ergueu em segurança no último instante e lhe aplicou uma estocada de Igi entre o trapézio e o pescoço. Com um gemido úmido, o pele-de-vidro despencou sobre o povo, os rostos eufóricos salpicados de vermelho.

Pense.

Dezenas de cascos abaixo, amarrado entre seu espigão e o vizinho, um conjunto de redes de dormir, armadas acima de uma pequena tenda azulada, despertou seu pensamento estratégico.

Vá.

O espadachim mirou uma delas e saltou. A rede o teria recebido bem, não fosse a lâmina de Sumi trespassá-la por acidente. Ao som de fios se desfazendo, o jovem despencou para o teto da tenda, que o amparou por um instante antes de rasgar sob o peso repentino e trazê-lo para seu interior almofadado, amortecendo a queda.

Mova-se.

Sem tempo de agradecer a sorte, Adapak engatinhou para fora da barraca avariada e correu para longe da turba, ziguezagueando entre tendas e espigões. Ele abriu caminho por um varal com roupas de criança e se deparou com uma criação de penas-de-quintal, assustando os pássaros ao saltar o cercado. Um cheiro de carne assada penetrou suas narinas. *Há quanto tempo essas pessoas moram aqui?*, pensou.

Arfante, o espadachim finalmente enxergou os limites do acampamento e reduziu a velocidade. Bordeando a carapaça do patas-de-trovão, redes de proteção haviam sido armadas a partir do ponto em que o "terreno" se tornava íngreme demais para caminhar. Adapak esticou o pescoço, mas a curva da abóboda não lhe permitia espiar o que havia diretamente sob a enorme besta, caso ele decidisse saltar. Uma copa de árvores poderia tanto ampará-lo quanto empalá-lo com os galhos. Haveria um lago ou rio aguardando-o após a mortal distância?

Ouvindo o culto clamar seu "nome", Adapak acompanhou as redes até encontrar uma comprida plataforma de madeira integrada à lateral da criatura; ao longo da estrutura, três largos cestos de vime haviam sido integrados a um sistema de cordas e roldanas, servindo como elevadores para o desembarque. O rapaz também notou escadas de corda enroladas e prontas para uso nos parapeitos; pelo comprimento, no entanto, julgou que servissem apenas para quando o kusari estivesse agachado, em repouso, e assim mais próximo ao solo.

Devem funcionar como num poço, o jovem apostou, embainhando a espada e empurrando o primeiro balaio para fora da plataforma. Sem perder tempo, voltou-se para o mecanismo correspondente e o testou com as mãos suadas.

– Isso! – gritou ele, descobrindo a alavanca que liberava a descida contínua do elevador. Com uma contagem regressiva na mente, o espadachim avaliou a possibilidade de danificá-la para que ninguém interrompesse sua fuga.

Entretanto, com a chegada da multidão a contagem chegou ao fim.

Adapak empurrou a alavanca e saltou para o balaio antes que os integrantes do culto o agarrassem. O equipamento rangeu e oscilou, porém manteve o lento ritmo da descida enquanto a multidão se amontoava na plataforma acima, testemunhando seu "profeta" escapar. Boquiaberto, o jovem vislumbrou a parte inferior do kusari, sua carne amarelada espreitando entre as gigantescas placas quitinosas do abdômen, pontuadas de espigões finos como a floresta invertida num pesadelo. A enorme cabeça do animal parecia ligada a um sistema intrincado de amarras e roldanas, cujo propósito Adapak presumiu ser a navegação do "veículo". Partindo do tórax e abdômen da criatura, as seis colossais patas segmentadas seguiam por centenas de cascos até o campo esverdeado abaixo, maculado pelos grandes sulcos resultantes do caminhar da besta. Adapak varreu a paisagem e não enxergou sinal algum de civilização – apenas montanhas e bosques no horizonte. Um rio corria próximo, mas arriscar um mergulho daquela altura parecia suicídio.

"SEREI DIGNA!!", veio o grito acima. Voltando-se para a plataforma de desembarque, Adapak viu uma senhora maskürriana mirar seu elevador e saltar, o rosto tomado de euforia. A expressão, porém, desmanchou quando ela passou direto pelo alvo; agarrado à borda do cesto, o rapaz a viu despencar uma centena de cascos e então abrir braços e pernas num ato instintivo que inflou sua pele frouxa e permitiu que planasse na direção das águas correntes abaixo.

Impressionado com os recursos que a anatomia dos maskürrianos escondia, o espadachim demorou a notar que o kusari começara a se agachar.

Enquanto a montanha viva dobrava vagarosamente as patas, Adapak voltou sua atenção para o alto. Ele não entendia por que ainda não haviam travado seu mecanismo, mas viu que os outros dois balaios desciam à sua caça, abarrotados de membros do culto. E, a exemplo da maskürriana, nem todos eram pacientes: um par de humanos e um jovem mau'lin saltaram alucinadamente na direção do balaio de Adapak – deles, somente a criatura de olhos grandes demonstrou habilidade para sobreviver à proeza, agarrando-se com determinação à corda do elevador. Ouvindo os gritos dos humanos mergulhando para a morte, o espadachim se segurou enquanto o cesto desenhava um arco para longe do patas-de-trovão, formando um desengonçado pêndulo sob o ranger das amarras e o sopro do vento. Adapak imaginou se estaria sob o corpo da besta quando esta terminasse de se agachar.

O elevador do rapaz, entretanto, aterrissou antes e a uma distância segura do kusari, ainda que a manobra não tenha sido confortável; o balaio rolou e cuspiu Adapak como um pedaço de carne mal digerida, jogando-o contra o matagal selvagem. Novos cheiros e dores inundaram seus sentidos.

Vamos.

Desorientado, o espadachim começou a se levantar, mas perdeu o equilíbrio quando o kusari tocou o abdômen no solo. O estrondo e o tremor foram breves e logo cederam lugar para os gritos dos integrantes do culto, cujos elevadores se aproximavam do chão. Adapak se ergueu e tentou correr para longe do acampamento, mas a dor que sentia no tornozelo esquerdo o forçou a mancar. As costelas doíam. Cortes e arranhões riscavam sua pele negra, coberta de folhas, terra e sangue.

Por favor!, implorou, avançando com dificuldade sobre o mato baixo. Às suas costas, as vozes aumentavam de volume.

Por favor.

O tornozelo o punia a cada, passo como se cravejado de farpas. Ele podia ver o rio. *Está tão próximo*, pensou. A correnteza ia carregá-lo para longe dali. Para longe da loucura. Não seria preciso matar mais ninguém.

Farto de se iludir, Adapak desembainhou as armas.

Quatro ïannarianos o alcançaram primeiro, graças às pernas longas e velozes. Os Círculos se acenderam e o espadachim pintou a grama de vermelho. Recuperando o fôlego, ele vislumbrou o próximo grupo que tropeçava pelo campo em sua direção, empunhando facas e pedaços de pau. Muitos sorriam.

Um a um eles pereceram sob o fio de Igi e Sumi, desfazendo-se como ondas teimosas contra um rochedo implacável. Adapak começou a chorar. Mesmo debilitado, o espadachim sabia que ceifaria muitas vidas antes que o grande número de agressores o sobrepujasse, como havia ocorrido na biblioteca de Isin. Ele queria parar, mas era incapaz. Os Círculos não permitiam. *Telalec* não permitia. A parcela de Telalec que existia dentro do rapaz, mantendo os Círculos acesos até que tudo terminasse.

Sugestão e antecipação, Filho de Enki' När, ecoou a voz do antigo mestre ushariani em algum lugar da mente do aluno.

Pare. Por favor.

Maskürrianos. Gisbanianos. Mau'lin. Para os Círculos, vidas eram somente equações a resolver. Entre uma morte e outra, Adapak vislumbrou os muitos que ainda corriam em sua direção e reconheceu a esuru de bico azulado que interagira com ele no acampamento. Ela ainda carregava a criança de colo, a cabeça frágil segura pelas mãos firmes da mãe.

Como todos os outros, elas também pereceriam.

Ouça os Círculos, Filho de Enki' När.

– N-não – Adapak balbuciou, rasgando a garganta de um ïnannariano.

Quanto tempo até que a esuru o alcançasse?

Os Círculos preveem. Os Círculos sugerem.

NÃO.

Talvez a criança não fosse atingida pelo golpe. Talvez fosse pisoteada pela multidão.

NÃO!

– VOCÊS SÃO DIGNOS!!! – conseguiu gritar o espadachim no intervalo entre inimigos.

– VOCÊS... – a lâmina de Sumi decepou o braço de um humano – SÃO... – Igi repeliu o facão de um gisbaniano – DIGNOS!!! – Sumi lhe cortou a garganta.

Os Círculos se reconfiguraram para a próxima onda, mas ela não veio; a turba ensandecida havia sido substituída por uma multidão apática, encarando Adapak com olhos vidrados. Frágil como a chama de uma vela, a energia assassina do culto foi extinta pela frase do rapaz.

– Todos... vocês... – insistiu ele, com o pouco de fôlego que lhe restava – são... *dignos...*

Encharcado de sangue, Adapak caiu de joelhos, ouvindo suas palavras serem repetidas aos sussurros. Em algum lugar da multidão, a criança de colo começou a chorar.

PRIMEIRA TÁBUA
DINGIRÏ

Da chegada dos Quatro e a construção das Casas

NO PRINCÍPIO, Kurgala era mar, e os espíritos de Tiamatu e Abzuku pairavam sobre as águas. Seus olhos eram o vento curioso, e com a espuma das ondas escutavam o mundo, eternas e livres. E nada mais além dos espíritos existia, pois assim Elas desejavam.

Mas então, como um arco-íris de quatro cores, os Dingirï desceram dos céus de Kurgala. E Seus nomes eram:

Anu' Năr, o Artesão.
Enlil' Năr, o Viajante.
Enki' Năr, a Voz.
Nintu' Năr, a Lança.

"Nós somos o Branco e o Negro, as Senhoras de Kurgala", disseram Tiamatu e Abzuku, erguendo as ondas com o anúncio. "Exigimos saber quem nos visita."

"Eu sou Aquele que cantou a coragem", disse a Voz.
"Eu sou Aquele que encontrou o caminho", disse o Viajante.
"Eu sou Aquele que construiu a carruagem", disse o Artesão.
"Eu sou Aquele que cortou a escuridão", disse a Lança.

"E o que os Quatro Que São Um desejam de Nós?", perguntaram Tiamatu e Abzuku.

"Através do véu negro viajamos, eternos e livres", disse o Viajante.
"Mas a solidão do escuro se tornou insuportável", falou o Artesão.
"Então seguimos o caminho das velas até o seu mundo", disse a Lança.
"As Senhoras permitirão que façamos dele o Nosso lar?", perguntou a Voz, e Seu pedido soou como a mais triste canção.

"E o que os Quatro Que São Um Nos oferecem em troca?", perguntaram os Espíritos.

"Eu Lhes darei a lua de Kurgala", disse o Viajante, "para que em seu reflexo testemunhem a Sua infinita beleza."

"Eu Lhes darei o sol de Kurgala", falou a Lança, "pois assim Seus oceanos nunca esfriarão."

"Eu Lhes darei as nuvens de Kurgala", disse o Artesão, "para que possam escrever nos céus os Seus nomes eternos."

Tiamatu e Abzuku ficaram muito satisfeitas com os presentes. E disseram: "Nós, Senhoras de Kurgala, permitiremos que os Dingirï construam Suas Casas em Nosso mundo."

E assim os Quatro Que São Um assopraram as nuvens do Artesão, que se multiplicaram e escureceram os céus. E delas choveram muitas e muitas gotas de cristal, que cresceram até se tornarem enormes estacas, mergulhando nas águas de Kurgala e penetrando no fundo do mar. E, com Seus longos braços, os Dingirï as puxaram de volta à superfície, erguendo quatro continentes com elas.

"Esta é a Casa de Enki' När, e Eu a chamarei de Eriduria", disse a Voz Esmeralda sobre o primeiro continente.

"Esta é a Casa de Nintu' När, e Eu a chamarei de Sipparu", disse a Lança sobre o segundo continente.

"Esta é a Casa de Anu' När, e Eu a chamarei de Larsuria", disse o Artesão sobre o terceiro continente.

"Esta é a Casa de Enlil' När, e Eu a chamarei de Badibiria", disse o Viajante sobre o quarto continente.

Enki' När então mergulhou os braços no mar uma vez mais e das águas ergueu um quinto continente.

"E esta, a mais bela das Casas, será meu presente para Tiamatu e Abzuku", disse a Voz Esmeralda.

E os espíritos de Tiamatu e Abzuku responderam: "Esta será a Casa das Senhoras de Kurgala, e Nós a chamaremos de Shuru. E nela finalmente dormiremos, pois Kurgala está em boas mãos."

E os Dingirï ficaram felizes.

E assim está escrito na Primeira Tábua, pois esta é a palavra dos Quatro Que São Um.

SEGUNDA TÁBUA
DINGIRÏ

Da criação dos mortais

E POR toda Kurgala o topo de cada estaca de cristal se abriu como uma flor, pontuando o horizonte com um maravilhoso jardim esmeralda. E os Quatro disseram: "Estes serão os pilares de Nossas Casas, e com eles moldaremos o Nosso lar conforme a Nossa vontade."

E com as lascas dos pilares, os Dingirï fizeram pincéis, cinzéis e outras ferramentas de criação, e com elas desenharam rios, florestas, montanhas e vastos desertos de areia e gelo em Kurgala. E Eles se sentiram felizes, pintando Seu mundo com novas cores enquanto Tiamatu e Abzuku dormiam em Shuru.

Mas, após seis mil ciclos de criação, os Dingirï voltaram a ser atormentados pela solidão, pois não havia ninguém para apreciar os seus feitos ou ouvir as suas histórias.

Enquanto vislumbravam os céus e consideravam se deviam partir de volta para o véu negro em busca de um novo lar, Enki' När pensou: "As estrelas nunca estão solitárias, pois têm muitas amigas." O Dingirï então foi até o alto e sacudiu cada uma delas, fazendo com que o pó cintilante caísse sobre as montanhas, os campos, as águas e até sobre os desertos mais quentes. E por quatro luas e quatro sóis a Voz Esmeralda aguardou, até que seres de cores, formas e tamanhos variados começaram a brotar do solo de Kurgala, como se semeados por um inspirado jardineiro.

E quando as criações de Enki' När o encararam com ternura, seu grande coração se iluminou como muito não ocorria. E falou a Voz aos outros Dingirï: "Vejam, Irmãos, que do pó das estrelas Eu fiz as minhas crianças. E, ainda que sejam havia mortais, elas serão férteis e se multiplicarão, povoando o nosso mundo e nos fazendo companhia."

E ao escutar a alegria da Voz, o Artesão, a Lança e o Viajante também colheram o pó das estrelas e o espalharam sobre Kurgala, até que por todo lugar a vida estivesse germinando.

E, quando os Quatro viram que alguns mortais eram inteligentes, a Voz os ensinou a falar a língua dos Dingirï, e, com ela, nomear todas as criações. O Viajante os apresentou ao mundo e às suas regras. O Artesão lhes mostrou como construir as coisas. A Lança os ensinou a se alimentar das plantas e dos animais, pois a fauna e a flora também se alimentavam dos mortais. E os Quatro emprestaram Suas Ferramentas para os mortais, que começaram a moldar Kurgala à sua vontade.

Mas, quando o primeiro mortal expirou e não mais se ergueu do solo onde havia se deitado, os outros então perguntaram aos Quatro: "Como nossas almas retornarão às estrelas após o último respiro?"

E os Quatro Que São Um responderam:

"Eu construirei a carruagem das almas", declarou Anu' När, o Artesão.

"Eu apontarei o caminho", falou Enlil' När, o Viajante.

"Eu afastarei as nuvens", disse Nintu' När, a Lança.

"Eu os confortarei na viagem", proferiu Enki' När, a Voz.

E durante mil ciclos os Dingirï foram felizes entre os mortais.

E assim está escrito na Segunda Tábua, pois esta é a palavra dos Quatro Que São Um.

TERCEIRA TÁBUA
DINGIRÏ

Da Prisão de Cristal e a divisão dos Quatro

E a felicidade dos Dingirï era tamanha que seus corações bateram cada vez mais forte, ecoando como trovões até a Casa de Shuru e assim despertando Abzuku e Tiamatu.

E quando abriram os olhos e se depararam com os mortais, os Espíritos ficaram muito insatisfeitos. E disseram para os Quatro Que São Um: "Deixamos Kurgala em Suas mãos e Vocês a macularam de vida sem a Nossa permissão. Não permitiremos que estes seres imundos de argila caminhem sobre o Nosso mundo."

Mas os Dingirï não queriam se desfazer de Suas crianças e retornar ao solitário véu negro, portanto decidiram enviar a Voz Esmeralda à Casa de Shuru, pois Ele era o mais sábio dos Dingirï e seria capaz de dissuadir os antigos Espíritos.

E na Casa de Shuru a Voz Esmeralda conversou com Abzuku e Tiamatu por muitas luas e muitos sóis. Mas os Espíritos se recusaram a aceitar a presença dos mortais em seu mundo, por fim declarando: "Kurgala um dia foi mar e agora voltará a sê-lo, pois o acordo está desfeito. E esta é a vontade das Senhoras de Kurgala."

Assim sendo, Enki' När não viu alternativa senão transformar o presente que dera aos Espíritos, a Casa de Shuru, numa enorme Prisão de Cristal, enclausurando-os em seu interior.

E os Espíritos gritaram e se atiraram contra as paredes inquebráveis da prisão de Enki' När, fazendo tremer a terra e os mares. E os outros Dingirï sentiram sua ira, foram até Shuru e, quando testemunharam o que a Voz Esmeralda havia feito, disseram: "Esta não é Nossa vontade. Nós devemos libertar as Senhoras de Kurgala e retornar ao véu negro em busca de um novo lar."

Mas Enki' När era o que mais amava os mortais e se recusou a libertar os Espíritos. E, vendo que discordavam, os Quatro Que São

Um então ergueram uma pequena ilha entre as Suas Casas e a chamaram de Eninnü, pois era o Lugar de Conversar. E lá Eles conversaram por seiscentos ciclos.

E pela primeira vez os mortais se viram sem a presença dos Dingirï. E a solidão os fez sentir medo, e o medo os fez enxergar as diferenças entre seus muitos povos. E mortal ergueu arma contra mortal e o solo de Kurgala foi maculado de sangue.

E em Eninnü, quando os Quatro Que São Um finalmente terminaram a conversa, viram que não haviam chegado a um acordo acerca da Prisão de Cristal. E Eles entenderam que não poderiam ser mais Um, pois não mais concordavam sobre todas as coisas. E ao descobrirem como os mortais haviam se comportado na sua ausência, os Quatro se encolheram em tristeza.

E, assim, cada Dingirï recolheu as Suas Ferramentas e Se fechou em Sua Casa, prometendo não mais sair. E Eles Se tornaram menores, pois não eram mais Um.

E assim está escrito na Terceira Tábua, pois esta é a palavra dos Quatro Que São Um.

QUARTA TÁBUA
DINGIRÏ

Da ameaça das Bestas e a criação dos guardiões

E, QUANDO entenderam que não seriam soltos, disseram os Espíritos: "Nossos gritos de ódio vencerão as paredes desta Prisão de Cristal e ecoarão através de Kurgala, enfurecendo os animais da terra, do ar e do mar. E Nossos sussurros alcançarão os corações dos mortais e os corromperão, e suas almas escurecidas virão até Nós. E então Nós as devoraremos e Nos tornaremos cada vez maiores até que as paredes do Nosso cárcere se partam e sejamos livres novamente. Nesse dia faremos de Kurgala mar e de Abzuku e Tiamatu Suas Senhoras outra vez."

E os mortais tremeram sob a ameaça dos Espíritos e se aglomeraram na porta da Casa de cada Um dos Quatro, implorando para que Eles saíssem e os protegessem daquele destino cruel.

Os Dingirï pediram aos mortais que os deixassem em paz, mas o medo que os mortais sentiam era enorme e todos se recusaram. E, como haviam se separado, os Quatro viram que não sabiam mais como tocar o coração de Suas crianças.

Os Dingirï então retornaram ao Seu Lugar de Conversar, à ilha de Eninnü, e lá compreenderam o que precisava ser feito. E o Artesão colheu um punhado da terra de Eninnü e o moldou na forma de um boneco alto e magro, dizendo: "Este será o Guardião das Nossas Casas, e Eu o chamarei de Mellat."

Mas o Mellat não se moveu, pois ainda estava incompleto.

"Da lasca do pilar da Minha Casa, Eu farei as Mãos do Mellat, para que ele possa fazer e desfazer", disse Anu' När, o Artesão.

"Da lasca do pilar da Minha Casa, Eu farei o Olho do Mellat, para que ele enxergue além do alcance", disse Enlil' När, o Viajante.

"Da lasca do pilar da Minha Casa, Eu darei Voz ao Mellat, para que todos o escutem", disse Enki' När, a Voz.

"Da lasca do pilar da Minha Casa, Eu farei o Coração do Mellat, para que ele conheça a alma de cada mortal", disse Nintu' När, a Lança.

E disseram os Quatro: "Das lascas dos pilares das Nossas Quatro Casas, Nós faremos a Mente do Mellat, para que o Guardião Nos represente em equilíbrio."

E o Mellat finalmente se ergueu, pois agora estava completo. Com seu Olho, ele encontrou cada mortal de Kurgala e, com seu Coração, sentiu o medo que corrompia suas almas. Com sua Mente, ele compreendeu o que deveria ser feito. E com sua Voz, ele falou: "Do pó das estrelas os Dingirï colheram os mortais, e para as estrelas aqueles que forem dignos retornarão ao final da vida, pois esta é a vontade dos Dingirï."

E por toda Kurgala os mortais escutaram o Mellat, pois sua Voz ecoou no fundo de suas mentes como num sonho. E perguntaram os mortais: "Mas como nós seremos dignos, Guardião sagrado?"

E o Mellat respondeu:

"Usará a mão para construir, pois esta é a vontade de Anu' När, o Artesão."

"Cederá a casa para o viajante cansado, pois esta é a vontade de Enlil' När, o Viajante."

"Não usará a palavra para o mal, pois esta é a vontade de Enki' När, a Voz."

"Não erguerá a arma contra os irmãos, pois esta é a vontade de Nintu' Năr, a Lança."

E com sua Mão Direita, o Mellat apontou para o continente de Sipparu e lá ergueu a mais alta montanha de Kurgala, cujo topo roçava as nuvens do Artesão. E com a Mão Esquerda, o Mellat a esculpiu na forma de um retângulo perfeito, e em cada face da rocha escreveu a palavra dos Dingirï. E ao vislumbrá-las, os mortais finalmente se acalmaram e deixaram as Casas dos Quatro em paz.

E disse o Mellat: "Farei do meu reflexo outros mellat, e eles guardarão as Casas dos Quatro, pois serão os meus olhos e os olhos dos Dingirï. De Eninnü guardarei Kurgala enquanto as portas das quatro Casas estiverem fechadas."

E, quando os Quatro retornaram às Suas Casas, por toda Kurgala os mortais louvaram em esplendor e alegria, dizendo: "Justos são os Quatro Que são Um!"

E assim está escrito na Quarta Tábua, pois esta é a palavra dos Quatro Que São Um.

Antigas armaduras

Pois saiba que a partir deste dia todos aqueles que sentirem o seu perfume se apaixonarão por você. Mas a paixão será tão avassaladora que até o mais sensato dos mortais enlouquecerá, e assim Ïnanna nunca conhecerá o amor verdadeiro.

Enlil' När, o Viajante, em *A lenda da flor da lua*.

O ESPASMO dominou o humano de súbito, forçando-o a emitir um gemido entre dentes. Seus dedos se fecharam entre os cabelos púrpuros do par de ïnannarianas com quem ele compartilhava a cama, e o trio se contorceu em sincronia, mesclando-se ainda mais aos lençóis suados. O êxtase o manteve refém por alguns instantes e então o libertou para que relaxasse o corpo exausto e dolorido, apenas para ser acometido por um sono avassalador; ele o combateu com a pouca energia que ainda lhe restava e abriu os olhos lentamente, encontrando a penumbra de um pequeno quarto de mobília simples, as cortinas proibindo que o sol do início da tarde espiasse seus atos libidinosos. Aninhadas ao seu lado, as ïnannarianas agora conversavam entre si, ainda que suas vozes melodiosas soassem para o homem como flautas distantes numa floresta. Apesar da raiz de mochi que haviam acendido para fumar, o forte perfume natural que seus corpos emanavam prevalecia no ambiente.

Agarrando-se à consciência, o sujeito afastou os longos cabelos negros do rosto mal barbeado e tentou se lembrar de onde estava. Sentia como se já tivesse realizado aquele ritual algumas vezes. *Quantas vezes?* Havia roupas espalhadas pelo chão, junto a taças e garrafas de vinho. O cabideiro era um espantalho travestido com partes de uma antiga armadura vermelha de osso de anbärr. Sobre a cômoda, uma bolsa de couro e um cinto repleto de facas eram refletidos no espelho manchado à frente.

– Senhoritas, eu... – balbuciou o humano, tentando se apoiar nos cotovelos. Era óbvio que havia exagerado na bebida, mas algo mais parecia enlamear seus pensamentos. – Eu... preciso ir...

As meretrizes se entreolharam.

– "Ir"? – disse a mais alta, apertando o corpo quente e desnudo contra o dele. Sua pele arroxeada era firme como um obiri maduro e coberta de tatuagens de animais marinhos.

– Podemos brincar só mais um pouquinho? – pediu a outra flor--da-lua, apagando o cigarro de mochi na lateral da cômoda. Ela deslizou as mãos sobre o peito cabeludo do companheiro e insistiu, quase em tom de súplica. – *Por favor...*

O homem inspirou fundo e o perfume intenso das ïnannarianas lhe invadiu a mente como a bruma de uma manhã fria, enevoando suas dúvidas. A angústia deu lugar ao desejo.

A porta do quarto foi escancarada.

O trio de amantes testemunhou, sobressaltado, a responsável pelo arrombamento cruzar o batente; portando uma faca e com uma longa espada embainhada no quadril, a atlética humana de cabelos curtos e pele morena de sol avaliou o cenário com uma careta de desgosto até identificar o homem:

– Finalmente – disse ela, a expressão do rosto mudando para alívio.

O sujeito a admirou de cima a baixo e abriu um largo sorriso, repuxando as duas antigas cicatrizes na bochecha esquerda.

– Olhe, você é maravilhosa, mas eu não acho que dou conta de *mais uma...* – disse ele.

A mulher pegou uma das garrafas de cerâmica do chão, se dirigiu até a lateral da cama e derramou o resto do vinho sobre a cabeça do homem. As ïnannarianas gritaram e se levantaram.

– *Jarkenum Raned!* – A humana o chamou pelo nome e lhe desferiu um tapa que ecoou através do quarto.

O homem esfregou o rosto, uma fagulha de sagacidade finalmente surgindo em seus olhos exaustos.

– *... Sirara?*

– Venha comigo, Jark, vamos sair daqui – disse a capitã. – Eu preciso de você.

– Ah, minha linda, eu também preciso de você... – falou Jarkenum, deslizando os dedos pela coxa da mulher.

– Eu não quis dizer desta maneira! – Ela chutou o pé da cama. – Levante-se e vista-se, vamos!

Confuso, ele obedeceu, vasculhando os lençóis à procura da roupa de baixo. Sirara se virou para a janela, mas se deparou com a flor-da-lua tatuada bloqueando seu caminho enquanto a outra deixava o quarto.

– Vocês humanas são... *tensas* demais – observou a meretriz, com um sorriso malicioso.

Sirara inspirou para escorraçá-la, preenchendo acidentalmente os pulmões com o traiçoeiro perfume da ïnannariana. Por um breve instante, sua mente influenciada lhe ofereceu uma proposta que a fez ruborizar.

– V-vá feder para longe de mim, *flor-da-rua* – disse a mulher, tocando o cabo da faca presa ao quadril.

A meretriz desmanchou o sorriso e recuou, colando as costas na parede. A humana passou por ela, abriu as cortinas e escancarou as janelas, trazendo a luz do sol e a algazarra dos Mercados Invisíveis para o interior do aposento no segundo andar. Aliviada, sentiu o forte cheiro da comida de rua disfarçar o perfume da ïnannariana, que, apesar dos seus esforços, começara a contaminar seus pensamentos.

– Uma ajudinha?... – Veio a voz áspera às suas costas.

Sirara se virou.

Trajando o torso da complexa armadura de osso, Jarkenum tentava, com dificuldade, afivelar a lateral.

– Você, *saia daqui* – disse Sirara à meretriz tatuada, que deixou o quarto às pressas. A humana então foi até o homem.

– O que está havendo, *Si*? – perguntou ele, ainda desorientado. – Por que você está... Ei, devagar!

– Porque eu preciso da sua ajuda, é por isso – respondeu ela, apertando a última fivela. – Pelos Quatro, você está *fedendo*...

– Ajuda para quê?

– Vou explicar assim que sairmos daqui e você estiver pensando direito – respondeu a capitã, indo até o cabideiro e recolhendo as botas e as manoplas do traje escarlate. – Onde está o seu elmo?

– Eu o perdi há tempos – disse ele.

– Pelos Quatro, você o *perdeu*? – Sirara o empurrou para que se sentasse à cama. – Quer saber, esqueça. Apenas estique as pernas, vamos!

Quando finalmente apertou a última fivela da bota, Sirara foi até a cômoda e pegou o cinto de facas e a bolsa de couro de Jarkenum.

– Precisamos ir. – Ela jogou os objetos para o dono e se encaminhou para a porta. O homem fez sinal de segui-la, mas então se interrompeu.

– Ah, espere... – Ele se agachou e tateou sob a cama. Quando se levantou, estava em poder de um longo chicote laminado, os segmentos alinhados como uma grotesca espinha dorsal.

– Esta coisa horrível você não perdeu – disse Sirara.

O corredor do segundo andar do prostíbulo estava vazio, e a dupla o atravessou para chegar à escada que daria para o térreo da casa. Atrás de cada porta no trajeto, trechos de conversas, risadas e gemidos abafados. Uma voz rouca suplicava para que fosse lá o que estivesse sendo feito continuasse, ou fosse interrompido – Sirara agradeceu por não ser capaz de discernir.

Os dois chegaram à escada e encararam o salão abaixo, iluminado pelas frestas das janelas e as velas bruxuleantes de um grande e velho candelabro que pendia do teto. Os poucos clientes do prostíbulo – entretidos pelas companhias interesseiras, pela bebida barata e pela melodia de um sebet desafinado – deram pouca atenção ao casal que desceu apressado os degraus.

No centro do grande aposento, entretanto, a ïnannariana tatuada os aguardava com um olhar cínico, acompanhada por dois corpulentos seguranças humanos armados com espadas. À frente do trio, uma uggael idosa liderava a recepção, suas duas faces esticadas em sorrisos cordiais. Grandes anéis coloridos ornamentavam seus dedos ossudos, entrelaçados na grossa bengala de madeira sobre a qual ela se apoiava com firmeza.

– Ainda é cedo para partir, meu querido – disse a cabeça superior da senhora, enquanto a inferior desmanchava o sorriso da boca vertical. Sob as vestes de cor turquesa, a pele enrugada era marcada por antigas pústulas provocadas pelo sol.

– Ah, você sabe como é, parceira – respondeu Jarkenum, parando com Sirara aos pés da escada. – Quando a coleira puxa, o sepu precisa voltar para casa.

A capitã o mirou com um olhar incrédulo.

– Ainda assim... – começou a dizer a cabeça superior da uggael.

– ... minha garota aqui diz que você nos deve três dias e três noites de serviços – completou a cabeça superior, meneando na direção da flor-da-lua tatuada.

– Você está hospedado neste buraco há tanto tempo assim? – reagiu Sirara.

O homem de armadura respondeu com um esfregar do rosto. Seu corpo se livrara das perfumadas amarras das ïnannarianas, mas não das pesadas correntes da embriaguez. Vendo que não obteria uma resposta objetiva, Sirara se aproximou do colega e abriu sua bolsa de couro.

– Quanto? – perguntou ela à uggael.

As duas faces se voltaram à flor-da-lua.

– Catorze escudos e quarenta escamas – respondeu a meretriz.

Sirara ergueu as sobrancelhas.

– Pelos Quatro, Jarkenum – disse ela.

– A humana quebrou a nossa porta lá em cima também – dedurou a ïnannariana.

– Está bem, escutem. – Sirara fechou a bolsa. – Obviamente não temos esse dinheiro conosco, mas eu prometo que meu amigo aqui vai dar um jeito de acertar as contas mais tarde. Neste momento, eu preciso tirá-lo daqui para uma... *emergência*.

– Inaceitável – disseram, ao mesmo tempo, as duas faces da uggael.

– O que vocês propõem, que eu lave os pratos? – provocou Jarkenum.

– Nem com os braços de um sadummuniano você lavaria tantos pratos assim – retrucou a ïnannariana, debochada.

A uggael apontou a bengala para Jarkenum.

– Sua armadura vale o preço – disse a cabeça de cima.

– Nem sonhando, *caras-de-pus* – reagiu o homem.

– Chamemos a guarda dos Mercados Invisíveis, então – falou Sirara. – Vamos ver o que eles pensam sobre este esquema de extorsão que vocês têm aqui.

– Olhe ao redor e escolha um, querida. – Os rostos da uggael sorriram. – Aonde você acha que as sentinelas vêm após o expediente?

Sirara inspirou fundo. Jarkenum pousou a mão sobre seu ombro.

– Bom, você tentou, Si – disse ele.

O homem sacou o chicote laminado do cinto e o desenrolou com um estalo que ecoou através do salão, cortando as risadas e a trilha sonora do ambiente. Ele então o arremessou para o alto, laçou o grande candelabro e o puxou para baixo com toda a força que tinha.

O objeto gemeu e balançou com o tranco, mas permaneceu firme ao teto. Três velas despencaram para o solo e se apagaram, uma delas rolando até a bengala da uggael.

– Jark, o que você está fazendo? – sussurrou a capitã. Igualmente atônitos, os presentes no salão encaravam aquele homem de braço erguido, a mão segurando o cabo do açoite preso ao candelabro.

– Ah, você sabe – respondeu ele, dando de ombros. – Pensei que esta coisa fosse cair e causar uma distração para facilitar a nossa vida.

A uggael fez sinal para o par de seguranças humanos, e eles desembainharam suas espadas. Clientes e profissionais se levantaram das mesas e abriram um cerco amedrontado. Garrafas se partiram no chão, a bebida se misturando às pontas de cigarro de mochi acumuladas entre as frestas na madeira.

– Entreguem suas armas e... – disse a cabeça superior da senhora.

– ... ninguém se machuca – a inferior terminou a proposta.

Sirara desembainhou a espada Lukur. Ainda que mal iluminada pelas velas do recinto, a brancura da lâmina de osso provocou um burburinho na plateia.

– Venham pegar – desafiou a capitã.

Os seguranças avançaram, o maior deles optando por enfrentar a mulher. O humano certamente era forte e familiar ao combate, entretanto o excesso de gordura sobre sua musculatura sugeria uma dedicação maior aos prazeres do álcool do que aos treinos que sua profissão exigia; lento, ele ergueu e desceu a arma com força contra a oponente, que não teve dificuldade em prever o trajeto do golpe, se esquivar e lhe devolver um corte profundo no braço esquerdo. O homem gritou e tropeçou para o lado, se desprendendo da lâmina de Lukur e trombando contra uma das mesas do salão.

O outro segurança (um indivíduo barbado, não tão volumoso em músculos ou gordura quanto o colega) avançara com tranquilidade contra Jarkenum, visto que este ainda segurava o chicote enrolado ao candelabro. O homem embriagado, contudo, jogou o cabo da arma na direção do rosto do agressor, que se desviou do pêndulo e hesitou, dando tempo para que Jarkenum sacasse duas facas do cinto e as arremessasse; uma das lâminas finas rasgou a lateral do pescoço do segurança, que levou a mão livre ao ferimento.

Sirara se voltou a Jarkenum a tempo de vê-lo correr até o humano barbado, abraçá-lo pelo tronco e levá-lo consigo ao chão. Gemendo e sangrando, o homem largou a espada para tentar se defender dos punhos desordenados do agressor, mas logo foi nocauteado por um soco certeiro no queixo.

A interrupção dos confrontos quebrou o torpor da plateia, que se afunilou na saída do estabelecimento, sob os protestos da uggael. Enquanto uma de suas cabeças vociferava contra os clientes que se acotovelavam ao ultrapassá-la, a outra notou que a ponta do açoite havia desaparecido da luminária no teto. Uma perna tropeçou em sua bengala e a senhora caiu de joelhos, sabendo que, quando finalmente se levantasse, nem Jarkenum nem Sirara estariam mais no estabelecimento.

Esposas

E, quando visitava suas quatro Esposas, Saruma o fazia numa só noite, pois dispunha da vitalidade de doze sadummunianos.

Crônicas de Saalmo Sarrum.

– SEU banho o aguarda, Imperador de Fogo – anunciou a ïnannariana ao abrir as cortinas da tenda.

Sentado sobre uma das muitas almofadas espalhadas pelo suntuoso recinto esmeralda, o solitário espadachim não reagiu ao chamado. Restos de folhas, terra e sangue disputavam espaço em sua pele negra, expondo sua vergonha. De olhar vidrado, ele mirava o tapete felpudo e fantasiava uma miniatura de si correndo entre os fios de lã, como se num campo gramado. Em seu encalço, uma multidão assassina o clamava pelo nome do profeta que acreditavam estar perseguindo.

S'almu Saruma!, gritavam.

S'almu Saruma!

– S'almu Saruma? – insistiu a ïnannariana.

O espadachim piscou e voltou a atenção para a jovem de cabeça raspada. Apreensiva, ela mantinha as cortinas entreabertas e encarava-o com os olhos negros de pupilas azul-esverdeadas. No decote das vestes de seda, fixo em seu tórax tatuado, o estranho cristal reluzia sob a claridade do sol da entrada.

– Qual o seu nome? – questionou Adapak, falando o idioma ïnannariano com perfeição.

– Eu... receio não ter compreendido, meu Senhor – reagiu ela. Lá fora, as passadas do kusari ecoavam pelo vale, indicando que o acampamento voltara a se mover.

– Você não fala o idioma dos flor-da-lua? – Adapak usou o termo popular da espécie.

– Não tive a oportunidade de aprendê-lo, meu Senhor. Fui criada na cidade de Pakal.

– Ah, é claro – disse o espadachim, surpreso com o próprio descuido. Ainda que, após a partida dos Quatro, os mortais tivessem desenvolvido povoados e culturas fechadas a cada espécie, muitos ainda nasciam e cresciam nas cidades fundadas durante a era Dingirï, onde a tradicional Língua Antiga se mantinha como principal forma de comunicação.

– Bom, eu tinha perguntado o seu nome – falou Adapak, fazendo uma careta de dor ao se erguer. Embainhadas na cintura, as espadas gêmeas descansavam.

– Eu me chamo Puabi, meu Senhor – respondeu a ïnannariana.

– Puabi – repetiu o rapaz, sentindo a brisa trazer o perfume natural da jovem para o recinto. Assim como em T'arish, centenas de pontos pretos desenhavam padrões em sua pele azul; estrelas num céu que ele sentia falta de admirar.

O vestido de seda brincava nas curvas do corpo dela.

Controle-se.

– Puabi, você... você pode me dizer para onde estamos indo? – perguntou Adapak, esforçando-se para ignorar os efeitos do perigoso aroma daquela espécie.

– Fui incumbida de acompanhá-lo até a tenda de banho, meu Senhor.

– Não, eu... eu me refiro ao *acampamento* em si. Para onde o acampamento está indo?

A flor-da-lua contraiu o rosto.

– Para Shuru, meu Senhor, evidentemente – respondeu ela, confusa.

No quarto dia, a Prisão de Tiamatu e Abzuku será quebrada.

– Isso é um teste, meu Senhor? – perguntou Puabi. – Para certificar-se de que sou digna? Eu o asseguro de que provei de sua carne...

– Não. – Ele ergueu a mão cinzenta, enfatizando a palavra. – Você é digna. Todas vocês são, ninguém mais será... "avaliado", você entendeu?

Fazendo a saudação da Irmandade, a ïnannariana levou as costas da mão à testa e abriu os dedos, como uma estrela.

– Certamente, S'almu Saruma – respondeu ela.

Esfregando o rosto, Adapak desviou o olhar da jovem e esquadrinhou mais uma vez o cenário. Presa ao solo por uma dúzia de amarras e estacas, a suntuosa tenda onde ele se encontrava media cerca de oito passos de uma lateral à outra, forrada por belas almofadas bordadas e um elegante tapete verde. Flâmulas coloridas pendiam do teto triangular, exibindo símbolos que o rapaz acreditava representar os continentes de Kurgala. Nos quatro cantos do recinto, cabideiros, baús, roupas, joias e itens pessoais variados sugeriam o espaço particular das fêmeas que ali residiam, com lampiões e velas derretidas revelando o tempo considerável que passavam ali.

– Estas coisas são suas, Puabi? – perguntou ele, mancando até um dos ambientes. Uma pequena coleção de livros lhe chamara a atenção.

– Não, meu Senhor. – Ela se juntou ao rapaz.

– *Tamtul e Magano e os muros da Fortaleza de Areia* – disse o espadachim, esboçando um melancólico sorriso ao remover o objeto da pilha. Diferentemente da antiga coleção que ele costumava ler na Casa de Enki' När, a capa de couro simples carecia de ilustração e exibia apenas o título desbotado. – É um dos contos mais assustadores. Você conhece o autor?

– Creio que não, meu Senhor.

– Quando ele era criança ouvia essas histórias da avó, uma menestrel humana chamada Laudiara. – Adapak folheou o livro. – Esta aqui é sobre uma feiticeira maligna que conseguiu transferir a alma para um espelho antes de morrer.

– Um espelho? – questionou Puabi. – Por que razão, meu Senhor?

– Para ser capaz de retornar à vida depois – explicou o espadachim, voltando-se animado para a jovem. – Mas a protagonista da história é, na verdade, a menina que encontra o espelho, e...

A flor-da-lua franzia as sobrancelhas.

– É só... uma história boba. – O rapaz desfez o sorriso e fechou a obra.

– Não é isso, meu Senhor, eu apenas... – Puabi começou a explicar, desconfortável. – Me perdoe, mas minha mãe costuma afirmar que tais histórias foram escritas na época da Ordem dos Zeladores, com o intuito de macular a imagem dos kishpü.

– Não se preocupe, a sua mãe provavelmente tem razão – disse o espadachim, devolvendo o objeto à pilha.

O rapaz se voltou para a ïnannariana e, pela primeira vez, avaliou de perto o cristal e a tatuagem branca em seu peito: representando os Quatro Que São Um, a ilustração consistia numa espiral de tentáculos ao redor da estranha joia triangular – esta, por sua vez, parecia mais incrustada à pele do que simplesmente colada, como um seixo afundado na areia.

– Esse cristal – apontou ele, receoso. – É uma relíquia Dingirï, não é?

– Precisamente, meu Senhor – confirmou Puabi, tocando o objeto. – Está na minha família há gerações. Minha mãe me confiou seu poder assim que ingressei no sacerdócio.

– Sacerdócio? – indagou Adapak. – Mas o modo como essa relíquia está *presa* a você...

– Sou uma kishpü, sim, assim como minha mãe – esclareceu ela. – Há muitos ciclos que nosso templo aceita feiticeiros no sacerdócio.

– Ah, entendi – disse ele. – É que... Bom, você não se parece com uma feiticeira. A pele delas é...

– Ah, eu ainda sou uma aprendiz, meu Senhor. Minha *fusão* a esta ferramenta apenas custou os meus cabelos. – Puabi passou a mão sobre a cabeça calva. – São precisos muitos ciclos de exposição à luz direta das relíquias para que a carne mortal seja afetada.

O espadachim voltou os olhos para a joia.

– *Doeu*? – perguntou ele.

– Meu Senhor?

– Doeu quando a prenderam em você? – esclareceu o rapaz.

– Ah. Eu estava em transe quando o processo foi realizado, então nada senti – respondeu Puabi. – A recuperação foi um pouco dolorosa, claro, mas não são dolorosas todas as grandes mudanças da vida? Um preço *justo* em troca de uma afinidade especial com a magia.

– E qual é a... *magia* que essa relíquia é capaz de fazer, afinal? – indagou Adapak.

– É graças a ela que somos capazes de domar o patas-de-trovão onde estamos acampados – revelou Puabi.

– Você consegue... controlá-lo?

– *Acalmá-lo* seria o termo mais apropriado – disse ela. – Deixo a "direção" propriamente dita aos nossos irmãos da cabine de navegação.

Adapak torceu os lábios.

– "Cabine de navegação?" – perguntou ele.

– Temos membros da Irmandade guiando a besta através de enormes amarras... quase como fazemos com as rédeas de um cascos-da-estrada – explicou a jovem ïnannariana.

Rédeas, pensou o espadachim, sentindo o oscilante caminhar do animal. Ele imaginou a complexa engenharia necessária para se guiar algo daquela magnitude.

– Então você está mantendo o kusari *calmo* o tempo todo? Mesmo agora, enquanto estamos aqui conversando? – Quis saber Adapak.

– Ah, não, meu Senhor, isso seria demasiadamente desgastante. – A flor-da-lua esboçou um sorriso. – Basta que eu *influencie* o grande animal de tempos em tempos para que o encanto não enfraqueça.

Interrompendo o diálogo, uma figura surgiu pela abertura na tenda; tratava-se da mau'lin cheia de cicatrizes que Adapak conhecera no dia em que despertara.

– Por que a demora, irmã Puabi? – perguntou ela.

– Me perdoe, irmã Shaetär. – A flor-da-lua se esquivou do olhar impaciente da companheira. – O Rei Queimado me questionava acerc...

– Não cabe a você essa função, feiticeira. O Irmão *Azagör* fará as honras após o banho do Imperador Negro – interrompeu Shaetär. Mudando de postura, ela voltou-se então para o rapaz cor de carvão. – Seu banho o aguarda, meu Senhor.

Contendo a irritação, Adapak avaliou a recém-chegada. Como a maioria dos mau'lin, sua estatura era mais baixa que a do espadachim – quase uma cabeça e meia, calculou ele. Sua faixa de cabelos era amarrada com a firmeza de alguém disciplinado, e os grandes olhos amarelos moviam-se como se antecipassem algum tipo de emboscada a qualquer instante. Sobre a pele branca e naturalmente enrugada, antigas cicatrizes lhe desenhavam o mapa de uma vida violenta. O padrão de certos cortes e queimaduras, porém, acrescentou uma anotação a mais na mente do espadachim.

Torturas. Torturas de guerra.

O pensamento, somado ao corpo atlético e ao modo como a mau'lin se movia, contudo, sugeriam algo ainda mais específico; estava ali uma espadachim treinada na Academia de Badibiria – a técnica rival aos Círculos Tibaul.

Adapak se surpreendeu com a rapidez com que traçara o perfil daquela completa estranha, uma vez que nunca havia encontrado alguém formado pela Academia (muito menos ainda alguém *torturado*). No entanto, desde que deixara o Lago Sem Ilha, descobrira que tinha dificuldade em discernir entre os *seus* instintos e aqueles que *herdara* de Telalec, graças aos arcos da Casa de Enki' När.

E com esse pensamento perturbando-o profundamente, Adapak atravessou as cortinas e deixou a tenda.

O SOL saudou sua pele negra pela segunda vez naquele dia. Igualmente calorosa foi a recepção dos integrantes do culto, aclamando o jovem enquanto Shaetär e Puabi o guiavam através do acampamento. Não fosse o leve oscilar do horizonte, era fácil esquecer que estavam sobre um gigantesco animal de transporte; roupas secavam nos varais, ovos eram virados, bebês amamentados. O espadachim se perguntou quantas pessoas os Círculos haviam apagado daquele quadro mundano durante sua tentativa de fuga.

– O Senhor nos salvará das Bestas, S'almu Saruma? – abordou-o uma menina humana, oferecendo-lhe um belo colar de conchas.

Pesaroso, o rapaz aceitou o presente.

Adapak foi escoltado até uma grande tenda branca ao sul do kusari, adornada com pinturas de estrelas e chamas nas laterais. Atravessando o véu da entrada, encontrou um aposento quente e úmido onde a humana e a sadummuniana que conhecera mais cedo o aguardavam em posse de cuias, toalhas, escovas e itens de limpeza pessoal. Uma larga bacia circular de madeira havia sido colocada no centro do recinto; sob o vapor da água quente, pétalas de flor-da-estrada e cabelo-de-noiva deixavam o banho ainda mais convidativo.

– Ãh... olá – disse o espadachim, observando por cima do ombro Shaetär e Puabi adentrarem a tenda e fecharem as cortinas. No teto do aposento, uma abertura quadriculada permitia a entrada da luz diurna e o escapar do ar quente.

– Rei de Fogo, graças ao seu despertar agitado nós não tivemos a oportunidade de nos apresentar – falou a sadummuniana de pelagem rubra. Seu tamanho e musculatura superavam qualquer outro macho da espécie que Adapak já tivesse encontrado, confirmando o que havia aprendido nas enciclopédias. Havia ternura em seus quatro olhos, no entanto, e o espadachim apostou que as outras a viam dessa forma. – Eu sou a irmã Badara, nascida no continente da Voz. Em minhas veias corre o sangue de Dandara e Azagör, líderes da nossa Irmandade.

Adapak reconheceu o segundo nome.

– Azagör – repetiu ele. – Você é filha do monge que me abordou na biblioteca em Isin? Um com a barba tingida de negro?

– Sim, Rei de Fogo – confirmou Badara, balançando as tranças sob o poderoso maxilar.

– Eu sou irmã Puabi, nascida no continente do Viajante – disse a ïnannariana atrás do espadachim, que se virou para encará-la. – Em minhas veias corre o sangue de Lumara, Alta Sacerdotisa do Templo dos Guardiões Antigos.

– "Guardiões". É como os mortais chamam... – Adapak se interrompeu e refez a frase: – É como *vocês* chamam os mellat, certo?

– Creio que sim, meu Senhor – falou a flor-da-lua.

Ao lado de Puabi, a mau'lin pigarreou.

– Imperador Negro, eu sou a irmã Shaetär, nascida no continente do Artesão. – Ela se apresentou. – Em minhas veias corre o sangue de Mashda e Shaetär Urdo.

– Mashda Urdo, um dos imperadores de Larsuria? – perguntou o espadachim.

– O imperador *assassinado*, meu Senhor – corrigiu Shaetär, enfatizando a palavra. – Meu pai foi morto por um espião covarde ao final do ciclo passado, nas areias da praia da Montanha Gentil.

Adapak engoliu em seco. O assassino havia sido Telalec, momentos antes de adentrar a Casa de Anu' När por acidente.

Momentos antes de descobrir o corpo do Artesão.

Deuses não sangram.

Afastando o antigo mestre da memória, o espadachim se voltou à humana do grupo. O longo véu que lhe ocultava os cabelos curtos e as feições delicadas disfarçara sua mocidade à primeira vista, mas agora, estudando-a com atenção, Adapak podia julgá-la entre os doze e catorze ciclos de idade – o que a colocava, considerando as proporções entre as espécies, numa categoria muito mais jovem do que as colegas. De pele marrom-escura e livre de tatuagens, ela mantinha o olhar baixo e as mãos junto ao corpo.

Esposas.

– Äh... e quanto a você? – perguntou Adapak, perturbado com a constatação.

Em vez de responder, a menina olhou para Badara.

– Ah, esta é a irmã Aishara, meu Rei de Fogo, nascida no continente da Lança – disse a sadummuniana, pousando um dos seis braços peludos sobre o ombro da jovem. – Perdoe o seu silêncio, ela é filha das Cidades Quietas. Filha do Fosso.

Adapak sabia sobre as Cidades Quietas e o festival horroroso que praticavam.

– E... por que você cobre seu rosto com esse véu? – indagou ele.

A menina passou a mão na frente dos olhos e depois apontou para cima. Foi Puabi quem esclareceu:

– Em respeito à histórica fúria de Nintu' När, os habitantes do continente da Lança cobrem a cabeça, e muitas vezes o rosto também, meu Senhor – explicou a flor-da-lua.

Shaetär pigarreou e apontou para a banheira.

– Podemos começar, Rei de Fogo? – perguntou ela.

O rapaz inspirou fundo.

– Eu... tenho que ficar pelado?

Intrigadas, as fêmeas se entreolharam.

Cansado demais para contestar, Adapak desafivelou a bainha das espadas, removeu o novo colar do pescoço e se despiu do pano branco que lhe cobria o íntimo. Ao mergulhar o corpo na água aquecida, os cortes e arranhões que ele ganhara durante o massacre arderam. Sabendo que merecia, o rapaz aceitou a dor.

Ajoelhadas ao redor da banheira, as quatro fêmeas cobriram o espadachim com uma pasta escura (que, pelo cheiro, ele acreditou ser uma mistura de argila com gordura de algum animal) para em seguida removê-la com escovas. As bandagens do tronco e coxa esquerda se soltaram na água, que aos poucos escureceu. Ramos de flor-da-estrada e cabelo-de-noiva foram esfregados em pele negra. Óleos.

Uma mão deslizou para sua virilha.

Adapak encolheu as pernas, derramando água sobre o chão.

– O que está fazendo?! – perguntou ele para Aishara, responsável pelo ato. Confusa, esta encarou as companheiras.

– Irmã Aishara, o que você fez de errado?! – indagou a ïnannariana, arregalando os olhos contra a menina.

Bosta.

– Eu lhes disse que ela não era *digna* da Casa da Lança – acusou Shaetär, afastando-se da banheira.

– Não diga isso, irmã Shaetär – falou Puabi.

– Mas o Imperador Negro a *rejeitou*, vocês são testemunhas – insistiu a mau'lin, entre dentes.

Lágrimas brotaram dos olhos da menina. Desconcertadas, Badara e Puabi se voltaram para Adapak.

BOSTA.

– Não, espere! Ei! – disse o espadachim, erguendo a mão cinzenta. – Ela não fez nada de errado, é que... é que eu estou cansado, só isso.

– *Cansado*, meu Imperador? – repetiu Shaetär.

– Apenas... terminem o meu banho – pediu ele, em meio aos soluços de Aishara. – Por favor.

Após ter o corpo enxugado, Adapak recebeu um elegante manto vermelho para se cobrir. Escoltado de volta pelo acampamento, ele ignorou os cânticos em sua homenagem enquanto amaldiçoava sua ignorância a respeito de Saalmo Sarrum (ou *S'almu Saruma*, como o culto o chamava). Até que outra forma de escapar se apresentasse, interpretar aquele papel parecia a melhor maneira de evitar mais derramamento de sangue – contanto que o personagem se *sustentasse*; tudo que o espadachim sabia, no entanto, era que o imperador Sarrum havia se tornado uma personalidade profética nos últimos ciclos de vida, alegando ser aquele que salvaria os fiéis na lua em que Tiamatu e Abzuku escapassem da Prisão de Cristal. Seu ato final fora um suicídio público, ateando fogo ao próprio corpo após prometer que seria ressuscitado pelos Dingirï quando as Bestas se libertassem. Ainda que falsos profetas não fossem raridade em Kurgala, a história havia atraído a curiosidade de Adapak na juventude; no Lago Sem Ilha, ele consultara o pai sobre a figura histórica, apenas para ouvir a Voz Esmeralda assegurar que Saruma fora, pura e simplesmente, "insano". A constatação acabou por enfraquecer o interesse do espadachim pelo assunto – algo de que ele agora se arrependia amargamente.

Que homem fora aquele, cujo exemplo inspirava seus adoradores a um frenesi suicida? A colocarem alguém tão jovem entre suas pretendidas? Temendo a resposta, Adapak atravessou as cortinas da grande tenda esmeralda, quando uma voz familiar o resgatou à realidade:

– Justos são os Quatro Que São Um – falou Azagör.

Ao centro do aposento, o austero sadummuniano recebia o rapaz com um sorriso. Diferentemente do encontro na biblioteca de Isin, o manto que agora lhe cobria a grossa pelagem avermelhada era branco e bordado com passagens das Tábuas Dingirï. Segura por um par dos seus muitos braços estava a jarra de vidro contendo a antiga mão direita do espadachim, imersa num líquido amarelo.

Deuses não sangram, dissera Telalec após amputá-la.

Logo após decapitar Barutir.

– "E eu lhes digo que os Dingirï são os únicos Senhores de Kurgala, e que eu sou o Seu único mensageiro" – citou o monge, curvando-se e deixando pender a longa barba trançada. No topo da cabeça calva, a pintura representando o membro amputado de Adapak.

Azagör, o líder do culto.

Azagör, o porta-voz da loucura.

– Salve S'almu Saruma, Imperador Negro dos Nove Mil Dignos! – bradou Shaetär, adentrando a tenda com as colegas.

– Ele caminha entre nós – disse Azagör, recobrando a postura. – Minha filha Badara chamou por mim logo após o seu despertar, meu Senhor, mas quando alcancei a tenda e o vi de armas em punho entre a multidão realizando uma nova seleção dos dignos... achei prudente aguardar.

– Não... Não tem problema – respondeu Adapak.

– As quatro Casas elas representam – afirmou um orgulhoso Azagör, indicando as Esposas que se posicionavam uma ao lado da outra. – Dos quatro continentes de Kurgala as Eleitas vieram e, quando provaram da Sua carne e disseram o Seu Nome, se tornaram carne da Sua carne, meu Senhor.

– "Pois aquilo que os Quatro uniram não pode ser desunido" – disse a mau'lin.

– Minha... carne? – perguntou o rapaz.

O monge ergueu o recipiente com a mão morta. Adapak sentiu o estômago revirar e preferiu não investigar mais.

– Estou certo de que o banho tenha sido... *frutífero*? – Azagör lançou um olhar à sadummuniana.

– Meu pai... – Badara começou a responder, hesitante. – O Rei de Fogo nos disse que estava... Ele...

Puabi deu um passo à frente:

– Nosso Senhor declarou que aquele não era o melhor momento.

– A flor-da-lua concluiu pela colega.

Silêncio. Azagör contraiu os lábios.

– O melhor *momento*? – indagou ele.

– Aishara foi rejeitada – disse Shaetär.

Bosta.

– Irmã Shaetär! – exclamou Puabi.

O ar pareceu faltar na tenda. Aishara começou a chorar baixo e Badara rapidamente a amparou em seus muitos braços.

– Como pode dizer tal coisa, irmã Shaetär? – questionou a sadummuniana, igualmente indignada.

– "Fale a verdade, ainda que azeda" – retrucou a mau'lin.

Diga algo.

Mas Adapak era incapaz, seus lábios paralisados pelo medo de causar ainda mais danos àquelas pessoas. Embaladas pelo pranto da jovem humana, suas três colegas prosseguiram com a discussão, mas suas vozes logo se tornaram um zumbido longínquo para o espadachim, cuja atenção se mantinha em Azagör; meditativo, o sadummuniano se afastou até uma das quinas do aposento e parou em meio aos pertences de uma das Esposas. Entre as almofadas no chão, um velho baú deixava escapar metade de uma longa echarpe rosada para fora, como a boca de uma fera expondo a língua cansada. Sobre a mesa de madeira, pergaminhos, cinzeiros para incenso e uma lamparina apagada.

– Este mundo... é uma *prisão* – murmurou o monge, afastando os papéis e apoiando a jarra na superfície. A mão morta de Adapak oscilou no líquido amarelo.

As Esposas interromperam a discussão.

– Pai Azagör?... – chamou Badara. Envolta em seu abraço, a jovem Aishara se esforçava para conter os soluços.

– Este mundo – repetiu Azagör, o olhar fixo no recipiente. – Kurgala é uma prisão para aqueles que creem, mas um *paraíso* para os descrentes. Crianças sem pais. Sem responsabilidades, obrigações. Eu vivia neste paraíso até sua mãe me encontrar. Até que Dandara me mostrasse as correntes...

Azagör voltou-se para a filha.

– Não há um dia em que eu não a enxergue em você – falou ele. – Quantas vezes vi sua mãe exatamente assim, amparando os fracos? Os *rejeitados*? Segurando-os como se fossem os próprios filhos... É a sina do nosso povo, não? "Filhos e filhas da Mãe Montanha" – com o dizer do nome popular da espécie, o sadummuniano virou as seis palmas das mãos para si. – Tantos braços, tanta... *força*, e ainda assim somos incapazes de proteger a todos... Mas é justamente quando protegemos uns aos outros, é justamente na *compaixão* que nos esquecemos de que quando os Quatro amam um mortal, quando eles *realmente* nos amam...

Antes de completar o pensamento, Azagör deu um passo à frente, afastando-se da mesa. Focados na filha, os quatro olhos estavam repletos de lágrimas.

– Eles nos testam – completou ele. – Eles nos *testam*.

E foi naquele momento que Adapak soube que Aishara ia morrer.

O monge encurtou a distância até a menina e a puxou do abraço de Badara. A humana abriu os lábios para gritar, mas som algum lhe escapou dos pulmões ao ser arrastada para longe das outras. Badara berrou palavras de súplica ao pai. Aishara se debateu e afundou os dedos na volumosa pelagem avermelhada do sadummuniano, mas não alcançou carne para arranhar. Adapak lembrou-se da infância e de como os penas-de-quintal se debatiam inutilmente antes que Barutir os sangrasse para o jantar. De alguma forma, aquelas aves sabiam. Aishara sabia também. Antes mesmo de ver a faca de cerâmica que Azagör tirou de sob as vestes, ela sabia.

Os Círculos se acenderam.

Badara virou o rosto. Adapak cerrou os punhos, Igi e Sumi implorando seu toque. *Não.* Os Círculos coloriram Azagör. Adapak não ouvia mais o que ele dizia. Os Círculos calcularam. Puabi baixou o rosto. Shaetär manteve o olhar na menina. Dois movimentos. *Apenas dois movimentos, Filho de Enki' När.*

Ouça os Círculos, Filho de Anu' När.

NÃO!!

– NÃO!! ELA É DIGNA!! – gritou Adapak.

Azagör hesitou. Erguida no ar, a lâmina prestes a descer sobre o peito da menina.

– Ela é... digna – repetiu o espadachim. Ainda fechados, seus punhos suavam. – T-todas elas são. Elas são *perfeitas*, eu...

Adapak voltou-se para Puabi, buscando apoio na única figura dali com quem sentia ter criado algum tipo de vínculo. A flor-da-lua, no entanto, manteve o olhar baixo, desviando a atenção do rapaz para o recanto da tenda logo atrás; ali, entre a pilha de livros que ele descobrira mais cedo, *As aventuras de Tamtul e Magano* acendeu uma fagulha em sua mente criativa.

Dor e aprendizado.

– Dor e aprendizado andam de mãos dadas – disse o espadachim, voltando a encarar o líder do culto.

– Senhor? – reagiu Azagör. Sob seu poder, Aishara tremia e soluçava. Lágrimas lhe escapavam dos olhos e se refugiavam sob o véu de seda.

– O que muitos temem como o último dia de vida, eu... eu sabia ser o meu renascer na eternidade. – Adapak puxou aquilo da memória. – Por muitos ciclos estive preso à forma espiritual, mas agora que retornei preciso de tempo para me acostumar a este... novo corpo.

Badara, Puabi e Shaetär se voltaram para Azagör. Por alguns instantes, os muitos olhos do monge se perderam no vazio.

– Eu... agora creio compreender, ó, Imperador – disse, por fim, o sadummuniano, soltando o braço de Aishara. Sem forças, a menina se prostrou de joelhos, instigando Badara e Puabi a se aproximarem para confortá-la.

– Irmão Azagör? – reagiu a mau'lin.

O monge guardou a lâmina sob as vestes.

– Irmã Shaetär – falou ele –, como um nekelmuliano despertando do casulo, nosso Senhor ainda não se acostumou ao seu novo *veículo de carne*.

Shaetär lançou um olhar a Aishara, amparada pelas companheiras. A seguir, voltou-se para o espadachim.

– Imperador Negro, eu peço desculpas em nome de todas nós – disse a mau'lin. – Nós lhe daremos o tempo que for preciso.

Adapak a odiou.

– Está tudo bem – respondeu o jovem, ocultando o sentimento.

– Nossos ventres aguardarão pacientemente as chamas da nova Kurgala – disse Badara em meio aos soluços de Aishara.

– Certo... – falou Adapak. – Eu preciso que vocês me ajudem a lembrar o que isso significa exatamente, porque... porque a minha memória ainda está enevoada desde meu despertar.

Azagör se prontificou:

– Mas é claro... Badara, minha filha, traga-me um dos seus mapas, sim?

Deixando Aishara com Puabi, a sadummuniana se dirigiu até o seu espaço pessoal.

– Pai Azagör. – Ela retornou ao monge segurando um grande pano ilustrado.

– O amanhecer do Quarto Dia nos aguarda em Shuru, meu Senhor – falou Azagör, pousando o dedo sobre a figura do pequeno continente. – Lá, o Senhor escolherá os Nove Mil que testemunharão a abertura da Prisão de Cristal e a destruição das Bestas!

– Vocês... vão *abrir* a Prisão de Cristal – frisou Adapak.

– O *Senhor* vai abri-la, S'almu Saruma – corrigiu o monge.

– Claro... – disse o espadachim, cuidadoso. – E depois lutarei contra Tiamatu e Abzuku.

– Seus *filhos* lutarão – corrigiu Azagör.

Adapak franziu o cenho.

– Filhos?

Azagör pousou uma das mãos sobre a barriga da filha e proclamou:

– "E do ventre das minhas quatro Esposas, as crianças negras nascerão sobre as areias de Shuru e enfrentarão as Bestas com mãos de fogo!"

KURGALA

(do ciclo 1681 da Era dos Mortais)

ERIDURIA
Casa de Enki' När,
A Voz Esmeralda

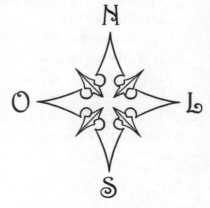

O espadachim sentiu o peito arder.

– Entendo... – disse ele. – E essa *linha* aí no mapa indica o caminho que estamos fazendo, então? Onde nós estamos agora?

– Margeando o rio do Peregrino, por aqui. – O monge voltou a colocar o dedo na ilustração. – Viajaremos sobre o kusari até os portos de Nippuru, e de lá embarcaremos para o sul.

– Pela Matriarca... – Adapak calculou as distâncias. – Já percorremos tudo isso? Q-quanto tempo estive dormindo?!

– Sinanna cruzou nosso céu dezesseis vezes desde a seleção em Isin – revelou Azagör.

– Eu... eu estive dormindo este tempo todo? – indagou o espadachim. – Como isso é possível?

Puabi discretamente ergueu a mão.

– O poder da minha relíquia lhe acalmou a consciência enquanto seu corpo se recuperava, S'almu Saruma. – Ela tocou a joia no peito.

Todo esse tempo, lamentou Adapak, colocando Sirara em mente. Ele amaldiçoou as últimas palavras que havia proferido à mulher que o tinha tão perto do coração, desmerecendo a importância que ela dava ao navio que comandava.

– Você... – o espadachim voltou-se para Azagör – disse algo sobre "os Nove Mil que vão testemunhar a abertura da Prisão de Cristal".

– Sim, meu Senhor.

– Mas não cabem nove mil pessoas sobre este kusari – argumentou o jovem.

Badara decidiu responder à pergunta dirigida ao pai:

– Neste momento, fiéis de toda Kurgala também peregrinam em direção a Shuru para se juntarem a nós – declarou a sadummuniana. – A mensagem de que o Rei de Fogo retornou está se espalhando!

– Ótimo... – murmurou Adapak, retornando ao mapa. Em algum lugar do trajeto marcado haveria uma chance de escapar. Tinha que haver. Quantas oportunidades não estavam sinalizadas no desenho, contudo? Vilarejos? Cidades? *Não quero colocar mais gente em perigo*, pensou ele, descartando a opção. Existiam florestas, é claro. Cavernas. Teria que se esgueirar até os elevadores e alcançar o chão sem que o culto descobrisse. Certas espécies eram capazes de superá-lo na corrida. Ou farejá-lo. Rios poderiam despistá-los. Lama.

Permita que os Círculos resolvam, filho de Anu' När.

Implorando para que o fantasma de Telalec o deixasse em paz, Adapak cerrou os olhos brancos.

Dívidas

De todos os seus pecados, eu fui o primeiro.

M' Aïra, a Vermelha, em *Tamtul e
Magano e o tesouro da Ilha Viva.*

– SINTO como se um sadummuniano mal-humorado tivesse tentado me comer – disse Jarkenum, esfregando os olhos fechados. – E não no *bom sentido*.

Sentada ao lado oposto da mesa, a capitã Sirara conteve a risada, optando por manter a postura necessária para que o colega não se distraísse. Acomodados na varanda coberta de uma modesta taverna circular, aberta por todos os lados, os dois dividiam um copo e um jarro de água morna enquanto o sol e o calor se despediam da tarde nos Mercados Invisíveis. No centro da pequena praça em frente ao estabelecimento, um casal maskürriano banhava o recém-nascido numa fonte hexagonal; o choro agudo da cria competia com o discurso de um insistente comerciante cabeça-de-arco para uma potencial cliente ïannariana, que por sua vez fingia desinteresse em seus tapetes ornamentados. Um senhor humano enxotava um bando de sepus que espreitava seus penas-de-quintal engaiolados.

– Custava ter escolhido um lugar com menos... *luz*? – reclamou Jarkenum, avaliando o toldo remendado sobre a cabeça. Além dele e da companheira, a taverna contava com apenas três outros clientes; acomodados numa mesa próxima ao circular balcão interior, os velhos mau'lin deixavam claro nas piadas e gestos chulos a amizade de longa data com o atendente da mesma espécie e idade avançada.

– E arriscar sermos encurralados de novo, como naquele lugar nojento? Não, obrigada – retrucou Sirara. – Ainda não acredito que você tenha caído num golpe daqueles Jarkenum... Logo *você*.

O homem inspirou fundo, mirando-a por entre os longos cabelos que lhe cortinavam a face cansada.

– Escute, Si, você não tem ideia do que o perfume daquelas flores-da-lua faz com a nossa cabeça... – disse ele. – Você é mulher, é... *diferente*.

– E você não entende nada de mulheres.

– Eu entendia bem de *uma*. – Ele sorriu e esticou as cicatrizes da bochecha, falhas grosseiras no rosto mal barbeado. O homem ainda fedia a bebida e mochi.

– O que... o que aconteceu com você, Jarkenum? – perguntou Sirara.

Ele desfez o sorriso.

– O que quer dizer? – respondeu.

Dois sepus passaram correndo entre as pernas dos outros clientes do estabelecimento, derramando bebidas e provocando xingamentos.

– Sério, minha cabeça parece rachada. – Jarkenum esfregou os olhos mais uma vez. – Você tem raiz aí?

Sirara empurrou o copo e o jarro d'água na direção dele.

– Chega de raiz – disse ela. – Ou álcool.

Como uma criança emburrada, o homem esticou lentamente o braço até os recipientes de cerâmica e os puxou para perto de si.

– Você cortou o cabelo. – Jarkenum serviu o líquido no copo.

– Sim.

– Está curto demais – comentou ele antes de tomar um longo e sonoro gole de água. Sirara observou os músculos da garganta contraindo e relaxando, os pelos da barba malfeita ondulando sobre o movimento.

– Eu gosto assim – retrucou ela, finalmente, quando ele pousou o copo na mesa. – Todo aquele vento no convés... Eu não sei como você e meu tio tinham paciência.

– Não tem tanta graça puxar cabelos curtos – provocou ele.

– Não seja *nojento*.

– Ei, eu disse "tanta". – O homem ergueu as mãos. – E, por falar no seu tio, como está aquele bigodudo lambe-valas?

Sirara inspirou fundo.

– Ah... bosta. – Jarkenum deixou os ombros caírem. – Quando?

– No começo do ciclo passado.

– Sua mãe?...

– Tive que trazê-la para perto de Urpur. A cegueira piorou. Muito. Jarkenum encarou o fundo vazio da caneca.

– Bosta – disse ele. – Não acredito que Jör se foi. Eu gostava daquele desgraçado.

Dessa vez Sirara se rendeu a uma risada.

Jarkenum franziu o cenho.

– O que foi? – indagou o homem.

– Como você pode dizer isso? – Ela o confrontou.

– Dizer o quê?

A mulher entreabriu os lábios para rebatê-lo, mas se interrompeu.

– Olhe, eu... eu não quero fazer isso – resolveu dizer.

– O que houve com o *Concha*? Não me diga que vocês o venderam...

– O navio é meu agora. Mas desde que meu tio se foi eu não o chamo mais assim.

– Você o chama de quê?

– De... *nada*. – Ela deu de ombros. – É só um navio, Jarkenum.

O homem balançou a cabeça.

– Navios sem nome dão *azar*, Si.

– Você não acredita em azar.

Vencido pelo argumento, Jarkenum sorriu.

– "Capitã Sirara, do navio-sem-nome..." – provocou ele, recostando-se na cadeira. – Bom, se veio me contar que sou *papai*, é melhor pedir algo de verdade para eu beber antes...

– O quê? – reagiu ela. – Pelos Quatro, Jarkenum, não é nada disso...

Ele soltou uma gargalhada rouca.

– Então por que veio atrás de mim, Si? – perguntou o homem.

– Vou ser honesta, Jark, eu não vim até os Mercados Invisíveis exatamente atrás de você – revelou ela. – Passei aqui a caminho da vila onde Rekzar mora. E quando...

– *Reks*?

– Sim – confirmou a mulher, prosseguindo. – E quando enviei a ele uma mellacarta, de Isin, pedindo o encontro, ele achou relevante me contar que você estava pela região.

– Sim, eu mandei uma carta para ele quando cheguei por aqui, mas não chegamos a nos encontrar – comentou Jarkenum.

– Rekzar me disse que você se encrencou com alguém em Urpur e que teve que fugir de lá. É isso mesmo?

– Devo dinheiro a um tripé comedor de moscas. – Jarkenum cuspiu ao lado da cadeira.

– Bom, para a minha sorte não existem mais muitos humanos vestindo armaduras como a sua, então foi questão de tempo até encontrar alguém que se lembrasse de ter visto você – falou Sirara.

Jarkenum sorriu. Sirara sentiu uma pontada de nostalgia ao ver as cicatrizes em sua bochecha barbada contraírem.

– Fico feliz que tenha me encontrado, Si – disse o homem.

Sirara sentia o mesmo.

– Eu... Bom, você estava no meu caminho – preferiu dizer. – Acha que pode me acompanhar até a casa de Rekzar? Preciso pedir algo a ele, e mais um rosto familiar pode ajudar bastante...

– É como eu disse, Si, eu não o vejo faz muito tempo também e adoraria. – Jarkenum limpou a água do canto da boca com o dedão. – Mas, olhe, eu entendo que a guerra tenha dificultado os seus negócios, porém não acho que Reks vá vender para você nada da coleção dele... Aquelas coisas são sagradas para ele.

– Eu não quero comprar nada dele, Jark – rebateu Sirara.

Jarkenum franziu a testa. Discreta, a mulher olhou ao redor. O dono da taverna dissera algo aos colegas e provocado um coro de risadas e tossidas. Na fonte da praça, o maskürriano enxugava a pele frouxa da criança enquanto a companheira se banhava.

– Há algumas luas um amigo meu foi sequestrado em Isin – explicou Sirara, falando baixo e apoiando os cotovelos na mesa.

– Alguém que eu conheça?

– Não.

– Então quem?

– Isso não é importante.

O homem ergueu as sobrancelhas.

– Está certo... – ironizou ele. – E quem sequestrou esse seu "amigo não importante"?

– Você já ouviu falar nos... – ela baixou ainda mais o tom de voz antes de completar: – nos adoradores de *S'almu Saruma*?

– Si, da última vez que eu estive num templo Dingirï o meu pai ainda era vivo.

– Ah, não, esses sujeitos não pertencem a nenhum templo Dingirï – disse ela. – Eles são uma espécie de *seita*, é diferente.

– É tudo a mesma bosta. – Jarkenum bufou. – Quando idiotas rezam para alguém vivo, chamamos de "seita". Quando esse alguém morre, chamamos de "religião".

– De qualquer maneira – prosseguiu ela –, esses idiotas estão com o meu amigo.

– Você ao menos sabe para onde eles o levaram?

– No ciclo passado descobri que Gala, um dos meus tripulantes, pertencia a essa Irmandade – revelou a mulher. – Tive que dispensá-lo do navio, mas os outros marujos me disseram que ele vivia tagarelando sobre uma... "peregrinação final" até Shuru. Desconfio que é para lá que estão levando meu amigo.

Com uma careta desconfortável, Jarkenum se ajeitou na cadeira.

– Shuru... o *continente*? – indagou ele.

Sirara confirmou com a cabeça.

– Onde fica a... Prisão de Cristal – falou Jarkenum.

– Achei que você não acreditasse nessas coisas. – Sirara lhe ofereceu um meio-sorriso sarcástico.

– Eu não acredito – retrucou ele. – Mas conheço o bastante do mundo para temer justamente as pessoas que *acreditam* em baboseiras assim.

A mulher desfez o sorriso.

– Você tem razão, essas pessoas são perigosas – disse ela.

– E para que você precisa do Reks, afinal? Ele... ah, espere um pouco... – O rosto de Jarkenum se iluminou. – Você está montando uma nova tripulação do Concha para navegar até Shuru, não está? Tipo aquelas histórias de aventura onde a heroína vai atrás de cada parceiro das antigas com uma *habilidade específica*! Espera, eu... eu estou sendo recrutado neste instante, não estou?

– Não, Jarkenum, eu...

– Vamos, Si, quem sou eu nesta história? – Ele piscou. – O bonitão sarcástico? O mercenário disposto a fazer de tudo?

– Acho que você é o *chato* que a heroína se arrepende de ter encontrado – retrucou Sirara, arrancando uma risada do colega. – Não, já é difícil manter um negócio funcionando do jeito que as coisas estão, imagine tentar convencer a tripulação a navegar até o lado esquecido do mundo atrás de... Bom, de qualquer maneira, eu deixei o navio em Isin, sob o comando de Ollak. Esse é um problema meu.

– Então o que você quer com o Reks, afinal? – perguntou Jarkenum.

A mulher hesitou.

– Pelos Quatro, Si, não me deixe sozinho no escuro. – Ele se inclinou para a frente.

– Está bem, calma – pediu ela. – Eu estou em poder de uma relíquia Dingirï que acredito que seja capaz de... – A mulher inspirou fundo. – Capaz de me levar até Shuru.

– "Levar"?

– É... é complicado de explicar – disse ela.

– E onde está essa coisa? – indagou Jarkenum.

– Você deve ter reparado que estou com uma espada diferente. – Sirara lançou um olhar para a bainha de Lukur.

O homem deu de ombros.

– Espadas parecem todas iguais para mim, Si – disse ele. – Não mude de assunto.

– Eu estou tentando lhe dizer que a relíquia *está* na espada – explicou Sirara. – Dentro do cabo dela, para ser mais específica.

Jarkenum mirou Lukur com os olhos apreensivos.

– Você... está carregando uma relíquia no seu quadril? – perguntou ele. – Perdeu o juízo?

– Não seja cagão. – Ela riu. – Não é perigosa.

– Não foi o que eu vi da última vez que estive perto de uma. – Ele voltou a recostar na cadeira. – Como foi que botou as mãos numa relíquia?

– Isso não é importante agora.

Jarkenum a encarou.

– Você está mais cheia de segredos do que uma sacerdotisa de vestido amassado, não é? – disse ele, divertindo-se com a provocação. Vendo que a brincadeira não foi bem aceita, emendou uma suposição. – Você então precisa que o Reks a ensine a usar essa relíquia?

– Algo assim – respondeu Sirara. Ela considerou por um momento se deveria dar mais detalhes e optou por fazê-lo. – O problema é que essa relíquia está... *incompleta*. Faltam duas outras partes para que funcione como deveria funcionar, partes que foram levadas junto com o meu amigo sequestrado.

– E o que acha que Reks pode fazer a respeito?

– Bom... – Ela hesitou. Aquela era a primeira vez que falava sobre o assunto com outra pessoa. – Eu tenho a hipótese de que... Não sei, talvez Rekzar consiga fazê-la funcionar mesmo assim, talvez ele seja capaz de *aumentar* o poder dessa relíquia para que ela não precise das outras duas, entende?

– Não muito – disse o homem, tirando os cabelos compridos do rosto. – Mas entendi que, de alguma forma, isso faria você chegar em Shuru.

Ela concordou com a cabeça.

– Mas... digamos que dê certo – prosseguiu o homem. – Aquele lugar não é exatamente uma *vila*. Estamos falando de um pequeno continente, Si.

– Eu sei, eu... eu teria que descobrir uma forma de encontrar meu amigo por lá. Tenho que dar um passo de cada vez.

A mulher desviou o olhar da face incrédula de Jarkenum e voltou a atenção para a praça. Satisfeito, o comerciante cabeça-de-arco enrolava um dos tapetes para a cliente ïnannariana, que se divertia assistindo ao casal maskürriano brincar com a criança.

– Esse seu amigo sequestrado vale mesmo todo este trabalho? – perguntou Jarkenum.

A capitã se virou para respondê-lo, mas se interrompeu ao suspeitar de duas esuru que se aproximavam da varanda da taverna. Portando espadas curtas e trajando armaduras simples de couro, elas pareciam inspecionar o estabelecimento à procura de alguém.

– Jark, não olhe agora, mas acho que... – começou a dizer Sirara.

Jarkenum olhou para trás, chamando a atenção das recém-chegadas.

– Bosta, Jark – falou a mulher, entre dentes. – Eu disse para você não olhar!

Mantendo a discrição, as esuru se separaram, uma se aproximando da mesa do casal por dentro da varanda e a outra pelo lado de fora.

Jarkenum desafivelou o chicote da cintura.

– Levantem-se sem movimentos bruscos e venham conosco – ordenou a mercenária na varanda. Seu bico parcialmente quebrado a fazia assobiar a cada palavra.

– Escute, amiga, por que você e a sua namorada não vão botar os seus ovinhos em outro lugar? – provocou Jarkenum. Sentada à sua frente, Sirara pegou a garrafa de cerâmica e começou a se servir.

– Só temos ordens para levar o macho – informou a esuru do outro lado do parapeito, desembainhando a arma. Ela usava uma capa surrada sobre o traje de couro.

Sirara jogou a água no rosto da mercenária de bico quebrado, conquistando a vantagem para que o casal humano agisse primeiro. Jarkenum laçou com o chicote o braço armado da esuru do lado de fora e a puxou para si, fazendo-a tropeçar até se debruçar no parapeito; o homem então a chutou violentamente na lateral da cabeça, nocauteando-a imediatamente.

Sirara, por sua vez, havia desembainhado Lukur e avançado contra a desorientada oponente de bico quebrado, que recuou para o interior da taverna circular sob os protestos do atendente idoso. Experiente, a esuru se esquivou dos ataques de Sirara até cansá-la e, em seguida, desembainhou a própria espada e revidou, forçando a capitã contra a mesa do trio de clientes; os mau'lin ergueram os copos um instante antes que Sirara trombasse no móvel e bloqueasse a lâmina da esuru, empurrando-a para o lado e rearmando a defesa.

Uma das facas de Jarkenum acertou as costas da mercenária.

O couro da armadura a protegeu, mas fez com que ela dividisse a atenção entre Sirara e Jarkenum, que estalou o chicote para alertar a oponente do que estava por vir.

– Esperem! – pediu a esuru, o assobio vazando do bico quebrado. Vendo que o casal hesitou, ela ergueu uma das mãos em rendição. – Eu... não recebi o bastante para isso.

– Caia fora daqui – falou Jarkenum. – E diga para aquela duas-caras manca que enfie a minha dívida no *rabo*.

A esuru recuou até a varanda dos fundos, saltou o parapeito e partiu, deixando o casal de humanos a ouvir as reclamações dos clientes e da atendente da taverna. Ainda ofegante, Sirara lançou um olhar para a mercenária encapuzada, que gemia no chão após o nocaute de Jarkenum. Uma comoção começava a se formar na praça em frente ao estabelecimento.

– Onde nós estávamos mesmo? – Jarkenum afastou os cabelos do rosto. – Ah, sim, eu tinha perguntado se o seu amigo sequestrado vale mesmo todo este trabalho...

Sirara abriu um meio-sorriso.

– Sim – respondeu a capitã. – Ele... ele é um dos *mocinhos*.

Enrolando o chicote, Jarkenum sorriu de volta e falou:

– É, acho que os mocinhos estão mesmo em falta.

Pele como a noite, olhos como a lua

E, quando não abençoada com uma cria no ventre, a fêmea humana sangrará pela carne e enfraquecerá. E da Prisão de Cristal, a Besta Branca e a Besta Negra sentirão o cheiro e, com sussurros peçonhentos, tentarão o seu espírito frágil. E por sete sóis e sete luas nenhum mortal deverá tocar a fêmea, ou este mortal também se tornará impuro.

Crônicas de S'almu Saruma.

NOITÁRIO DE Badara, Esposa de S'almu Saruma
Mercados Invisíveis – costa norte de Badibiria
Lua 59 do mês da Besta Branca
Ciclo 1700 da Era dos Mortais

PAI AZAGÖR e os dignos da seleção finalmente retornaram de Isin! <u>O Imperador de Fogo está entre nós!</u> Eles realmente o trouxeram e minhas *mãos tremem enquanto escrevo estas palavras. ~~Devo me acalmar antes de contin~~*

Que os Quatro sejam louvados!!!

S'almu Saruma chegou desacordado, muito ferido e embalado em lençóis sujos. <u>Ele é maravilhoso!</u> A cura do seu veículo de carne será nossa responsabilidade. A irmã Shaetär certamente é a mais experiente nessa área e nos ensinou a limpá-lo, <u>havia tanto sangue</u>! Aishara passou mal e não foi capaz de continuar, é claro. Irmã Shaetär às vezes é dura demais ~~com ela~~ conosco, mas talvez ela esteja certa; este é o momento pelo qual esperamos toda a nossa vida e não há espaço para erros.

Pela manhã seguiremos para a margem sul da baía de Isin, onde o resto da Irmandade nos aguarda. Será verdade o que irmã Puabi e sua mãe nos prometeram? Não consigo imaginar um patas-de-trovão tão grande assim!

Minhas mãos não param de tremer, estou tão ansiosa! Salve S'almu Saruma!

– Badara

~

NOITÁRIO DE Shaetär Urdo, Esposa de S'almu Saruma
1ª lua do mês do Barro do Ciclo 1701 E.M.
Costa oeste da baía de Isin

Deixamos a decadente Isin para trás. Ainda sinto o fedor da cidade e dos Mercados Invisíveis que a cercam. A influência das Bestas é clara. Indignos. Sujos.

Nossas crianças farão a limpeza. Filhos e filhas da nova Kurgala.

A passagem do novo ciclo foi celebrada ao redor do corpo do Imperador de Fogo. A cerimônia foi discreta. Poucas palavras do Irmão Azagör. Breves. Poderosas.

"O morto S'almu Saruma dorme sonhando."

Ele sonha com Shuru. Um sono febril e inquieto, mas um sono. Tenho dado o meu melhor quanto aos seus ferimentos. ~~Nosso Senhor não é como eu imaginava.~~

Como previ, as outras Esposas não souberam como agir quando ele chegou. Badara é uma deslumbrada. ~~Aishara mal sabe~~ Não tenho palavras para a incompetência de Aishara. Folheei seus livros imaturos. Castelos. Aventuras. Se investisse mais tempo no mundo real, aprenderia algo de útil. Na sua idade eu já montava fantasmas-corredores.

Puabi ao menos não está aqui para me decepcionar. Irmão Azagör nos assegura que ela nos aguarda com o transporte que nos foi prometido. Ainda estou cética. Não confio em feiticeiras, mas confio no Irmão Azagör.

– S.

~

NOITÁRIO DE Puabi, Esposa de S'almu Saruma
Acampamento da Irmandade sobre o Kusari,
margem sul da baía de Isin
Lua 3 do mês do Barro do Ciclo 1701 da Era dos Mortais

Minha mãe,

Queria tanto que estivesse aqui para vislumbrá-lo. "Pele como a noite, olhos como a lua." Ele é tudo que a Senhora disse que seria!

A caravana de Isin chegou com S'almu Saruma esta tarde, para a comoção da Irmandade. Poucos retornaram. Ao que vejo, a seleção dos dignos nos cobrou muitas irmãs e irmãos. Todavia, esse era o preço de que o Irmão Azagör nos alertou. Agradeço aos Dingirï por nenhuma de nós, Esposas, ter a necessidade de provar-se de tal forma.

Nosso Senhor foi encaminhado imediatamente à nossa tenda. Ainda que as irmãs Shaetär, Aishara e Badara tenham cuidado bem de seu corpo durante a viagem, Saruma ainda ardia em febre e balbuciava palavras incoerentes.

Pedi à minha relíquia que lhe apaziguasse o espírito. Irmã Shaetär me repreendeu; todavia, mudou de humor assim que o Imperador retornou ao sono.

Ele é tão perfeito, e, ainda assim, optou por retornar num veículo de carne mortal; um inigualável gesto de humildade. As coisas mais belas, de fato, são as mais vulneráveis, mãe.

Pela manhã despertarei o kusari e iniciaremos nossa longa e aguardada jornada, mãe. Pretendo enviar-lhe este noitário assim que alcançarmos Nippuru e espero que a leitura das palavras de sua filha querida apazigue a saudade que já é forte.

De sua filha,
– Puabi

~

NOITÁRIO DE Aishara, Filha do Fosso
e Esposa de S'almu Saruma
Lua 7 do mês do Barro
Ciclo 1701 da Era dos Mortais

Querido papai, querida mamãe,

Antes de começar a colocar estas palavras no papel, voltei algumas páginas e reli minhas primeiras passagens neste noitário. Pelos Quatro, eu estava tão assustada quando deixei as Cidades Quietas. O mundo aqui fora é tão ~~alto~~ estrondoso. Será preciso outra cicatriz em Kurgala para que nós passemos a escutar uns aos outros de verdade?

Para agravar a minha tortura, se antes só os dias eram um desafio para ~~mim~~ minha sanidade, agora as noites também: a promessa da mãe de Puabi foi cumprida e nossa Irmandade segue viagem sobre a carapaça de um enorme patas-de-trovão. Na verdade, "enorme" descreveria qualquer outro patas-de-trovão; esta coisa é uma monstruosidade que rearruma terra, rocha e vegetação a cada passada! É como a "Ilha Viva" das aventuras de Tamtul e Magano. Irmã Badara me disse que ele engole árvores inteiras quando paramos para alimentá-lo, mas que os feiticeiros "o modificaram para que não precise comer tanto". Ainda assim, "árvores inteiras"? Como é possível isso? O acampamento todo se amontoa perto das redes para assisti-lo comer, mas eu faço questão de ficar aqui na tenda. Mesmo tapando os ouvidos, consigo ouvir seu mastigar horroroso. Pelos Quatro.

Irmã Puabi tentou nos explicar sobre como sua mãe e os sacerdotes o alteraram desde pequeno, e como o fizeram "crescer com a luz das relíquias". As outras Esposas não entenderam, mas eu, sim. Vocês sabem, querido papai e querida mamãe, que já vi algo parecido. Já vi de perto o que o Fosso faz com as criaturas banhadas por sua luz.

Por causa disso, mesmo que a criatura durma de noite, não consigo esquecer que estamos todos "vivendo" sobre um ~~monstr~~ enorme animal. É como se fôssemos parasitas nos pelos de um sepu! Pensar assim me ~~dei-xa louc enlouquece~~ apavora. Não entendo como as outras Esposas conseguem ~~descansar~~ dormir. No silêncio das minhas longas madrugadas, acho até que consigo senti-lo respirar.

Irmã Badara está adorando a experiência, e irmã Puabi aposto que está acostumada com coisas fora do comum por causa de sua mãe. ~~Irmã~~ Shaetär é fria como o jardim de Nintu' När e não parece se importar com nada, ~~aquela lambe-valas enrugada~~.

– Aishara, Filha do Fosso

~

NOITÁRIO DE Badara, Esposa de S'almu Saruma
Acampamento sobre o patas-de-trovão – Floresta do Peregrino,
norte de Badibiria
Lua 10 do mês do Barro
Ciclo 1701 da Era dos Mortais

<u>Que maravilha da magia Dingirï é este patas-de-trovão!</u> Irmã Puabi tentou nos explicar como ela (Puabi disse que o animal é uma fêmea) ~~foi~~

feita ficou tão grande, mas é tudo tão ~~estranh~~ complexo! Irmã Puabi e sua mãe são tão inteligentes.

Infelizmente, nem todas as Esposas pensam da mesma forma. Irmã Shaetär nunca escondeu seu desgosto por feiticeiras e diz que elas "brincam de Dingiri". Já irmã Aishara me confessou, por escrito, que tem pavor do animal e que está com problemas para dormir. Pobre criança! Para ajudá-la a relaxar, pedi que pai Azagör nos levasse para visitar a cabine de navegação do patas-de-trovão. Ela conheceu os condutores, que lhe explicaram como funcionam as amarras que guiam a besta e mostraram o que fazem para que ~~ele~~ ela se abaixe ou erga lentamente, evitando que nosso acampamento balance muito (e se assuste!). Aishara perguntou a meu pai se o patas-de-trovão não seria capaz de se desvencilhar das "rédeas" se quisesse, e ele explicou que sim, mas que a relíquia da irmã Puabi o acalma de tempos em tempos.

Que presentes maravilhosos os Quatro nos deixaram!

– Badara

～

NOITÁRIO DE Shaetär Urdo, Esposa de S'almu Saruma
14ª lua do mês do Barro do Ciclo 1701 E.M.
Acampamento sobre o Kusari, margens do rio do Peregrino

O Rei de Fogo despertou.

Uma nova seleção foi realizada. Ainda estamos contando os mortos. Os indignos.

Permaneci na tenda com as outras Esposas enquanto o clangor da batalha me provocava. Resisti. O Vento Branco e o Rio Vermelho não despertaram das bainhas. Minha prova não reside no fio da espada. Não mais.

~~Quando o som abrandou, porém, me permiti ir até a borda deste animal nefasto e observar a seleção, que prosseguia no solo. O que testemunhei à distância desafiou minha~~

Ainda estou digerindo os acontecimentos de hoje. Há coisas que prefiro não colocar no papel. Por agora.

Após a seleção, S'almu Saruma foi levado ao primeiro banho. Aishara foi a primeira a tocá-lo. Rejeitada. Naquele momento, tive certeza de que minhas convicções sobre ela estavam corretas.

Eu estava errada. O Rei de Fogo nos disse que seu corpo sagrado ainda não estava pronto.

Esta noite orarei aos Quatro para que perdoem minhas incertezas. Salve S'almu Saruma. Imperador Negro dos Nove Mil Dignos.

– S.

~

NOITÁRIO DE Puabi, Esposa de S'almu Saruma
Acampamento da Irmandade sobre o Kusari,
margem sul da baía de Isin
Lua 19 do mês do Barro do Ciclo 1701 da Era dos Mortais

Minha mãe,

Despertamos todas muito assustadas nesta madrugada; S'almu Saruma havia deixado nossa tenda para caminhar pelo acampamento, provocando uma verdadeira comoção na Irmandade. Chegamos a considerar que estávamos prestes a testemunhar outra seleção, todavia o Imperador acalmou a todos com palavras de sabedoria e logo retornou ao nosso recanto, pedindo que o deixássemos retornar à sua meditação.

Intrigantes têm sido os dias e as noites na presença do Rei de Fogo. Seis luas se passaram desde o Despertar, entretanto ele ainda não se deitou com nenhuma de nós. De fato, com exceção do episódio de ontem, o Imperador mal tem se dirigido a mim ou às outras Esposas, optando por dedicar-se à silenciosa leitura de Suas Crônicas, cuja cópia tive a honra de ter sido a escolhida para lhe ~~emprestar~~ conceder.

Ainda que compreendamos os motivos celibatários do nosso Senhor, ocultar nossa angústia torna-se um desafio maior a cada passagem de Sinanna pelos céus estrelados. A senhora sabe como esperamos por este momento, mãe. Eu e Badara chegamos a arriscar o diálogo durante os banhos ou refeições, mas nosso Senhor insistiu que, por agora, necessita do máximo de reclusão possível.

De todas nós, a jovem irmã Aishara é a que se mantém mais afastada de S'almu Saruma, evidentemente. Ela ainda não se recuperou. Você tem razão sobre a fragilidade dos humanos, mãe. Como se não bastasse o modo como Shaetär a trata.

Por falar em nossa irmã mau'lin, ela parece transpirar suas frustrações nos treinos solitários que realiza todas as noites ao sul do kusari. Apesar de abominar a violência que a Academia se orgulha em ensinar, eu confesso aqui, mãe, que me esgueirei algumas vezes até o local onde Shaetär se exercita e acabei por enxergar a beleza nos movimentos de suas espadas. "Vento Branco e Rio Vermelho", assim ela as chama. Como quase todos os espadachins, a irmã Shaetär nomeou suas armas com títulos juvenis, como se, ao fazê-lo, parte da responsabilidade das vidas que ela ceifou pudesse ser compartilhada com entidades fictícias. Ela me disse que foram um presente de sua mãe. Enquanto algumas mães presenteiam as filhas com livros, outras as presenteiam com ferramentas de morte.

Para não finalizar este relato com um tom lúgubre, registro aqui outra curiosidade sobre nosso sagrado companheiro; sua dieta se revelou muito diferente daquela que outrora desfrutou em vida. Para sua primeira refeição entre nós, irmã Badara havia preparado, com muito esmero, devo acrescentar, um delicioso cozido de Penas-de-Quintal – nosso Senhor, contudo, respeitosamente recusou a oferta, justificando que seu novo corpo não deve mais se alimentar de animais. Ele nos forneceu então uma lista de frutas, folhas, brotos, talos, raízes, sementes e legumes de sua preferência, para que Badara possa atender às suas necessidades.

Terão nossos filhos as mesmas particularidades, mãe?

De sua filha,
– Puabi

~

NOITÁRIO DE Aishara, Filha do Fosso
e Esposa de Sʼalmu Saruma
Lua 21 do mês do Barro
Ciclo 1701 da Era dos Mortais

Querida mamãe, querido papai,

O Rei de Fogo ~~me rejeitou.~~ ainda não está pronto.
~~Eu nã~~
Pelos Quatro, estou tão cansada.

Passei a dormir um pouco melhor depois que a irmã Badara me mostrou as "rédeas" do patas-de-trovão. Voltei a ler também, o que ajuda a me distrair. Ainda me pergunto o que aconteceria caso o nosso "veículo" tivesse um pesadelo, ou simplesmente despertasse e decidisse se levantar no meio da noite. Badara me assegurou, no entanto, que a relíquia da irmã Puabi mantém a besta sob um sono profundo o bastante para que não corramos esse risco. Tenho minhas dúvidas.

Ironicamente, quem carece de ajuda contra pesadelos ultimamente sou eu: desde o despertar de Sʼalmu Saruma que venho sonhando com o Fosso. Havia ciclos que isso não acontecia comigo. Se alguma vez quase quebrei meus votos, foi naquele lugar horrendo. Ah, mamãe, acho que eu gritaria agora, se já não tivesse me esquecido de como é gritar.

Poderia a relíquia da irmã Puabi me acalmar, como faz com o patas-de-trovão?

Ela nos contou que a joia está na família dela há gerações, passando sempre de avó para neta quando chega o momento. Não consigo imaginar como deve ser carregar no peito algo que estava em Kurgala quando nossos deuses ainda caminhavam entre nós. O que eu fui ensinada a temer, Puabi foi ensinada a abraçar. Se ela tivesse visto o que vi no Fosso, o que a luz das relíquias é capaz de fazer quando a deixamos sem controle, será que manteria sua joia tão perto de si?

Mesmo assim, estou disposta a pedir a sua ajuda. Vou esperar até que a irmã Shaetär saia da tenda e perguntar.

Shaetär. A lambe-valas mal me dirige o olhar desde o dia em que o Imperador Negro despertou. ~~Acho que ela me detesta de verdade.~~ Eu sei que ela pensa que eu não sou digna da Casa da Lança, que eu sou fraca. Jovem demais. ~~Talvez ela tenha razão, papai.~~

– Aishara, Filha do Fosso

~

NOITÁRIO DE Badara, Esposa de S'almu Saruma
Acampamento sobre o patas-de-trovão – margens do rio do Pere-
grino, noroeste de Badibiria
Lua 23 do mês do Barro
Ciclo 1701 da Era dos Mortais

Que maravilhoso diálogo tivemos ontem com o Rei de Fogo! Ontem, pela primeira vez desde o Despertar, ele nos abençoou com seus ensinamentos! Glória aos Quatro! Glória!

Aconteceu quando a jovem irmã Aishara entrou em seu período impuro e pedimos a ela que se ausentasse da tenda, para que fizéssemos as orações matinais. O Imperador Negro questionou o que se passava, mas ~~pareceu irritado~~ discordou quando a irmã Shaetär citou Suas Crônicas, dizendo que devemos a partir de agora desconsiderar esse trecho! Ficamos muito confusas!!

Nosso Rei de Fogo então nos disse que, enquanto esteve morto, os Quatro lhe revelaram que o período impuro das fêmeas humanas nada tem de "impuro" nem está ligado às Bestas da Prisão de Cristal, mas sim a uma necessidade natural de seus corpos. Farei o meu melhor para transcrever abaixo o que o Rei Queimado nos ensinou:

– No ventre da irmã Aishara, há um pequenino "jardim", ~~com um~~ solo muito fértil.

– Regularmente, o solo desse jardim é preparado para o crescimento de uma "árvore" (um filhotinho humano).

– Para que a árvore cresça, no entanto, é preciso que um macho humano coloque uma "semente" nesse solo (essa parte é parecida com todas nós, então foi fácil entendermos).

– Caso o macho tenha semeado o solo, uma árvore crescerá no jardim (o filhotinho humano crescerá no ventre de Aishara, e ela depois o parirá).

– Caso o solo não receba a semente (do macho humano), toda essa terra estragará e não servirá mais, então precisará ser _jogada para fora do jardim_, para que outra terra seja preparada a seguir. Essa "terra" sendo jogada fora é o _sangue_.

Irmã Shaetär perguntou ao Rei de Fogo por que ela, Puabi e eu não sangramos como Aishara, e nosso Senhor nos explicou que, apesar de também termos um "jardim" em nossos ventres, nossa "terra" é _reaproveitada_ quando não é semeada, então não precisa ser jogada fora.

Pobre Aishara! O que as humanas terão feito para que os Quatro as punam assim? Rezarei por ela antes de me deitar. De qualquer forma, ~~fiquei~~ estou muito feliz que Aishara possa ficar conosco (irmã Shaetär reclamou do cheiro, mas a verdade é que ela é a única que pode sentir, então decidimos ignorá-la).

– Badara

~

NOITÁRIO DE Shaetär Urdo, Esposa de S'almu Saruma
24ª lua do mês do Barro do Ciclo 1701 E.M.
Acampamento sobre o patas-de-trovão, margens do rio do
Peregrino

Agora estou certa do que vi.

No Dia do Despertar. Levei algum tempo para identificá-los. Talvez por conta da distância. Talvèz pela anatomia de S'almu Saruma, tão distante dos ushariani. Mas estou certa do que vi.

Os Círculos Tibaul.

S'almu Saruma faleceu muitos ciclos antes da criação dos Círculos.
Eu não compreendo.

– S.

~

NOITÁRIO DE Puabi, Esposa de S'almu Saruma
Acampamento sobre o Kusari,
margens do rio do Peregrino
Lua 26 do mês do Barro do Ciclo 1701 da Era dos Mortais

Minha mãe,

O clima em nossa tenda é, finalmente, de felicidade. A conversa
acerca do período impuro dos humanos parece ter inspirado um novo
nível de interação eventual entre nós e o Rei Queimado. Nosso Senhor
elogiou e demonstrou interesse pelos temperos que a irmã Badara aplica
em suas refeições. Inquiriu a irmã Aishara sobre seus livros de aventura
favoritos. Pediu à irmã Shaetär que lhe confeccionasse um par de botas
de couro. Requisitou que eu lhe contasse histórias sobre a sua vida antes
do caminhar para a pira de fogo, clareando cada vez mais sua conturba-
da memória. Durante a última tempestade, discursou sobre as chuvas e
como os Dingirï as fazem cair. Entretanto, mãe, devo confessar que não é
sempre que compreendemos as palavras do profeta; do oceano que é a sua
sabedoria, nossos vasos retêm apenas algumas gotas.

Às vezes o flagro nos observando à noite. Sou incapaz de enxergar
no escuro, como Shaetär, mas noto quando S'almu Saruma desperta na
madrugada e nos espia na escuridão. Sinto os seus olhos brancos passean-
do sobre nós, abençoando-nos.

Quando S'almu Saruma não retorna logo ao sono, costuma deixar
nossa tenda para admirar as estrelas. Estou reunindo a coragem de, em
alguma dessas madrugadas, me juntar a ele e arriscar um diálogo particular. Como aquele que travamos no Dia do Despertar.

Estaria o Imperador de Fogo realizando um teste, mãe?

S'almu Saruma não é o único a meditar quando a lua de Sinanna paira nos céus; creio que todas nós somos vítimas de nossas consciências uma vez que fechamos os olhos. A jovem irmã Aishara parece dormir melhor depois que usei minha relíquia para acalmá-la, mas ocasionalmente a ouço despertando, ofegante, de algum sonho maligno. Ela se recusa a me contar sobre o que vê, todavia. Uma lástima, talvez eu pudesse ajudá-la.

Irmã Shaetär, apesar de mais discreta, também é vítima de pesadelos. Ela e Aishara têm mais em comum do que gostariam de admitir.

Já irmã Badara fala e ri durante o sono. Doce Badara!

Quanto a mim, às vezes, quando demoro a dormir, me descubro acariciando o ventre e sonhando acordada. Será o tempo de gestação de minha criança como o de qualquer outra flor-da-lua? Ou a semente de S'almu Saruma germinará diferente?

Oro aos Quatro para que o corpo do Imperador esteja pronto em breve. Oro aos Quatro para que o meu também esteja. Serei tão boa mãe para a Criança Negra como você foi para mim, mãe?

De sua filha,
– Puabi

~

NOITÁRIO DE Aishara, Filha do Fosso
e Esposa de S'almu Saruma
Lua 28 do mês do Barro
Ciclo 1701 da Era dos Mortais

Querida mamãe, querido papai,

"Piedade daqueles que não podem repousar, pois é no verso das pálpebras que enxergamos as respostas mais simples."

Começo minhas anotações de hoje com essa passagem das Crônicas *de S'almu Saruma, pois foi através de Suas palavras que encontrei minha paz. Explico a seguir:*

Ontem, após o jantar, quando eu já estava me preparando para dormir, o Imperador Negro me pediu para que o levasse para ~~passear~~ caminhar pelo acampamento. Pelos Quatro, não consigo escrever aqui quão nervosa fiquei com o convite! À noite a maior parte da Irmandade dorme, mas mesmo assim fomos seguidos por alguns ~~seguidores~~ irmãos e irmãs. Nosso Senhor foi paciente com todos que o abordaram. Alguns pediam que ele os curasse, ou curasse seus familiares. Outras pessoas só queriam tocá--lo ou lhe dar presentes. Ele mesmo presenteou um ushariani com o colar de conchas que ganhou no Dia do Despertar, e o pele-de-vidro se emocionou tanto que teve que ser carregado de volta à própria tenda.

Mamãe, papai, confesso a vocês que eu estava tão nervosa ao lado de nosso Senhor que não consigo me lembrar de quase nada que foi dito, com exceção de um momento em especial; o final de uma conversa entre nosso Senhor e uma senhora humana – uma viúva, acho. Palavras que Ele nos disse ter escutado da própria Voz Esmeralda, em Sua Casa em Eriduria, antes que o Imperador Negro ressuscitasse:

"Viver é como viajar numa carruagem", nos disse S'almu Saruma. "De um lado da estrada há uma encosta repleta de rochas, cinzentas e ameaçadoras. Do outro, um vale esplendoroso, colorido de flores. De qual lado da carruagem você se sentará para apreciar a viagem?"

Voltei à nossa tenda pensando sobre essa parábola, pensando que talvez eu estivesse olhando para o lado errado da minha "carruagem". Resolvi então contar à irmã Puabi sobre meus sonhos com o Fosso, e sabem o que ela me sugeriu? Que talvez não sejam simplesmente pesadelos, mas sim mensagens, reveladas pelo Viajante. Faz todo sentido, uma vez que estamos em ~~seu~~ Seu continente. Talvez o Viajante esteja me dizendo que, se não gritei no Fosso, não gritarei em nenhum outro lugar de Kurgala. ~~Ou talvez esteja me dizendo que~~ Talvez ele esteja me dizendo que sou mais forte do que penso.

Era no verso das minhas pálpebras que estava a resposta!

A Aishara das primeiras páginas deste noitário estava certa de que ia enlouquecer, mas, se escrevo estas palavras ainda sã, acho que sou mais resiliente do que imaginava. A ponta da Lança é forte como o osso de um velho anbärr, e se me guiou até o Imperador Negro, ~~que hoje dorme sob o mesmo teto~~ que me convida para caminhar ao seu lado, então pode me guiar também até a Prisão de Cristal.

Justos são os Quatro Que São Um!

– Aishara, Filha do Fosso

A Morada do Homem Grande

*Que segredos as chamas revelam,
na transparente face do ladrão?
"Para onde?", alguns perguntam,
"suas botas mágicas o levarão?"*
  Cao, o menestrel, em *Tamtul e Magano*

  nos muros da Fortaleza de Areia

CONFORME A enorme região conhecida como Mercados Invisíveis se afastava da metrópole de Isin, as vielas e praças apinhadas de barracas gradualmente davam lugar a estabelecimentos e residências mais espaçados entre si, intercalados pela natureza que ali não sofria tanta interferência dos mortais. Ao final do segundo dia de viagem sobre a sela de uma cascos-da-estrada de pelos negros, Sirara e Jarkenum alcançaram seu destino: um antigo vilarejo às margens de uma grande encosta rochosa. Eles cruzaram a ponte que delimitava a entrada e desembarcaram do animal, puxando-o pelas rédeas ao longo da estrada de pedras, enquanto Jarkenum tentava se localizar entre as casas de arquitetura humilde. O aroma do jantar começava a escapar das chaminés e alcançar aqueles que retornavam exaustos da colheita. Carroças apressadas pediam passagem aos resmungos. Surpresa, a capitã notou que ela e o companheiro não recebiam os olhares desconfiados (ou mesmo oportunistas), tradicionalmente dirigidos a estranhos recém-chegados, e apostou que os moradores locais provavelmente estavam acostumados com o trânsito entre as cidades vizinhas e a área mais densa dos Mercados Invisíveis. Ainda assim, ela fez questão de manter uma das mãos sobre o cabo da espada Lukur à cintura.

– Eu me surpreendo em ver alguém como Rekzar viver numa comunidade sem muros – disse a mulher.

– Pode relaxar, Si, você está num dos lugares mais seguros de Badibiria – respondeu Jarkenum, notando a postura da companheira. Sirara não retrucou; ela não sabia se estava mais preocupada em proteger a si mesma ou a relíquia embainhada.

Seguindo a trilha de pedras do vilarejo, os dois observaram a aproximação das árvores, e com ela os inquietantes sons da floresta, estreitando e escurecendo o caminho. O bucólico pôr do sol aos poucos esvaneceu, bloqueado pela impiedosa camada de galhos e folhas. Apreensiva, Sirara puxou o animal de carga mais para perto de si, tendo a estranha sensação de que fazia a travessia de um sonho para um pesadelo.

A passagem finalmente deu lugar à pequena clareira onde uma macabra construção se destacava sobre um jardim de flores arroxeadas; tratava-se de algum tipo de moradia talentosamente esculpida a partir da rocha da encosta, a forma lembrando um enorme crânio humanoide. Belos vitrais coloridos dispostos no lugar das órbitas e fossas nasais indicavam as janelas. Sob a sombra do que poderia ser entendido como a mandíbula superior do "crânio", uma pesada porta de madeira negra ameaçava engolir aqueles que ousassem desvendar seu interior proibido.

Sirara julgou a estrutura extremamente exagerada, como se tirada das páginas dos livros de fantasia de que Adapak tanto falava.

– Algo me diz que Rekzar está lá dentro – disse ela, notando a fumaça que escapava da chaminé no topo da casa.

Anexo ao quadro surreal que a residência pintava em meio ao jardim arroxeado, um amplo cercado próximo abrigava um depósito, viveiros abarrotados de penas-de-quintal e um estábulo para as ninzunas leiteiras e sisus que pastavam no espaço. Estacionada em frente à porteira fechada havia uma velha carroça, que naquele momento servia de cenário para a aventura que cinco crianças sadummunianas, todas na faixa dos cinco ou seis ciclos de idade, protagonizavam, armadas com pedaços de pau e muita imaginação.

Conforme Jarkenum e Sirara se aproximaram, a brincadeira levou a uma acalorada discussão entre a única fêmea do grupo e os quatro machos, e então evoluiu para um confronto físico, prontificando a capitã a entregar as rédeas do cascos-da-estrada para o colega e intervir.

– Ei, ei, EI!! – falou a mulher, separando, com dificuldade, as crianças. Assustadas com a confusão, as aves se afastaram da porteira.

– Não é verdade, não é verdade! – gritou um dos sadummunianos, recebendo o apoio dos demais. Seu rosto jovem, ainda com poucos pelos, estava sujo de terra.

– O que não é verdade? – perguntou Sirara.

– Ela disse que quando crescer vai ser mais *forte* do que a gente! – respondeu outro pequenino.

– Eu *vou* ser! – retrucou a sadummuniana, erguendo os seis braços em protesto.

– Não vai, não!!

– Vou, sim! – insistiu ela. – Mamãe disse que todas as filhas da Montanha ficam mais fortes que os filhos!

– Isso não é verdade, é, moça? – perguntou o de rosto sujo para Sirara.

– Bom... não necessariamente – disse ela.

– Claro que é, está brincando? – interrompeu Jarkenum, puxando o sisu para perto do grupo.

Sirara o encarou com uma expressão desaprovadora.

– O que foi? – reagiu o homem, se inclinando para mirar os quatro olhos da sadummuniana. – É verdade, você vai virar um *tapete* enorme.

– Jarkenum! – exclamou a capitã.

– Não é justo! – protestou outro pequenino, batendo o pé no chão. – Por que a gente tem que ser *pior* que ela?

– Diferente não é "pior", nem "melhor", parceirinho, é só *diferente* – disse o homem de armadura. – Agora vão para casa antes que eu diga ao *Homem Grande* que cozinhe todos vocês!

As crianças arregalaram os olhos.

– Mentira! E-ele diz que é nosso amigo – gaguejou a sadummuniana.

– Ele diz isso para as mais *gordinhas*. – Jarkenum a cutucou na barriga.

Com um grito agudo, a pequenina disparou para longe da carroça, instigando o resto do grupo a segui-la de volta ao vilarejo.

Jarkenum gargalhou e puxou o sisu na direção da casa em forma de crânio, acompanhando a linha da cerca.

– Você não precisava ter dito aquilo. – Sirara o alcançou.

– É só um velho apelido. Reks não liga – respondeu ele.

– Não, eu quis dizer o que você falou sobre a sadummuniana.

– Chamá-la de gordinha?

– Não. Sobre ela ficar maior que os outros quando crescer.

Jarkenum franziu o cenho.

– Eu disse alguma mentira? – indagou ele.

– Não, mas...

– Não é porque a vida é mais fácil para algumas pessoas que as outras precisam aceitar o último lugar, Si. E, quanto mais cedo aquelas crianças souberem disso, melhor...

– Eu sei, Jarkenum, mas... você não precisava ter dito daquela maneira.

O homem interrompeu o caminhar. O cascos-da-estrada aproveitou a nova pausa para mordiscar a grama.

– Si, você se lembra de como eu ganhei essas duas belezinhas? – Ele apontou para as cicatrizes na bochecha esquerda.

– Você me disse que foi quando você e seu pai ainda viviam no circo. Ele estava ensinando você a atirar facas.

– Isso mesmo. Mas eu nunca lhe contei o que o meu pai me disse enquanto me costurava depois do acidente, contei?

– Eu... Não... Acho que não.

– Ele disse: "Jark, eu estou fazendo o meu melhor, mas quando isso cicatrizar duvido que você algum dia ganhe um concurso de beleza. E esse acidente aconteceu bem na idade em que você está tentando fazer amigos e falar com garotas, o que é ainda mais *bosta*."

– Pelos Quatro – reagiu Sirara. – Sutil como a mordida de uma armadura-do-mar.

– Sim, mas sabe o que ele disse logo em seguida, Si? Ele falou: "Filho, eu não estou lhe dizendo tudo isso para que você se sinta mal. Eu estou lhe dizendo essas coisas para que você saiba, desde agora, que não vai poder depender de um rostinho bonito para se dar bem na vida. Para que saiba que, quando chegar a hora, você vai precisar ser mais *esperto*, mais *rápido* ou até mais *engraçado* do que os outros sujeitos lá fora se quiser conquistar o seu lugar."

– Eu entendo o que você quer dizer, mas... – Sirara mordeu os lábios. – Já pensou que talvez nem todos sejam fortes o bastante para encarar isso, assim, logo cedo?

– Então Kurgala vai engoli-los vivos, justamente como fez com o meu pai – pontuou o homem, dando um puxão nas rédeas do sisu.

– Isso não quer dizer... – A mulher interrompeu a frase, a atenção desviada para além do cercado. – Pelos Quatro, Jarkenum, olhe só para aquilo...

– O que houve?

– Ali. – Ela apontou.

Dúzias de passos além da cerca estava o maior e mais bizarro sisu que o casal já vira em toda a vida. Com quase o dobro do tamanho dos semelhantes, o animal era desprovido de pelos, esverdeado e inchado de gordura e músculos. Seus chifres também eram enormes, porém pareciam ter sido cerrados (ainda que o pescoço da criatura aparentasse ter força o bastante para sustentá-los).

– Há outro ali. – Jarkenum apontou.

Sirara se debruçou na cerca.

– E aquela ninzuna – falou ela.

– Alguns penas-de-quintal também, olhe. – Jarkenum apontou para o viveiro.

– Será... algum tipo de doença? – questionou a capitã.

– Eles não me parecem doentes, só... só *grandes* – opinou Jarkenum.

– Vamos perguntar ao dono – falou Sirara, afastando-se da cerca.

Os dois adentraram a pequena alcova formada pela "mandíbula" da casa, ampla o bastante para abrigá-los com o animal de carga. Sirara tomou a dianteira e ergueu o punho para bater na porta, mas hesitou.

– O que foi? – perguntou Jarkenum.

– Acha... que ele vai me ajudar?

– Não se preocupe, Si. Reks é um dos *mocinhos* – disse o homem. – Além disso, tenho certeza de que ele vai pirar quando ver essa sua "espada-relíquia".

De confiança recobrada, a mulher inspirou fundo e bateu três vezes na madeira. Após alguns instantes, uma sequência de trincos estalou e a porta se abriu com um rangido para o lado de dentro, revelando a curiosa silhueta do anfitrião.

Assombrada, Sirara entreabriu os lábios, mas não conseguiu proferir palavra alguma. Tendo passado boa parte da vida cercada de marujos (ocupação cuja segurança de si e dos colegas dependia, entre outras exigências, da boa forma física), ela havia conhecido sua parcela de indivíduos musculosos. O homem de meia-idade que atendera a porta, contudo, ultrapassava qualquer referência natural que a capitã tinha de um ser humano: ele não era somente forte; era *monstruosamente* forte. Vestindo uma simples peça de pano que lhe cobria parte do torso e íntimo, seu corpo era uma montanha de carne entumecida por onde rios de veias corriam e cruzavam entre si, irrigando braços e pernas do tamanho de pequenos troncos de árvore. Suas únicas partes de proporções normais pareciam ser a cabeça calva, mãos e pés, encaixados numa caricata escultura anatômica. Livre de cordões, adereços ou tatuagens, ele tinha a pele bege-clara, desprovida de pelos, de aparência ressecada e marcada por rachaduras onde os membros dobravam, como o couro curtido de ninzuna.

– Que os Quatro sejam louvados – disse o enorme homem de olhos verdes.

Estranhos visitantes

Devo feri-la com a verdade ou fazê-la sorrir com a mentira?

Magano, em *Tamtul e Magano
e a princesa do Labirinto de Gelo.*

NA ESCURIDÃO da tenda esmeralda, os olhos brancos do espadachim se abriram. Encarando os tecidos que enfeitavam o teto, ele se esforçou para lembrar-se do sonho que o despertara na madrugada. Era algo relacionado ao Pai; suas muitas vozes pareciam recentes na memória do rapaz.

Sonolento, ele se sentou. Seu corpo estava quente, ainda que coberto apenas pela habitual tanga de pano. Acomodadas sobre as almofadas ao redor, suas quatro companheiras dormiam profundamente.

Esposas, pensou Adapak, contemplando as silhuetas.

Não. Carcereiras.

A maior delas, Badara, roncava baixo, os pelos volumosos acompanhando o pesado respirar. O espadachim lamentou a criação que Azagör tinha dado à filha. *O fanatismo é a lenha que mantém viva a chama dos fracos*, ele se recordou dos dizeres do próprio Pai.

Abraçada à sadummuniana, Aishara, a mais jovem das Esposas, experimentava um sono inquieto; a humana eventualmente despertava na madrugada e se aninhava entre os muitos braços da amiga. Adapak pouco conhecia seu rosto, quase sempre coberto pela túnica que a cultura do seu continente havia lhe imposto. Ele lamentou que o voto de silêncio da menina a impedisse de conversar com ele acerca das aventuras de Tamtul e Magano – a tenda ainda cheirava a velas que ela acendia para a leitura antes de se deitar (quando Shaetär não reclamava da claridade).

A mau'lin, por sua vez, também sofria de um sono desagradável, balbuciando ocasionais gemidos ou palavras de protesto. A penumbra ocultava as cicatrizes que a guerra havia lhe deixado e, com elas, sua história de violência. Adapak imaginou o pai de Shaetär, o imperador Mashda Urdo, caído aos pés de Telalec na praia da Montanha Gentil, a areia empapada com o sangue de sua garganta aberta.

E então havia a ïnannariana, o corpo esguio banhado pelo luar que vencia as cortinas. A feiticeira Puabi. Adapak sentia seu aroma, é claro, misturado às velas de Aishara. Era impossível não sentir seus efeitos provocando-lhe a imaginação. A memória. Num jogo maldoso, a saudade e a penumbra a transformaram em T'arish. Com uma pontada no coração, o rapaz cerrou os olhos. *Só por alguns instantes*, ele pensou, voltando a abri-los. Era ela, não era? *Sim*. T'arish. Uma leve mudança de ângulo bastaria para desfazer a ilusão, mas ele não ousou se mover. Que mal faria se pudesse admirá-la mais um pouco? Tê-la ao seu alcance, só mais uma vez?

Só mais um pouco.

Adapak se levantou e Puabi voltou a ser Puabi. A cabeça raspada, apoiada sobre a mão. O cristal entre os seios. Envergonhado, o espadachim pegou o cinto com as bainhas de Igi e Sumi e deixou o recinto atravessando as cortinas frontais.

Lá fora, o frio da madrugada o acalmou. Erguendo-se acima das tendas e varais do acampamento, a miríade de espigões oscilava ao vento como uma grotesca floresta desprovida de folhas. Com poucas tochas e lampiões acesos, o lugar dormia, ainda que alguns membros notívagos do culto o mantivessem vivo durante a escuridão – fato que Adapak, com muita frustração, havia comprovado numa fatídica noite em que tentara se esgueirar até os elevadores do kusari.

O animal de transporte, por sua vez, dormia agachado sobre as seis patas segmentadas, dobradas ao redor da montanha viva. Adapak ansiava por desvendar o segredo do seu tamanho descomunal. Dadas as circunstâncias, porém, ele se via obrigado a disfarçar a sede por conhecimento, contentando-se com as sobras de diálogos entre as Esposas. Havia feitiçaria envolvida, disso ele estava certo. Seu Pai os havia feito grandes, mas não *tão* grandes.

O espadachim inspirou fundo e arrastou os pés descalços no solo áspero, sentindo falta da grama do Lago Sem Ilha. Espiando por entre os espigões, ele vislumbrou o horizonte sem nuvens ao sudeste. O ar era seco, tal qual a vegetação que gradualmente desaparecia em direção ao deserto de Caima; embora o mapa de Badara mostrasse que a viagem margearia a desolada região por apenas alguns dias, o fato não contribuía com sua perspectiva de escapar do kusari.

Nas últimas luas, Adapak havia esgotado suas opções. Os passeios escoltados à tenda de banho, somados ao pouco que ele extraíra das Esposas, ao menos haviam lhe permitido um desenho limitado do cenário. Considerando seus aposentos no centro da carapaça do kusari, a única saída parecia ser pelos elevadores ou pelas escadas numa das duas áreas de desembarque, localizadas nas laterais do animal. Quando se deu conta da impossibilidade de alcançá-las despercebido, o jovem tentara (alegando as mais variadas desculpas) convencer seus captores a deixá-lo descer voluntariamente. Qualquer tentativa de se racionalizar com Azagör ou outros membros do culto, entretanto, resultava no prelúdio de um novo massacre, e a leitura das *Crônicas de S'almu Saruma* apenas comprovara o que o espadachim suspeitava: o suposto profeta fora nada além de um homem ensandecido por ilusões de grandeza, espalhando sua "fé" através do medo e da violência. Não era surpresa que seus adoradores seguissem o exemplo.

Adapak não sabia o que fazer.

Aproveitando a penumbra e o pouco movimento, ele desembainhou as espadas e deixou que o fraco luar de Sinanna iluminasse os crânios de ushariani esculpidos nos cabos. Quando fez com que se encarassem, um brilho sutil surgiu dos olhos das pequenas figuras: nas de Sumi, verde; nas de Igi, azul.

Embainhando Igi, o rapaz desfez o fenômeno. Em seguida, apontou a escultura de Sumi para a frente.

– Agora me mostre onde está sua irmã Lukur – sussurrou ele, girando-a vagarosamente ao longo do horizonte.

Ao encontrar um ponto específico do norte, os olhos de Sumi voltaram a se acender.

– Aí está você. – O rapaz sorriu, antes que um nó na garganta lhe roubasse o momento; mesmo que Sirara se lembrasse da ligação entre as espadas e estivesse usando Lukur para localizar o espadachim, *alcançá-lo* ainda seria improvável considerando as grandes distâncias que o kusari era capaz de cobrir em pouco tempo. Juntas, as três armas tinham o poder de viajar através dos pilares. Separadas, somente se apontavam sob a luz da lua de Sinanna. Que uso tinham, então, além de torturar o seu portador?

Como se para acentuar a tortura, Adapak girou o cabo da espada para si e enxergou na escultura de ushariani um rosto dolorosamente familiar.

Como você pode lutar pela sua vida quando sabe que ela representa o fim de Kurgala?, soou a voz de Telalec em sua mente.

Em vista da situação em que se encontrava, Adapak havia posto de lado sua preocupação com o enigmático episódio na Casa do Artesão. Por muitas vezes ele se perguntara se realmente se escondia no navio de Sirara para não assustar as pessoas lá fora ou se a verdadeira motivação estaria ligada ao que Telalec havia lhe dito; Kurgala realmente corria risco caso os outros Dingirï descobrissem a existência do rapaz?

De súbito, ele ouviu as cortinas da tenda esmeralda se afastarem.

– Posso me juntar ao Senhor? – perguntou Puabi, distraindo o jovem de suas conjecturas.

Adapak guardou a espada e, com ela, Telalec, Sirara e todo aquele capítulo incompleto de sua história.

– Claro – respondeu.

– Não está com frio? – Ela se aproximou enrolada num cobertor. – Deseja que eu pegue um desses para o Senhor?

– Não, eu... Eu não sinto tanto frio quanto a sua espécie, acho.

– Evidentemente. – Puabi balançou a cabeça. – O Rei de *Fogo* não sentiria *frio*. Que tolice a minha...

– Não se preocupe. Eu a acordei quando me levantei?

– De forma alguma. Notei como o senhor me observava lá dentro antes de sair e... bom, julguei que apreciaria um pouco de companhia.

– Eu... Me desculpe por olhá-la daquele jeito – falou Adapak.

– Não há por que se desculpar, meu Senhor. – A flor-da-lua sorriu. Seu olhar estava repleto de carinho.

Acanhado, o espadachim contraiu os lábios.

– Fui tão transparente assim? – perguntou.

– Como um pele-de-vidro num dia ensolarado – disse ela, arrancando um sorriso do rapaz. O perfume o envolvia agora, provocando seu coração.

Pare.

– Não pude evitar – respondeu ele. – Você me lembra alguém. Alguém... que eu perdi.

Puabi pareceu intrigada.

– Refere-se à Imperatriz Cadïja? – indagou ela.

Adapak se deu conta da armadilha em que se enfiara.

– Não... – disse ele, buscando uma saída.

– Uma de suas outras Esposas, então? – sugeriu Puabi. – De sua vida anterior a esta?

– Alguém... antes delas, na verdade – arriscou o espadachim.

– Ah, uma jovem paixão. – A flor-da-lua pousou a mão sobre a relíquia no peito. – Os Quatro a retornaram às estrelas antes que o Senhor a desposasse?

– Ah, não, ela... – Adapak pensou nas palavras certas e optou por aquelas que doeriam menos. – Ela simplesmente foi embora.

A ïnannariana franziu o rosto.

– Quem recusaria o amor de S'almu Saruma, o Imperador Negro dos Nove Mil Escolhidos? – perguntou ela.

O espadachim deu de ombros.

– Talvez eu deva procurá-la, agora que tenho todos esses *títulos legais*. – Ele abriu outro sorriso.

A flor-da-lua o encarou, sem entender a brincadeira.

– Eu... – Adapak voltou à seriedade. – Algumas pessoas simplesmente... deixam de amar as outras, eu acho.

– "Parto, mas deixo metade de minha alma contigo."

Foi a vez de Adapak encará-la, intrigado.

– A citação pertence a um dos livros que Aishara ama – explicou a ïannariana.

– Sim, *Tamtul e Magano contra a ampulheta da Rainha Estátua*. – Ele resgatou da memória. – Achei que você não os conhecia.

– Folheei alguns após nosso diálogo no Dia do seu Despertar – explicou a flor-da-lua. – Creio ter compreendido a mensagem que o Senhor pretendia ao me apresentá-los... Às vezes, é preciso escapar para outros mundos se quisermos entender devidamente o nosso.

– É, acho que sim – concordou ele, mirando o horizonte. Banhado pelo luar de Sinanna, o deserto de Caima se estendia como um vasto oceano congelado. – E quanto a você, Puabi? Alguém alguma vez já... "deixou metade da alma" com você?

Ela exibiu um sorriso gentil.

– Para uma ïannariana, viver é ser amada por todos, não? – disse ela. – É nosso fardo. O legado de Sinanna.

– A... lua? – O espadachim indicou a grande esfera prateada nos céus.

– Estou certa de que o Rei Negro está familiarizado com a história de Ïnanna e Sinanna – falou a flor-da-lua, não tão certa assim.

Adapak conhecia a lenda. Sua curiosidade, entretanto, o fez mudar o rumo do diálogo:

– Como eu mencionei a vocês antes, minha memória ainda está enevoada – disse ele. – Você se incomoda em me contar?

– Mas é evidente que não, meu Senhor – concordou Puabi, ajustando o cobertor sobre os ombros. – No princípio, enquanto os Quatro preenchiam Kurgala de vida, o Viajante das Estrelas decidiu que criaria os mais belos mortais. Ele então colheu o pó das estrelas, tal qual Seus Irmãos haviam feito, porém o misturou ao pó daquilo que havia sido seu presente a Tiamatu e Abzuku, a *lua*. O Dingirï espalhou a mistura sobre os lindos campos do seu continente e aguardou, até que do solo brotaram duas lindas flores, que no desabrochar deram à luz duas irmãs: Ïnanna e *Sinanna*... E, quando despertaram para a vida, ambas correram alegres pelo campo até encontrarem uma bela lagoa, onde se debruçaram para admirar seus reflexos. E, ao se deparar com a beleza incomensurável da irmã, Ïnanna foi tomada de inveja e a empurrou para a água, onde Sinanna se afogou. Mas Ïnanna logo se arrependeu e começou a chorar, chamando a atenção do Viajante. E, quando o Dingirï descobriu o que havia se passado, ele chorou também, e suas lágrimas tornaram a cor das águas do lago púrpuras como o fim de uma tarde. Ele então recolheu o corpo de Sinanna, mas, em vez de retorná-la às estrelas, a transformou em pó e a espalhou sobre a superfície da lua, tornando sua luz ainda mais intensa...

– E quanto a Ïnanna? – perguntou Adapak, entretido.

– Pois o Viajante se dirigiu a ela e declarou: "Você quis ser a mais desejada entre os mortais, e a mais desejada você então será" – citou Puabi com voz empostada. – E com o dizer das palavras o Dingirï mergulhou-a nas águas púrpuras do lago que ele havia chorado, e quando a retornou à margem Ïnanna exalava o mais intenso dos perfumes. E disse o Viajante: "A partir deste dia, todos os mortais que sentirem o seu aroma se apaixonarão por você, Ïnanna. Contudo, a paixão será tão avassaladora que enlouquecerá até o mais sábio dos sábios, e por isso você nunca conhecerá o verdadeiro amor. E os seus filhos e filhas sofrerão o mesmo destino, para que nunca se esqueçam do mal que Ïnnana causou."

Com um sorriso triste, a ïnannariana finalizou a narrativa. Adapak sentia vontade de abraçá-la.

– Puabi... – ele começou a dizer. – Você entende que isso é apenas uma lenda, não entende?

– Meu Senhor?

– Seu perfume – prosseguiu o espadachim. – Vocês não estão sendo "punidas", isso nunca... Isso...

Adapak hesitou. Ele enxergou o próprio reflexo nos olhos cor de mar da ïnannariana e pesou as palavras que estava prestes a proferir. Aquelas pessoas o viam como um altíssimo farol de sabedoria; alguém ciente da verdade final, tocado diretamente pelos Dingirï. Um *semideus*.

Ele considerou a nomenclatura.

Deuses não sangram, Adapak.

Graças ao exemplo de Telalec, o espadachim aprendera que o conhecimento dos Dingirï, ainda que uma chama capaz de acender as mais fracas velas de um candelabro, era igualmente passível de derretê--las por completo.

As velas de Puabi suportariam tamanho calor?

– Meu Senhor? – repetiu ela, ajustando mais uma vez o cobertor sobre os ombros.

– É uma história muito triste. – O espadachim se decidiu. – E você a contou muito bem.

A ïnannariana desfez a expressão confusa.

– Ouvi a minha mãe ecoar a história de Ïnanna e Sinanna pelas paredes do templo tantas vezes que acabei decorando. Foi uma honra contá-la... – Ela então se corrigiu. – Foi uma honra *lembrá-la* ao Imperador Queimado.

– Sua mãe parece ser alguém muito interessante.

– Ela é, de fato, uma flor-da-lua formidável. Escrevo-lhe todas as noites e pretendo enviar-lhe meu noitário antes de alcançarmos Nippuru. Sentimos muita falta uma da outra.

– Imagino que não fiquem bancos vazios quando ela discursa – sugeriu Adapak.

– S'almu Saruma é gentil. – Ela tocou a própria testa com a mão e a abriu. – Lamentavelmente a prática dos kishpü ainda é vista por muitos com desconfiança...

– Shaetär – disse o espadachim. – Noto o modo como ela se dirige a você.

A ïnannariana inspirou fundo. Como um navio na bonança, o acampamento oscilava com o respirar do kusari.

– Shaetär é de outro mundo, outra cultura – comentou Puabi, e voltou a admirar a lua. – O continente onde ela nasceu foi marcado por duas guerras, sendo uma diretamente provocada por uma kishpü e outra pelo próprio pai... Um pai que dedicou os últimos ciclos da vida a obter as relíquias da Casa do Artesão, consultando feiticeiros mal-intencionados que alimentavam sua obsessão. Eu não a culpo por sua desconfiança.

– Não tem medo de que o resto da Irmandade possa pensar o mesmo sobre você? – questionou o espadachim.

A flor-da-lua encarou seus olhos brancos.

– Eu sei o que sou – respondeu ela.

Adapak sorriu.

– Eu invejo a sua certeza, Puabi – confessou ele.

Algo cruzou o ar acima deles.

O casal se agachou, sobressaltado pelo que havia lhes soado como uma lona ao vento. Adapak vasculhou o céu; entretanto, fosse lá o que tivesse provocado o som havia desaparecido na escuridão.

– Pela Matriarca, o que foi isso? – perguntou o rapaz, as mãos instintivamente sobre o cabo das espadas. Puabi o segurava pelo outro braço.

– Eu... Eu não tenho ideia, meu Senhor – respondeu ela. – Talvez um pássaro?

– Talvez... – duvidou o espadachim, mantendo a atenção no alto. – Vamos retornar à...

Por um breve instante, Adapak pensou ter enxergado uma estranha silhueta alada completando uma longa curva no céu; o que quer que fosse, parecia maior do que qualquer ave que ele tinha na memória.

– Puabi... entre na tenda, por favor – pediu ele, desembainhando Igi e Sumi.

Antes que a flor-da-lua o atendesse, contudo, um som semelhante ao anterior os assustou na retaguarda.

Eles se viraram.

Estática na penumbra entre os espigões e barracas do acampamento, uma estranha criatura alada, magra e com quase o dobro da altura de

Adapak encarava o casal. A fraca iluminação do cenário camuflava suas feições, mas o crânio era certamente grande e oval, alongado e afinado para trás, como o leme de um navio. Do largo tórax partiam quatro braços, dos quais apenas um par era livre; o outro consistia em asas de grande envergadura, com dedos extremamente alongados e unidos por uma membrana fina e levemente translúcida, conectada ao tronco e às duas pernas compridas.

– Pela Matriarca – foi o que Adapak conseguiu balbuciar.

Retraindo os membros inferiores, o estranho visitante dobrou as falanges dos braços alados para trás e se apoiou nos punhos, revelando o modo como se locomovia em solo. Ele avançou e os Círculos dançaram ao redor do seu corpo esguio, refazendo cálculos e buscando cores. Adapak sentiu o coração acelerar e apertou o cabo das armas.

Entretanto, pela primeira vez em sua vida, os Círculos não lhe disseram o que fazer.

Paralisado, Adapak foi agarrado. As mãos da criatura eram grandes. *Frias.* De perto, ele agora via seus olhos – duas enormes esferas brancas e ovais, refletindo um jovem assustado. A coisa pareceu estudá-lo por um instante e então o descartou para o lado como um velho boneco de pano. Adapak caiu sobre o chão áspero e a dor enviou um recado à sua consciência:

Levante-se. Ouça os Círculos.

Ele se ergueu, mas os Círculos não sabiam o que lhe dizer. Eles calculavam freneticamente ao redor daquele novo inimigo, que agora voltava o olhar e as mãos contra uma aterrorizada Puabi. A flor-da-lua gritava o nome do rapaz.

Seu *outro* nome.

Improvise.

NÃO. OUÇA OS CÍRCULOS.

Improvise.

Convicto das intenções nefastas do visitante, Adapak o atacou, cravando a lâmina de Sumi em sua coxa esquerda; o ser pendeu para o lado e recebeu a lâmina de Igi na base da coluna antes que pudesse agarrar a ïnannariana. Adapak puxou as espadas para si e recuou, vendo o oponente cair sobre os joelhos e lutar para se apoiar nos membros alados. Havia algo perturbadoramente familiar em seus movimentos, o rapaz pensou.

Foi quando outra criatura pousou atrás de Puabi.

A flor-da-lua se virou. A coisa – idêntica à que Adapak aleijara – a segurou pelo braço.

Ouça os Círculos, Ad...

FAÇA ALGO!

O espadachim circundou o oponente ferido e avançou contra a segunda criatura, amputando-lhe o antebraço e libertando Puabi. Não havia *sangue*. Apático, o ser revidou e o empurrou com uma das asas dobradas, jogando-o contra um espigão próximo; o jovem o atingiu com as costas, balançando os varais amarrados entre a estrutura rugosa e a tenda vizinha. Desorientado, notou a primeira criatura cambaleando em sua direção e armou uma defesa simples – os Círculos estavam por todo o lugar. Usando os braços compridos, a coisa o agarrou pelo pescoço e o empurrou novamente contra o espigão, mas pagou um preço fatal ao ter a testa perfurada pela espada Sumi no mesmo movimento. Adapak sentiu os dedos gélidos continuando a apertar sua garganta. *Por favor!* Ele esticou o braço o máximo que pôde e a lâmina penetrou ainda mais fundo.

Os dedos da criatura relaxaram.

Tossindo, Adapak retrocedeu a arma e testemunhou o inimigo desabar em convulsões. Amaldiçoando a penumbra que lhe negava uma avaliação mais precisa daquela ameaça, ele folheou mentalmente enciclopédia atrás de enciclopédia em busca da misteriosa aberração aos seus pés. Os Círculos *imploravam* por uma resposta.

– O que você é? – balbuciou o espadachim, questionando se o aplicar de força letal havia sido a melhor tática. Em sua imaginação, a voz do antigo mestre ushariani respondia que sim, e o aluno não discordou.

Adapak estava farto de questionar as motivações de seus inimigos.

Gritos.

O espadachim voltou a atenção a Puabi, que aproveitara a liberdade para colocar um espigão entre ela e a criatura de braço amputado; esta, por sua vez, encarava as outras três Esposas de S'almu Saruma, que, atônitas, espiavam para fora da tenda esmeralda com a ajuda de um lampião. Igualmente atraídos pelo conflito, demais membros da Irmandade começavam a deixar suas acomodações para investigar o que se passava. Tochas foram acesas. Frases de assombro e choros.

– Puabi! Entre na tenda!! – gritou Adapak, saltando por sobre o cadáver e girando as espadas. A distração foi o bastante para que a criatura se voltasse ao jovem de pele negra e a ïnannariana se refugiasse no abrigo junto às colegas. Adapak investiu contra o oponente, que ergueu os membros alados em defesa e teve as membranas retalhadas por Igi e Sumi. O espadachim recuou a tempo de evitar o contra-ataque das asas, as quais o acertaram apenas com uma forte lufada de ar.

Três novas criaturas desceram sobre o acampamento, arrancando bandeiras, varais e gritos assustados no desajeitado aterrissar. Adapak se viu no centro do grupo, os Círculos girando sem resultados. "Enviados das Bestas!", exclamou alguém na multidão. A criatura mais próxima caminhou na direção do espadachim e este se adiantou, espetando-a no abdômen. A coisa agarrou a lâmina de osso, mas Adapak a puxou de volta, lhe rasgando as mãos. Ela não demonstrou dor. O jovem lançou um olhar para a figura de asas cortadas, que investiu de braços em riste. Por um instante os Círculos a coloriram como um humano, em seguida como um uggael e então se aglomeraram novamente. Confuso, Adapak perdeu a janela de oportunidade e ergueu Igi tarde demais, permitindo que a mão do agressor o alcançasse. Os dedos compridos capturaram seu rosto e o puxaram para a frente, roubando-lhe a visão, o ar e o equilíbrio. Aos tropeços, Adapak tentou golpear com Sumi, mas foi impedido quando a outra criatura lhe segurou o braço direito.

Os Círculos calculam e preveem, Filho de Enki' När.

Abruptamente, a mão que envolvia sua face afrouxou e o soltou. Tossindo, Adapak ergueu o olhar e se deparou com o crânio do algoz trespassado por uma curta lâmina de osso – tão alva quanto as de Igi e Sumi. Equilibrada sobre os ombros magros da criatura estava a silhueta responsável pelo ato, munida de uma segunda espada.

Shaetär.

A mau'lin puxou a arma de volta e, antes que o cadáver tombasse, saltou como uma habilidosa balança-galho sobre a coisa que ainda mantinha Adapak refém; uma vez sobre ela, repetiu a ação anterior e a executou com um golpe preciso.

Livre, o espadachim acompanhou Shaetär retornar ao solo e a criatura alada desabar numa convulsão.

– Sou serva de sua vontade, Imperador Negro – disse a Esposa, arfante. Sua faixa de cabelos presos se mantinha impecável. Ela empunhava uma espada curta na mão direita e uma comprida na esquerda, ambas de guardas quadradas e cabos trançados em couro. Adapak notou que havia uma frase talhada no osso de anbärr de cada lâmina, mas o caos e a má iluminação o impediram de identificar a língua em que estavam escritas, muito menos o significado.

– O-obrigado – agradeceu o rapaz, localizando o par de inimigos restantes.

Liderados por Azagör, uma dezena de membros do culto cercara as criaturas próximo à tenda das Esposas, gritando ameaças tímidas no brandir de tochas. Apáticos, os seres alados encaravam a aglomeração com os grandes olhos espelhados, piscinas de fogo refletindo rostos aterrorizados; ao contrário da coragem que demonstrava contra Adapak, a Irmandade hesitava ante aqueles estranhos visitantes.

– As Bestas enviaram suas crias nefastas! – bradou Azagör, sua voz se destacando acima da cacofonia que o acampamento se tornara. – Não temam, irmãs e irmãos! A Mão Negra descerá contra os invasores!

O monge sadummuniano arremessou sua tocha contra o rosto da criatura à sua frente; a coisa agarrou o objeto no ar, envolvendo a ponta flamejante com os dedos compridos.

Como um pedaço seco de madeira, sua mão começou a arder em chamas.

Largando a tocha e sacudindo o membro incandescente, a criatura forçou passagem com sua semelhante através do cerco, empurrando Azagör e os membros do culto sob seu comando. Mais tochas foram derrubadas. Pessoas foram ao chão.

Shaetär deixou Adapak para trás e avançou contra a criatura de membro queimado. A coisa girou o enorme crânio em forma de leme na sua direção. A mau'lin falseou o último passo à frente, saltou para o espigão à esquerda do ser e saltou novamente, ganhando altura o suficiente para alcançar seus ombros.

A criatura, contudo, esticou o braço saudável e a segurou pelo rosto antes que completasse a acrobacia.

Bosta.

Com os dedos gélidos enraizados ao redor da cabeça, Shaetär soltou as espadas, se agarrou ao membro da criatura que a segurava e esperneou no ar. Adapak correu para acudi-la, mas a outra criatura – agora livre da aglomeração – ultrapassou a companheira e se colocou contra o rapaz de pele negra. Num rápido floreio, Igi e Sumi lhe deceparam as mãos, mas o ser simplesmente ignorou o ferimento e revidou com a asa direita, derrubando o espadachim sobre um conjunto de cestos de roupa suja em frente a um grande varal. Erguendo-se em meio aos tecidos, ele sentiu o odor forte lhe incomodar as narinas. *Ora é o sangue, ora é o suor dessas pessoas sobre meu corpo*, pensou.

A criatura investiu contra o alvo caído. Ajoelhado, Adapak agarrou um punhado de roupas do chão e as jogou contra o oponente; um vestido amarelado caiu sobre a enorme cabeça e a coisa avançou às cegas, os membros aleijados estirados no ar. Adapak rolou para o lado e escapou de ser atropelado pela criatura, que cambaleou de encontro ao emaranhado de varais e os atravessou como uma carruagem desgovernada, enroscando-se na teia de cordas e tecidos molhados até ir ao chão.

O jovem se levantou e preparou uma nova investida, mas viu que, graças aos olhos cobertos e às mãos decepadas, a criatura não se livraria tão cedo da armadilha em que havia se atirado, debatendo-se e apertando cada vez mais as amarras ao redor de si.

Shaetär.

Adapak então se voltou para o inimigo restante; hostilizado por Azagör e um esuru, o ser com a mão carbonizada havia se distraído e libertado sua refém, que, por sua vez, se arrastava desorientada no chão. Uma barraca vizinha à tenda das Esposas ardia em chamas, liberando flocos flamejantes aos céus de Sinanna.

Por favor, não.

A coisa encarava os agressores, impassível. A luz do incêndio bruxuleava sobre seu corpo ossudo, marcando a pele branca com sombras angulosas. Apavorado, o esuru largou a tocha e abandonou o confronto. Azagör berrou e ergueu sua faca de cerâmica no ar – a mesma que por muito pouco não tinha ceifado a vida de Aishara havia algumas luas. A criatura tentou fechar as asas para se proteger, mas o sadummuniano a impediu com os braços maiores e a esfaqueou com um dos braços menores. O ser usou então a mão saudável para segurar o punho armado de Azagör e a mão carbonizada para lhe agarrar o pescoço.

Azagör largou a faca e as asas do oponente para lutar contra o enforcamento. Alcançando-os, Adapak enfiou a espada Sumi na parte anterior da coxa da criatura; o ser não libertou o monge, mas perdeu o equilíbrio e se ajoelhou, permitindo que o espadachim saltasse sobre suas costas frias e tentasse alcançar sua nuca. A coisa, contudo, balançou o tronco e o jogou de volta ao solo.

Um grito rouco se destacou no caos do acampamento.

De pé, Adapak viu Badara deixar a tenda das Esposas e correr em resgate do pai, jogando o peso do corpo contra seu bizarro captor. A coisa tombou para o lado, levando o monge consigo num abraço desajeitado. O espadachim buscou um ângulo de ataque, mas a sadummuniana se adiantou e segurou o antebraço chamuscado da criatura, gritando para que libertasse Azagör. Quando o pedido foi negado, Badara se desesperou e a agarrou pela enorme cabeça de leme, puxando-a para si com toda a força de seus seis braços. Houve um estalo, mas

Badara continuou a puxar. Estirada ao máximo, a pele do pescoço da criatura perdeu a cor e começou a rasgar.

Pela Matriarca.

Como a rolha arrancada de uma garrafa de vinho, o crânio se desprendeu do corpo e Badara caiu para trás, segurando-o em suas mãos. O ser convulsionou e libertou Azagör, que se arrastou para longe do corpo, tossindo. Shaetär, recuperada e de posse de suas armas, foi até o monge e o ajudou a se levantar. Adapak fez o mesmo com Badara.

– Acho... que você já pode se livrar disso – disse ele à jovem sadummuniana. Sentada, ela encarava os enormes olhos espelhados da cabeça morta, ainda em seu poder. Como antes, não havia sangue. Adapak a tocou no ombro. – Badara?

A filha de Azagör largou a cabeça e caiu em prantos. Adapak embainhou a espada Sumi e se ajoelhou ao seu lado, sem saber o que fazer. Shaetär e Azagör se aproximaram, mas o foco dos dois logo se voltou à tenda das Esposas; apesar do esforço de alguns membros da Irmandade, as chamas da barraca vizinha haviam se espalhado para ela. Amedrontadas, Puabi e Aishara espiavam a comoção por entre as cortinas esverdeadas.

– Shaetär, retorne à tenda e proteja suas irmãs! Eu e minha filha cuidaremos do incêndio! – ordenou Azagör, recuperando sua faca e mancando em direção ao tumulto.

– Você ouviu seu pai, levante-se! – falou Shaetär. Badara, no entanto, continuou a chorar copiosamente e não obedeceu.

– Vá na frente, eu... Eu a levarei – disse o espadachim à mau'lin, que respondeu com um bufar impaciente e disparou atrás de Azagör.

Adapak se manteve ajoelhado ao lado da sadummuniana. Ela tremia como uma criança assustada, balançando as longas tranças sob o maxilar. *Tamanho poder contido em alguém tão frágil*, pensou o espadachim, lançando um olhar para baixo, onde a cabeça decapitada da criatura encarava o vazio. Ele não pôde deixar de se identificar com a frase.

– Nascemos fracos pelo ventre, morremos fortes por Sadummum – disse Adapak, pousando a mão cinzenta no lado esquerdo do tórax de Badara. Assustada, a jovem interrompeu o choro e abriu os olhos.

– Meu S-Senhor? – balbuciou ela.

Sem jeito, Adapak removeu a mão.

– Alguém me disse isso uma vez – explicou ele. – Um... *amigo* que acabou me ensinando que eu era muito mais forte do que achava ser.

– Meu Rei, eu...

– Suas amigas precisam de você – interrompeu-a Adapak, apontando na direção do incêndio. – Precisam da sua *força*, Badara.

Confirmando com um aceno, a sadummuniana de pelagem rubra enxugou as lágrimas, se levantou e correu na direção do pai, que liderava o grupo que tentava desesperadamente controlar as chamas.

Antes de segui-la, Adapak lançou um olhar na direção da criatura aleijada que ele havia deixado presa nos varais. Vencida pelas cordas, ela finalmente desistira de lutar e jazia inerte no solo. A imagem fez com que a memória do rapaz retornasse ao navio de Sirara, lembrando-o de quando testemunhara a capitã pescar acidentalmente um filhote de ninanshi, e de como o animal se debatera até a exaustão no convés do navio, impotente contra a rede cada vez mais apertada contra seu corpo.

Adapak sentiu uma leve ardência na testa e retornou ao presente. Ele coçou o local e, examinando os dedos, notou algo de estranho.

Cinzas.

Como uma peculiar neve alaranjada, milhares de partículas de brasa desciam lentamente sobre o acampamento. Voltando-se à tenda das Esposas, o espadachim a viu parcialmente em chamas, assim como algumas das barracas vizinhas. De guarda nas cortinas frontais, Shaetär encarava apreensiva os céus; iluminadas pelo fogo, cinco novas criaturas aladas circundavam a tragédia como aves carniceiras, afugentando os poucos indivíduos que ajudavam Azagör e a filha a apagar o incêndio.

Adapak deu um passo em direção à tenda, mas um pensamento desafiou sua iniciativa.

Fuja.

Ele olhou ao redor. Em meio à fumaça cada vez mais espessa, mães carregavam filhos e gritavam nomes de parentes e amigos. Animais corriam soltos. Pânico.

Fuja, Adapak.

O caos sobre o acampamento abria a oportunidade perfeita para que Adapak se esgueirasse até uma das áreas de desembarque do kusari e escapasse. Ele sabia como os elevadores funcionavam. Com o colossal animal repousando próximo ao solo, as escadas de corda eram outra opção viável.

E, uma vez lá embaixo, Adapak correria. Correria até que a escuridão o ocultasse. Correria para longe daquelas pessoas e sua insanidade.

A lateral da tenda das Esposas ardia. Com um rasante preciso, um dos invasores a agarrou pelo topo e tentou levá-la consigo, mas falhou quando as amarras e estacas que a mantinham no solo resistiram e o forçaram a aterrissar desajeitadamente, trombando contra um espigão.

– Pai! – gritou Badara. Em seu colo, duas crianças humanas tossiam. Shaetär girou as espadas.

– Não, Shaetär! Proteja as outras Esposas! – ordenou Azagör, largando o cobertor que usava para abafar o fogo e avançando contra a criatura atordoada. Obediente, a mau'lin assistiu ao monge agarrar o ser pelas costas e esfaqueá-lo com sua lâmina de cerâmica. Apoiada nos membros alados, a coisa ergueu os outros braços por cima dos ombros e agarrou os pelos do sadummuniano. Azagör gritou de dor e a esfaqueou novamente.

Paralisada, Badara abriu a boca para gritar o nome do pai outra vez, mas se assustou quando Adapak passou correndo ao seu lado; rápido como um fantasma-corredor, o espadachim alcançou o monge e seu oponente e desferiu um violento golpe lateral no braço alado esquerdo da criatura, como se tentasse cortar o tronco de uma pequena árvore. O membro se partiu e o ser perdeu o apoio, tombando para o lado e levando Azagör consigo. Adapak ergueu Igi e Sumi para a finalização, mas o inimigo o agarrou pelo tornozelo e o derrubou antes da execução, fazendo-o bater a parte de trás do crânio no solo.

Shaetär abandonou o posto e disparou em resgate ao espadachim. De olhos semicerrados pela dor, o jovem viu um borrão passar por cima de si, seguido pelo som seco da cabeça da criatura sendo perfurada. Com um espasmo, a mão fria libertou seu tornozelo.

Adapak se ergueu sobre uma das pernas, sentindo a cabeça latejar. Atrás do corpo da criatura, Shaetär ajudava Azagör a se levantar.

Fortes lufadas de ar dispersaram a fumaça ao redor do trio. Sobressaltados, eles se voltaram aos céus, onde as quatro criaturas restantes haviam agarrado o teto da tenda e agora se esforçavam para arrancá-la do solo. Azagör se adiantou e agarrou uma das amarras, bradando ofensas às criaturas aladas. Um conjunto de estacas se desprendeu e a lona se elevou alguns cascos, expondo o interior do aposento. Despertos do torpor, Shaetär e Adapak escolheram uma corda para segurar, mas ela gemeu e arrebentou antes que a alcançassem, chicoteando o braço direito do espadachim. Outras estacas cederam. As mãos de Azagör queimavam. Ele gritou pela ajuda da filha quando a corda lhe escapou.

Segurando o braço ferido, Adapak assistiu às criaturas alçarem voo com a tenda flamejante, deixando no solo o interior desordenado do aposento, onde Puabi e Aishara se abraçavam sobre o tapete. As criaturas subiram mais alguns cascos de altura e então se livraram da carga; como uma enorme flor incandescente, a lona se abriu contra a lua de Sinanna antes de planar de volta ao acampamento. Adapak prendeu a respiração quando o tecido em chamas foi capturado por um espigão, porém rasgou a seguir e caiu sobre um conjunto de barracas menores ao nordeste do kusari.

– Temos que tirar essas pessoas daqui – disse o espadachim, vendo o fogo se alastrar. Ao seu lado, Shaetär vasculhava os céus em busca das criaturas aladas e ignorou a sugestão.

– Azagör! – Adapak chamou pelo monge. No centro do aposento destruído, ele e a filha acalmavam Puabi e Aishara, desorientadas entre os móveis e roupas espalhadas no ataque. Abandonadas, as barracas vizinhas queimavam.

– Meu Imperador? – O sadummuniano viu o rapaz de pele negra se aproximar.

– Azagör, nós precisamos evacuar o acampamento.

– Mas... meu Senhor, nós ainda podemos salvá-lo...

Adapak o agarrou pelas vestes.

– Pela Matriarca, *veja!* – disse o espadachim, apontando para onde a lona caíra. Como insetos de uma colônia condenada, os membros do culto atropelavam uns aos outros no esforço de escapar das moradias incandescentes.

– Pai?... – falou Badara.

O monge encarou as chamas.

– Isto... é um *teste* – sussurrou ele. – Devemos permitir que o fogo purifique o acampamento...

– Não! – Adapak soltou o sadummuniano. Aishara voltou a abraçar Puabi. – Azagör, eu...

Antes que fosse capaz de arriscar uma nova abordagem, Adapak foi alertado pelo grito de Shaetär.

O grupo se abaixou e as quatro criaturas passaram com um rasante acima de suas cabeças, deixando para trás uma lufada de ar que espalhou ainda mais os mapas e papéis do cenário. O espadachim ergueu o olhar a tempo de ver seus algozes retornarem aos céus, manobrando com dificuldade entre a miríade de espigões do kusari.

– Estamos expostos nesta clareira – falou ele, colocando-se de pé. Ao sudeste, um trio de espigões próximos uns aos outros lhe chamou a atenção. – Venham comigo!

Shaetär, Azagör e as outras Esposas correram atrás do espadachim, contornando barracas e varais até alcançarem o abrigo formado pelas três estruturas rugosas.

Ofegante, Aishara ajustou a túnica e gesticulou para Puabi.

– E-eu não sei, querida – respondeu a ïnannariana. – Não sei o que essas aberrações desejam...

– Elas querem a *nós*, feiticeira – disse Shaetär, alcançando as colegas. – Elas temem as crianças que nossos ventres trarão a Kurgala.

– Você consegue vê-los? – perguntou Adapak. Amarrados entre os espigões do novo abrigo, redes e varais obstruíam ainda mais a visão dos céus, já repletos de fumaça e fuligem.

– Estão diretamente sobre nós, Imperador Negro – afirmou a mau'lin.

– MALDITOS SEJAM!! – exclamou Azagör, brandindo a faca de cerâmica.

O mundo se moveu com um estrondo.

Adapak e aqueles ao redor perderam o equilíbrio e caíram de joelhos, assustados pelo estranho vento repentino e a sensação de que uma enorme mão invisível os pressionava cada vez mais contra o solo. Igualmente afetadas, as criaturas aladas vieram ao chão, com um dos seres furando os varais e aterrissando bruscamente entre Badara e Puabi, por pouco não as ferindo. A ventania então desapareceu e a pressão se inverteu, puxando, momentaneamente, todos para cima antes que o fenômeno cessasse por completo.

Gritos e lamentos voltaram a ecoar por todo o acampamento. Lutando contra a desorientação, Adapak deduziu o que havia ocorrido: desperto do sono profundo, o patas-de-trovão se erguera rápido demais sobre as gigantescas patas, desestabilizando o acampamento inteiro.

Recuperando a arma do chão, Shaetär praguejou contra Puabi:

– Achei que pudesse manter este maldito animal *dormindo*, feiticeira – disse a mau'lin. Ajoelhada ao seu lado, a flor-da-lua abraçava e confortava a jovem Aishara, que tremia de enjoo e pavor.

– O-o caos e as chamas devem ter quebrado o encanto, irmã Shaetär – respondeu a ïnannariana.

De súbito, o ser que aterrissara em meio ao grupo se levantou, livrando-se das roupas do varal que trouxera na descida. Com os longos braços ele puxou Puabi para si, junto com Aishara, abraçada à flor-da-lua como uma cria apegada à mãe.

Não.

Adapak se pôs de pé, os Círculos girando em vão sobre o oponente e suas reféns. Igualmente impotente, Shaetär floreou sua arma, mas logo teve a atenção desviada pelos gritos de Azagör; recuperados do pouso forçado e apoiados nos membros alados, os outros três invasores cautelosamente começavam a fechar o cerco contra o monge, o espadachim e as Esposas, acuados entre os espigões.

– Shaetär, cuide dos outros! – ordenou Adapak, mantendo a atenção na criatura em poder de Puabi e Aishara. O rosto da menina humana, descoberto da túnica, pressionava a relíquia no peito da colega, subindo e descendo com o respirar acelerado. A coisa começou a recuar para fora do abrigo de espigões, e o espadachim a seguiu, ouvindo Azagör e Shaetär proferindo ameaças contra os demais invasores. *Foco.* Ele calculou a distância de suas lâminas até os braços do sequestrador. *Não. Preciso esperar que ele pare de andar, ou posso acertá-las por acidente.* Como um par de luas refletidas no mar, seus olhos brancos encontraram os olhos azul-esverdeados de Puabi, suplicando por ajuda.

– Vou salvá-la – sussurrou o espadachim, mais para si do que para ela.

Fora da linha dos espigões, o sequestrador interrompeu o recuar e se agachou, dobrando ainda mais as pernas retraídas. Adapak apertou o cabo das espadas.

Agora.

Mas, quando se deu conta do que de fato ia acontecer, soube também que era tarde demais para evitar.

Estirando os longos e poderosos membros inferiores, a criatura se catapultou com as reféns em direção ao céu poluído. Boquiaberto, Adapak se apavorou quando os viu atingir o apogeu, achando, por um instante, que despencariam para a morte; o ser, contudo, desdobrou as enormes asas e as inflou contra o vento da noite, como as velas de um navio recém-desperto.

E então planou para longe, desaparecendo na fumaça com Puabi e Aishara em seu abraço.

Prestes a fechar o cerco contra Shaetär, Badara e seu pai, os seres restantes interromperam o caminhar, recuaram para fora da linha dos espigões e, perfeitamente sincronizados, se agacharam sobre as pernas retraídas. Azagör aproveitou o intervalo para avançar até o mais próximo, agarrá-lo e esfaqueá-lo; a criatura, no entanto, não abortou a decolagem e se lançou aos céus, tal qual as semelhantes, levando, acidentalmente, o pesado monge consigo.

Badara gritou o nome do pai, vendo-o a algumas dezenas de cascos de altura se desprender do oponente ferido e então despencar, num arco, com ele para o chão.

Adapak ouviu os baques e se virou. Próximo à tenda de banho, ao sul, os corpos de Azagör e da criatura esfaqueada jaziam a alguns passos um do outro, imóveis.

– NÃÃO!! – berrou Badara, indo em socorro do pai. Shaetär optou por correr até a criatura tombada e finalizá-la com a lâmina comprida.

– O que houve?! – perguntou Adapak, juntando-se a Badara. Incapaz de responder, ela soluçava e amparava a cabeça do monge, que, deitado de lado, tossia e expelia uma quantidade considerável de sangue pela boca e narinas.

– O Irmão Azagör despencou dos céus com aquela aberração – disse Shaetär, aproximando-se e apontando para a criatura recém-executada. A mau'lin varreu os arredores. – Meu Imperador Negro, onde estão a humana e a feiticeira?

Adapak não a escutou. Preso aos lamentos de Badara, ele encarava a expressão do monge, que agonizava na presença da filha.

– Irmã Puabi! – Shaetär chamou pela colega.

– Elas... foram levadas – revelou o espadachim.

A mau'lin voltou-se para ele, os grandes olhos amarelos arregalados.

– Meu Senhor... *levadas*?

– Puabi e Aishara, elas... – Adapak começou a responder, mantendo o olhar em Azagör. – Uma daquelas coisas as... *levou*. Eu...

– Imperador de Fogo! – exclamou Badara, alheia ao destino das colegas. – Eu imploro, salve meu pai!!

Shaetär tomou a dianteira e se ajoelhou ao lado do líder da Irmandade. Com a espada curta, começou a cortar suas vestes.

– O... o que está fazendo? – perguntou a sadummuniana.

– Deixe fazer o meu trabalho, Badara – disse a mau'lin, terminando de despir o monge. Seus pelos abundantes estavam empapados de sangue, que começava a formar uma poça escura sob o corpo. Os braços e pernas haviam se dobrado de maneira não anatômica.

Adapak olhou para Shaetär.

– Meu Imperador Negro... – Ela inspirou fundo. – Minhas mãos são incapazes de curá-lo. Somente seus poderes podem salvá-lo agora.

Azagör tocou a perna do espadachim. Entre tossidas violentas, seu peito musculoso inspirava e expirava com extrema dificuldade.

– S-serei um... dos Nove Mil? – perguntou o monge.

– Azagör, eu...

Adapak queria dizer que não. Queria vê-lo morrer assustado, sofrendo de dor e roubado de tudo aquilo em que acreditava. Adapak desejou que o monge desse o último respiro ciente de todo o mal que causara a ele e àquelas pessoas. Ciente de que sua vida fora uma farsa...

– Eu mesmo mostrarei o caminho ao Viajante – disse o espadachim para o sadummuniano. – E hoje mesmo você brilhará nos céus de Kurgala, ao lado de Sinanna.

E, com o esboço de um sorriso, o líder do culto a S'almu Saruma faleceu nos braços da filha.

Sangue e luz

O brilho das relíquias ilumina o espírito, mas queima a carne.

Meral, o Conhecedor.

A ABERRAÇÃO musculosa mirava com os grandes olhos verdes o casal que havia batido na sua porta. Parados em frente à macabra residência em forma de crânio, Jarkenum e Sirara o encaravam com assombro enquanto o sisu de montaria mordiscava a grama.

– R-Rekzar, é... é você mesmo?... – finalmente conseguiu dizer a capitã. Não fosse o sorriso carismático estampado no rosto do enorme homem, ela cederia ao instinto de desembainhar a espada para se proteger de sua presença intimidante.

– É bom vê-la, querida. – Ele a saudou.

– Rekzar, o... o que houve com você? – perguntou ela, ainda boquiaberta.

– O quê?... – O homem levou um instante para compreender o que se passava. – Ah, eu sei, eu sei... Acho que estou um pouco maior desde a última vez em que nos vimos.

– *Um pouco?!* – reagiu a mulher. – Pelos Quatro, Reks, você... você...

– Você está *ridículo* – provocou Jarkenum, entregando as rédeas do sisu para Sirara.

– Venha cá, seu filho de uma vadia lambe-valas – retrucou Rekzar.

Gargalhando, eles se abraçaram, Jarkenum praticamente desaparecendo entre a massa de carne do amigo.

– Olhe só para vocês dois – disse o homem agigantado, recuando de volta até a soleira da porta. – É tão bom vê-los juntos outra vez, que os Quatro os abençoem...

– Nós *não estamos* juntos – falou Sirara.

Desmanchando o sorriso, Rekzar se voltou para Jarkenum.

– É verdade. – O homem de armadura deu de ombros.

– Seu idiota – disse Rekzar, balançando a cabeça calva. – Bom, tirem as malas do cascos-da-estrada e o coloquem dentro do cercado. Tem água e ração no estábulo. Vou esperar vocês dentro de casa, tenho comida no fogo...

SIRARA E Jarkenum adentraram a peculiar residência, cujo interior consistia num único salão, sem divisórias, iluminado pela soma colorida dos vitrais das janelas com um trio de poderosos lampiões. Circundando a abóboda acima, exóticas bestas empalhadas encaravam com olhos de vidro os receosos visitantes, que pousaram as malas sobre o tapete de pele em frente à porta. Pergaminhos manchados de tinta haviam sido enquadrados e pendurados nas paredes, alternando o espaço com armários e estantes de livros. Pedestais de pedra exibiam armas empoeiradas e estranhas joias protegidas por cúpulas de vidro.

No centro da câmara, as brasas de um forno de chão faziam borbulhar o caldo de um enorme caldeirão, a fumaça conduzida pela chaminé para fora do lar. Sobre a mesa em formato de meia-lua estavam cutelos sujos de sangue e restos de penas das aves a serem preparadas para a refeição. Um par de armários guardava talheres, cuias, garrafas e jarros com temperos e ingredientes nas prateleiras, de onde pendiam facas e panelas de barro cuidadosamente ordenadas por tamanho.

Ao fundo, cortinas entreabertas permitiam apenas um vislumbre da área reservada para o repouso do morador, ainda que Sirara fosse capaz de notar que o espaço seguia o padrão asseado do resto da residência.

– Espero que estejam com fome – disse o musculoso anfitrião, movendo o conteúdo do caldeirão com uma grande colher de madeira. O aroma convidativo preenchia o ambiente inteiro.

– Eu estou é com *sede* – respondeu Jarkenum, adiantando-se até um dos armários.

– Só vai encontrar água e leite de ninzuna aí – informou Rekzar.

Passando o olhar pelo interior do móvel, Jarkenum bufou.

– É assim que recebe uma mulher maravilhosa como esta na sua casa? – Ele apontou casualmente para Sirara.

A capitã não ouviu a provocação, pois se encontrava parada de frente para um dos pedestais de pedra, a atenção capturada pelo estranho artefato em exibição; tratava-se de uma arma em forma de estrela, com cerca de dois palmos de diâmetro e cinco pontas curvas terminando em afiadas lâminas de osso – tão lívidas quanto à da espada que Sirara carregava na cintura. Perfeitamente encaixada na abertura ao centro do objeto havia uma pequena esfera de vidro amarelo, que por sua vez guardava uma joia igualmente esférica no interior.

– Esse cristal encaixado na arma... – comentou Sirara. – É uma relíquia Dingirï, não?

Rekzar sorriu.

– Você tem o olhar apurado, querida – disse ele, pousando a colher sobre a mesa. – Esta aí é "Krülla", ou "O Sol de Nintu' När". Pertenceu a uma habilidosa espadachim mau'lin chamada Palek... morta, ironicamente, pela própria arma.

– Como? – perguntou a mulher.

– Dizem que Krülla só pode ser arremessada por aqueles de fé inabalável nos Dingirï – respondeu ele. – Caso contrário...

– Agora temos que rezar até para matarmos uns aos outros? – interrompeu Jarkenum.

– ... Caso contrário – prosseguiu Rekzar, ignorando o deboche do amigo – Krülla os *degolará* ao retornar do arremesso.

Enquanto Jarkenum reagia com uma careta, Sirara moveu a atenção para o pedestal ao lado; sob a cúpula de proteção, um disco esmeralda refletia seu rosto curioso.

– Jarkenum havia me contado sobre a sua coleção, mas... eu não imaginava tantas peças assim – observou ela.

– "O Espelho de Tiamatu", uma relíquia de categoria dois – falou o anfitrião. – Seu antigo dono, um poderoso mercador de Isin, sacrificou a esposa em nome das Bestas, que em troca lhe revelaram, num sonho, a localização do artefato...

– Pelos Quatro – disse Sirara.

– Ao menos é o que ele confessou à Ordem quando a confiscaram, em 525 – completou Rekzar.

– A... "Ordem"? – indagou ela.

– A Ordem dos Zeladores – respondeu Jarkenum pelo colega. – O *tatatataravô* do Reks fez parte daquela loucura toda.

– Isso é verdade? – Sirara ergueu as sobrancelhas. – Você herdou essa coleção da sua família?

– Quando a Ordem foi dissolvida a mando dos sacerdotes de Sipparu, os Zeladores se recusaram a entregar as relíquias e fugiram com o que puderam contrabandear – explicou Rekzar. – Minha família herdou algumas das peças que vocês estão vendo aqui.

O homem então apontou para a parede leste da câmara, onde um grande quadro se destacava sob a luz bruxuleante de um lampião. Sirara se aproximou e viu que a pintura retratava um humano, uma ïnannariana, um sadummuniano e uma ushariáni em poses austeras. Todos trajavam armaduras de osso de anbärr vermelhas, idênticas à de Jarkenum. Na base da moldura, os dizeres:

As Asas encontrarão os culpados;
O Caçador os perseguirá;
A Palavra dirá a sentença;
A Mão guardará as relíquias.

Sirara examinou a pintura mais de perto antes de lançar a pergunta:
– Por que essas pessoas estão vestidas como Jarkenum?

– O traje e os chicotes dele pertenceram à flor-da-lua do retrato, uma formidável Zeladora chamada *Raasi* – respondeu Rekzar. – Faziam parte da minha coleção há muitos ciclos até que eu...

– Até que ele as perdeu numa aposta contra mim – completou Jarkenum.

– Uma aposta *injusta* – retrucou Rekzar.

– *Aposta?* – reagiu Sirara.

– Por falar nisso, eu não estou vendo o meu elmo com você, Jark. Ou a *Língua de Gelo* – observou Rekzar. – Não venha me dizer que os perdeu, pelos Quatro...

– O *meu* elmo e o *meu* outro chicote, você quer dizer – corrigiu o homem de cabelos compridos. – E, pela Prisão de Cristal, não chame minha arma desse nome ridículo...

– Esta armadura tem mais de mil ciclos, Jarkenum...

– Está bem, parem com isso – ordenou a capitã com a mesma firmeza que adotava no navio. Como duas crianças repreendidas, os homens bufaram e desviaram o olhar um do outro.

– Eu não entendo por que ele ainda se chateia com isso – murmurou Jarkenum. – Não é como se você coubesse nesta armadura, parceiro, eu mesmo tive que fazer ajustes aqui e ali...

O anfitrião não respondeu, optando por voltar a mexer o conteúdo do caldeirão. Sirara notou a facilidade com que ele movia a pesada colher de madeira, algo que exigiria um esforço considerável dela (ou mesmo de Jarkenum).

– Rekzar, eu... – A capitã pensou em como formular a pergunta. – Como foi que você ficou tão... *grande?* – Da última vez que nos encontramos você já era grande, mas... Pelos Quatro, você está *gigantesco*.

O homem apoiou a enorme colher na mesa.

– Vamos, parceiro, nós vimos seus animais lá no cercado – falou Jarkenum.

O anfitrião abriu um dos armários e tirou colheres e um trio de cuias de barro da prateleira. Ele sorria como uma criança flagrada numa travessura.

– Está bem... – O homem se rendeu. – Vocês já ouviram falar na catástrofe de Möttula?

– Mӧttula? – repetiu Jarkenum.

– Era o nome antigo das Cidades Quietas, no continente da Lança – explicou a capitã.

– Ah, sim, o lugar onde ninguém *fala*, não é? – disse Jarkenum. – Aquelas vilas ao redor da... *Trincheira*?

– "O Fosso" – corrigiu Rekzar, arrumando a mesa para os convidados. – No ciclo 529, meu antepassado Lamar Marchan, o humano naquele quadro ali, fez parte do grupo de Zeladores que emboscou um notório ladrão de relíquias no templo de Mӧttula, um pele-de-vidro chamado *Puzur*. O que os Zeladores não sabiam é que, momentos antes da emboscada, Puzur havia incendiado o subsolo do templo, fazendo com que o pilar entrasse em colapso.

– "Colapso"? – indagou Sirara.

Rekzar ergueu o punho fechado e, após alguns instantes, abriu os dedos repentinamente.

– É, parceiro... eu já vi o que acontece quando uma dessas relíquias *quebra* – disse Jarkenum, soturno. – E a que eu vi era até pequena...

– Foi como se o próprio Nintu' När descesse sua lança sobre a cidade – declarou Rekzar, sombrio. – O evento aniquilou muito mais do que a cidade, é claro, *rasgando* parte do continente e causando a profunda e extensa faixa de destruição que hoje é conhecida como o Fosso... Ei, vocês podem puxar aqueles bancos até aqui?

Pego de surpresa pela mudança de tom, o casal levou alguns instantes para obedecer. O anfitrião prosseguiu:

– Meu antepassado e outros dois Zeladores perderam a vida nesse dia, assim como todos em Mӧttula, é claro – disse ele. – Com exceção de Puzur, sua cúmplice humana e Raasi.

– Quem é essa? – perguntou Jarkenum, distraído, trazendo um dos assentos de madeira.

– Pelos Quatro, aquela flor-da-lua da pintura – respondeu Sirara, em posse do outro banco. – A dona da sua armadura e do chicote...

– *Ex*-dona. – Ele sentou-se à mesa. – Meu parceiro, o que essa aulinha de história tem a ver com o fato de você estar parecendo um saco de batatas?

Sirara conteve o riso e se juntou aos dois.

– Por muitos ciclos após a tragédia – prosseguiu Rekzar, começando a servir o caldo numa das cuias –, as regiões às margens do Fosso foram consideradas amaldiçoadas e evitadas por todos... Até que a ganância finalmente seduziu o coração daqueles ansiosos por explorar os tesouros que o Fosso poderia esconder.

– Tesouros? – indagou Sirara.

– Ele quis dizer que o Dingirï zangado basicamente cavou uma gigantesca mina em Sipparu – zombou Jarkenum, pegando a cuia das mãos do amigo.

Rekzar, entretanto, não soltou o objeto.

– Não desrespeite os Quatro Que São Um na minha presença – falou, sério, o anfitrião, mirando-o com os olhos verdes.

Desconcertado, o homem de armadura concordou com a cabeça.

– Mas você disse algo correto – continuou Rekzar, soltando a cuia e pegando outra. – O sal e as joias preciosas, antes ocultos sob terra e rocha, agora haviam sido expostos com a criação do Fosso, como uma gigantesca mina. Consequentemente, como uma floresta que renasce depois de um incêndio, dos restos de Mʾöttula surgiram novas comunidades, explorando cada vez mais a fundo as ricas camadas do Fosso... Até o dia em que finalmente descobriram o que habitava seus níveis mais escuros...

Mantendo o suspense, o homem terminou de servir o caldo para Sirara.

– Parasitas? – arriscou Jarkenum, a colher pairando em frente aos lábios.

– Não. – Rekzar entregou a cuia fumegante para a capitã. – *Monstros. Monstros antigos.*

– Monstros... *não existem* – falou a mulher, desconfiada.

– Ah, mas eles existem, querida – disse o grande homem. – Alguns criados pelos Quatro; outros, pelas Bestas... mas não esses. Os monstros do Fosso foram criados graças à irresponsabilidade dos mortais.

Os dois se entreolharam. Rekzar pegou a terceira cuia.

– Imaginem que os pilares Dingirï são como *flores* – explicou ele. – Quando arrancamos uma flor de forma grosseira, o que sobra na terra?

– A raiz? – Foi a vez de Sirara arriscar.

– Exato – disse o homem, começando a se servir. – Foi o que aconteceu com o pilar de Möttula, entendem? Após sua destruição, a *raiz* permaneceu exposta no fundo do Fosso... mas, em vez de sangrar seiva, irradiou *luz*! A sagrada luz dos Dingirï, presente Neles e em todas as Suas relíquias... Luz essa que, por ciclos e ciclos, banhou as verdadeiras raízes da flora, que aos poucos voltou a crescer no fundo do Fosso. Flora essa que serviu de alimento para os insetos e outros pequenos animais que rastejavam sob e sobre o solo do Fosso... Animais que, por sua vez, serviram de alimento para *outros*, que serviram de alimento para outros e assim por diante, a luz em suas veias aos poucos alterando sua natureza, fazendo com que *mudassem* a cada geração... Mudassem e *crescessem*.

Rekzar fez uma pausa para provar o caldo.

– Espere, parceiro. – Jarkenum aproveitou a deixa. – Está nos dizendo que finalmente resolveu fazer como aqueles feiticeiros e *abrir* essas relíquias? Se expor à luz delas?

Intrigada, Sirara encarou o anfitrião.

– Mas... feiticeiros não ficam sem nariz, orelhas?... – argumentou ela.

O enorme homem balançou a cabeça calva.

– Os kishpü, de fato, se expõem regularmente à luz das relíquias – disse ele. – Pelos Quatro, alguns deles *se fundem* a elas, é tão... É tão *arcaico*. Eu nunca faria algo assim.

– Então o que você fez? – indagou a capitã.

– Eu simplesmente repliquei na minha fazenda o processo que o pilar de Möttula fez com o Fosso e me inseri nesta cadeia alimentar – explicou Rekzar.

Os dois o encararam, ainda confusos.

– Eu alimentei alguns dos meus cascos-da-estrada, ninzunas e penas-de-quintal exclusivamente com ração *iluminada* – prosseguiu ele. – Depois fiz com que se reproduzissem, selecionei os mais fortes, repeti o processo... até alcançar uma geração de animais que me fornecesse carne, leite e ovos abençoados com a luz dos Dingirï.

Jarkenum e Sirara olharam para suas cuias.

– Ah, não, não se preocupem, o caldo não foi feito dessa forma. – Rekzar os tranquilizou com um sorriso.

– Você então fez uma... comida mágica? – perguntou Jarkenum. – Você a come e ela o faz *crescer*, é isso?

– Infelizmente, poções mágicas só existem nos livros de fantasia – disse o homem. – É preciso o esforço físico em conjunto com a alimentação certa, caso contrário o meu corpo apenas... *engordaria*.

– Sabe, parceiro – Jarkenum afastou a cuia de si –, essa foi a desculpa mais longa que eu já ouvi de alguém justificando o uso de *drogas*.

Sirara estourou numa gargalhada, cuspindo caldo sobre a mesa. Rekzar abriu os lábios para se defender, mas então se rendeu e se uniu à capitã, multiplicando o eco das risadas pelo salão.

– Pelos Quatro, me desculpe – pediu a mulher, limpando a boca com as costas da mão.

– Não se preocupe, querida – disse Rekzar, entregando-lhe um pano.

– Vamos, Si, aproveite que ele está de bom humor e pergunte – sugeriu Jarkenum.

Limpando-se, ela encarou o sorridente anfitrião.

– Diga em que posso ajudá-la, Sirara – falou ele.

A capitã respirou fundo, desprendeu a bainha do cinto e pousou a espada Lukur sobre a mesa.

– É uma longa história, mas... acha que consegue tornar esta relíquia mais poderosa? – perguntou ela.

Rekzar ergueu a arma e a desembainhou com cuidado, os olhos verdes percorrendo as ondulações da lâmina de osso. Ele então encarou a escultura do cabo e abriu um largo sorriso.

– Sou bom em fazer as coisas ficarem mais *fortes* – disse o homem, soltando outra risada. Grossas como os dedos de Sirara, as veias do seu poderoso pescoço incharam. A capitã imaginou que tipo de sangue circulava por elas.

Fogo

Enquanto usarem estes pingentes mágicos, nunca se perderão umas das outras.

Yarlagandu, em *Tamtul e Magano
e as pedras do Viajante.*

NO ACAMPAMENTO sobre o kusari, Badara chorava, debruçada sobre o corpo do pai. Ajoelhada ao seu lado, Shaetär orava enquanto o incêndio crepitava na madrugada, consumindo o cenário abandonado.

– Ó, grande Enlil' När – disse a mau'lin, as mãos pairando sobre o cadáver. – Dos jardins de sua Casa entregamos-lhe o espírito de nosso Irmão Azagör. Retorne-o às estrelas, ó Viajante do Véu Negro, para que do alto ele possa testemunhar nossa chegada em Shuru...

Badara enxugou as lágrimas e ergueu o rosto, buscando por Adapak. A poucos passos dali, de pé em frente à tenda de banho, o jovem espadachim de olhos brancos encarava aflito os céus de Kurgala, as brasas que poluíam o ar se apagando na escuridão de sua pele. Na cintura, Igi e Sumi descansavam na bainha dupla.

– M-meu rei, eu *imploro*. – A sadummuniana chamou a atenção do rapaz. – Peça ao Artesão que construa a mais forte das carruagens...

Diga o melhor caminho de volta às estrelas e peça à Lança que mantenha as Bestas longe da alma de pai Azagör...

Adapak se virou. Sua cabeça latejava e o braço direito ardia graças à chicotada da amarra da tenda.

– Ele... Ele fará uma viagem segura, Badara – disse o rapaz.

Deixando a colega velar o pai, Shaetär se ergueu e caminhou até Adapak. Diferentemente do que ocorria com o espadachim, a fuligem que caía do céu escurecia a pele clara da mau'lin, as rugas e cicatrizes tornando-se um mapa de linhas brancas que se cruzavam como estradas.

– Meu Imperador – chamou ela, as espadas agora presas às bainhas das costas. – Mesmo que controlemos as chamas, temos outro problema em vista; sem a relíquia da feiticeira, o encanto que mantém o kusari calmo aos poucos enfraquecerá, forçando nossa Irmandade a abandonar o animal antes que se torne arisco demais...

– Puabi – falou Adapak.

– Meu Senhor?

– O nome dela – disse o rapaz, voltando a mirar os céus. Parcialmente encoberta pela fumaça, a lua de Sinanna se esforçava em provocá-lo. – O nome dela é Puabi, não "feiticeira".

– Nós... encontraremos outras pretendentes dignas do Senhor, Imperador Negro – afirmou Shaetär, prendendo a faixa de cabelos que havia se afrouxado.

Adapak se voltou para a mau'lin, detestando-a pela rapidez com que descartara as colegas sequestradas. Atrás dela, notou que alguns membros da Irmandade aos poucos retornavam à área para tentar controlar o fogo. Um grupo havia se deparado com o corpo de Azagör e se unido aos lamentos de sua filha, entoando, em coro, uma melancólica canção. Outros erguiam as mãos em direção ao espadachim e proferiam apelos a S'almu Saruma.

– Deve haver uma maneira – sussurrou Adapak, sentindo a raiva se dissolver. Em sua mente, a expressão da flor-da-lua sob o abraço gelado da criatura que a levara.

Você não é o herói dos seus livros de aventura, Filho de Anu' När.

Adapak foi até um dos varais próximos e arrancou uma calça de pano da corda. Em seguida, recolheu uma vassoura do chão e a envolveu com a vestimenta.

– Meu Imperador, o que pretende fazer? – perguntou Shaetär.

Usando as chamas de uma tenda, o rapaz acendeu a tocha improvisada.

– Conhecer melhor o nosso inimigo – respondeu ele.

Shaetär o seguiu até o cadáver da criatura que causara a morte de Azagör, caída a uma dúzia de passos do monge. Alguns curiosos haviam se juntado ao redor do invasor e se assustaram quando o par se aproximou.

– Afastem-se! – ordenou o espadachim, sem paciência. O grupo obedeceu e abriu caminho para que ele e a mau'lin examinassem a aberração sob a luz da tocha.

O que quer que fosse, a coisa não havia sido tão danificada quanto o sacerdote ao despencar dos céus, demonstrando somente uma das asas grosseiramente fora do lugar. Ela não tinha narinas nem boca visível; somente o par de globos oculares – brancos como os de Adapak, porém largos e ovais como os de um mellat ou dos extintos anshari, pensou o rapaz. A grande cabeça em forma de leme – mortalmente ferida pela lâmina de Shaetär após a queda – sugeria algum nível de sapiência, ainda que a criatura não tivesse demonstrado interesse aparente em se comunicar.

Ausente de ornamentos ou adereços, sua pele era inodora e amarelada como o osso de um filhote de anbärr. O corpo era magro, com exceção do tórax e pernas musculosas que, com quatro pontos de articulação cada, lembravam os pequenos pula-flores que T'arish gostava de capturar na margem do Lago Sem Ilha. A anatomia dos pés, contudo, era idêntica à das mãos, cujos dedos frios por pouco não haviam ceifado a vida do jovem espadachim.

– Pela Matriarca – sussurrou ele.

– O que o Senhor descobriu, Imperador Negro? – questionou Shaetär. Os curiosos ao redor voltaram a se aproximar.

– Saiam daqui! – gritou Adapak. – Vão ajudar os outros a apagar o incêndio!

A aglomeração se dissipou, deixando o par a sós. O rapaz se levantou.

– Um *mellat* – disse ele para a mau'lin.

Ela franziu ainda mais a testa enrugada.

– Eu... não compreendo, meu Senhor.

Adapak iluminou a criatura.

– Essa coisa – insistiu ele. – É um mellat.

– Ela se aproximou do cadáver.

– Um... *guardião*? – Shaetär não disfarçou a incredulidade.

– Eu sei que soa loucura, mas... – Adapak balançou a cabeça, os pensamentos se reordenando. – É como se o mellat tivesse sido... eu não sei, *redesenhado*, ou algo assim. Mas as partes fundamentais estão aqui, tenho certeza.

Visivelmente incrédula, Shaetär o encarou.

– Deixe-me tentar algo, afaste-se um pouco – pediu o espadachim.

Quando a mau'lin obedeceu, o rapaz encostou a tocha na pata da criatura e aguardou por um instante. O membro logo começou a arder.

– Reparei isso quando aquele outro invasor segurou a tocha de Azagör – disse Adapak, recuando até a mau'lin.

– O que isso significa?

– Você já viu alguma outra criatura pegar fogo tão rápido assim? – perguntou o rapaz. – Os mellat são... particularmente *inflamáveis*.

Shaetär observou o fogo se espalhando pela perna do cadáver.

– Imperador Saruma... – começou ela, cuidadosa. – Não quero duvidar de sua sabedoria, mas não enxergo um guardião aqui.

– Acredite, eu... Eu sei reconhecer um – falou ele, igualmente cuidadoso com as palavras. – Mesmo que disfarçado, ou...

Ou refeito.

– Mas por que os guardiões desejariam o nosso mal? – questionou Shaetär. – Mesmo quando atacados, guardiões são extremamente pacíficos. Incluindo aqueles que abandonaram a Casa do Artesão.

– Eu também não entendo – disse ele. – Mellat são previsíveis, não vejo como...

Adapak encarou as chamas refletidas nos olhos ovais da criatura.

Mellat são previsíveis.

O espadachim olhou ao redor para se orientar e então rumou para o norte do acampamento. Shaetär abandonou o cadáver em chamas e seguiu o rapaz, desviando de espigões, pessoas perdidas e tendas carbonizadas até vê-lo parar em frente ao mellat que ele havia deixado tombado e vencido pelo emaranhado de roupas e cordas de varal. Mesmo não contaminada pelo incêndio, a área parecia abandonada, deixando o corpo livre de curiosos.

– Imperador Saruma, o Senhor foi responsável por isso? – perguntou a mau'lin, alcançando-o.

– Sim – confirmou o rapaz de pele negra. Iluminada pela tocha, a criatura de mãos amputadas jazia imóvel como um peixe vencido pelo pescador.

– Ainda está viva? – indagou Shaetär.

Com o pé descalço, Adapak cutucou a criatura e ela se moveu.

Shaetär desembainhou a espada curta.

– Permita-me enviar esta coisa de volta à Prisão de Cristal...

– Não! – Adapak a segurou. – Precisamos deste mellat *vivo* se quisermos resgatar Puabi e Aishara.

Shaetär lançou um olhar intrigado para o rapaz, para a tocha que ele empunhava e em seguida para a criatura.

– Ah, eu... mas é claro – disse ela. – *Tortura.*

– Não foi isso que eu quis dizer. – Adapak a soltou. – Além disso, os mellat não sentem dor. Seria... inútil.

Shaetär embainhou a espada.

– Então o que pretende, Imperador Negro?

– Preciso de uma corda. Uma corda *de verdade*, resistente.

A mau'lin pensou por um instante.

– Temos amarras de reparo na tenda-depósito. Perto da área de desembarque.

– Traga uma delas até aqui, por favor – pediu o espadachim.

A mau'lin disparou em direção ao objetivo, deixando o rapaz sozinho com o estranho mellat. Adapak apagou a tocha no chão e agachou em frente ao ser, o crânio em forma de leme ainda coberto pelo vestido amarelado que ele arremessara. Com um movimento hesitante, o jovem o descobriu e encarou os grandes espelhos leitosos que eram os olhos da aberração.

Ikibu.

Piscando os próprios olhos brancos, o espadachim descartou a ideia. Telalec estava morto; seu corpo e sua cruzada esquecidos no chão da Casa do Artesão, junto às antigas certezas de Adapak.

Não. Este era um novo pesadelo. Tinha que ser.

Adapak por pouco não notou Shaetär retornando com um rolo de corda nas mãos.

– Ótimo. – Ele se levantou. – Preciso de um trecho de... cerca de vinte cascos de comprimento.

Shaetär desembainhou uma das lâminas e cortou a amarra na medida. Adapak pegou uma das pontas.

– Você sabe como fazer um nó de Löb? – perguntou ele.

A mau'lin hesitou.

– Um... nó dos Cinquenta? – reagiu ela. – Sim, meu Senhor.

– Então pegue esta ponta e faça um *duplo* num dos tornozelos do mellat – ordenou ele.

Shaetär obedeceu, surpresa que a criatura não resistiu ao laço. Quando terminou, viu que Adapak amarrara a outra ponta da corda na espada Sumi.

– Agora me ajude a soltar o mellat desta teia em que ele se meteu – disse o espadachim, pousando Sumi no chão e desembainhando Igi.

– Mas, Imperador Negro, e... e quando a aberração nos *atacar?*

– Se eu estiver correto, isso não vai acontecer.

Incerta quanto à afirmação do rapaz, Shaetär começou a ajudá-lo na árdua tarefa de livrar a criatura alada das amarras e roupas do varal. A cada corte, a mau'lin recuava, antecipando uma possível reação do ser, que, no entanto, permaneceu imóvel até que o processo terminasse.

– Agora... *afaste-se* – disse o espadachim.

Livre da armadilha, o mellat finalmente se moveu, erguendo-se desajeitadamente com a ajuda dos braços de mãos amputadas. Adapak embainhou Igi, mas a mau'lin manteve sua arma em riste enquanto assistia ao invasor se equilibrar sobre as enormes asas, sem direcionar um mero olhar na direção deles. A coisa então se agachou sobre as poderosas pernas e, como um arpão arremessado por um experiente marinheiro, se lançou aos céus com a corda presa ao tornozelo direito, levando consigo a espada Sumi na outra extremidade. Quando finalmente atingiu o apogeu, o estranho ser abriu as asas e planou para longe do kusari, desaparecendo com a arma de Adapak na escuridão da madrugada.

Ansioso, o rapaz desembainhou a espada Igi e examinou de perto a cabeça de ushariani esculpida no cabo.

– Imperador Saruma, eu não compreen... – Shaetär começou a dizer, mas se interrompeu quando Adapak ergueu a mão cinzenta, pedindo silêncio. Deixando que o pouco luar capaz de vencer o ar poluído iluminasse a escultura, Adapak a girou vagarosamente para onde lembrava ter visto o mellat partir.

Um brilho azul surgiu nos olhos de Igi.

– SIM! – gritou o espadachim, sobressaltando a mau'lin. Com uma careta de frustração ele tentou enxergar além da fumaça e dos espigões. – O que há naquela direção?

Shaetär mirou o horizonte.

– O *deserto*, Imperador Negro.

Adapak deixou os ombros caírem.

– Tem certeza? – insistiu ele, verificando o brilho no cabo de Igi.

– Sim, meu Senhor.

O espadachim se esforçou para extrair da memória o histórico do deserto de Caima, mas o braço dolorido e a confusão mental ainda nublavam sua concentração.

– Preciso saber o que exatamente há no deserto – disse ele, lançando um olhar na direção do abrigo das Esposas. – Venha.

Intrigada, Shaetär o seguiu de volta ao centro do acampamento, ignorando os apelos daqueles que a viam caminhar na presença de S'almu Saruma. Quando o casal alcançou o aposento semidestruído, encontrou a filha de Azagör parada em seu interior. De olhar perdido, ela segurava o recipiente contendo a mão morta de Adapak e ignorava o esforço da Irmandade em apagar as chamas das tendas vizinhas.

– Irmã Badara – chamou Shaetär.

– I-irmã Shaetär, Rei de Fogo. – Ela os saudou, ainda dispersa. – Onde estão Aishara e Puabi? Chamei por elas, mas...

– O que está fazendo com a carne do Imperador Negro? – perguntou Shaetär, apontando para a jarra em poder da colega.

– Ah, e-eu... – Ela olhou para o recipiente de vidro. – Eu a recuperei da tenda do meu pai. É m-minha responsabilidade protegê-la, agora.

Adapak se aproximou da sadummuniana e segurou uma de suas seis mãos.

– Badara, eu preciso daquele seu mapa – pediu ele. – Preciso saber o que há em *Caima*.

– Caima?

– Sim, o deserto de Caima – reforçou o espadachim. – Você pode nos ajudar?

Badara concordou com um aceno de cabeça e foi até seu espaço particular, vasculhando entre os pertences desordenados.

– Meu Senhor – disse ela, retornando com o documento de pano. Adapak o pegou e o desenrolou sobre o tapete felpudo no solo, estudando apreensivo a ilustração do continente de Badibiria.

Em voo, a criatura provavelmente seguiria em linha reta até o destino, apostou o rapaz. Ele ergueu o cabo de Igi e o apontou na direção geral do deserto, tentando fazer com que os olhos da escultura voltassem a se acender.

– Vamos, me mostre uma *rota* – sussurrou Adapak, girando a arma como uma bússola.

Por favor.

– *Bosta!* – Ele amaldiçoou o céu encoberto e se debruçou sobre o mapa. As ruínas de Zabalamu? As cavernas infinitas de Orllu? Adapak pensou nas inúmeras locações do deserto que não constavam naquele desenho. Talvez o destino do mellat estivesse muito além da região e a criatura simplesmente pretendesse atravessá-la. Teria o Visitante algo a ver com o sequestro?

– Irmã Shaetär, o que... o que está havendo? – questionou a sadummuniana, recebendo o silêncio da colega. – Meu senhor, onde estão Aishara e Puabi?

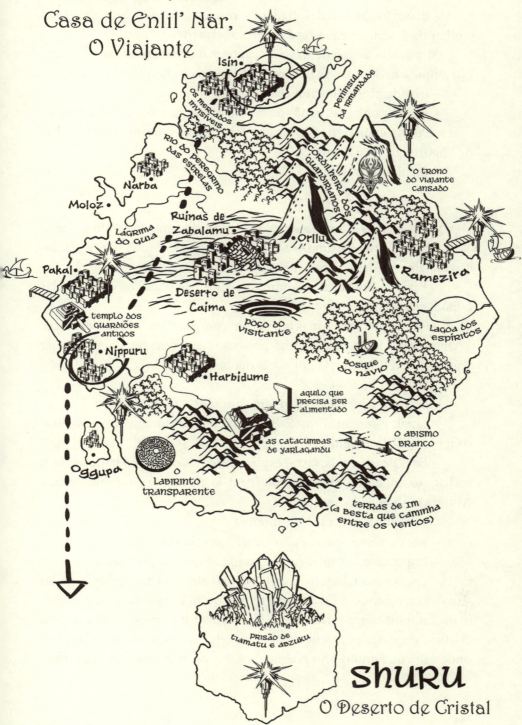

– Elas... foram levadas, Badara – revelou o espadachim, sem tirar o olhar do mapa. – Sequestradas pelas aberrações.

Atordoada, a filha de Azagör se apoiou num baú próximo. O membro amputado de Adapak flutuou no fundo da jarra que ela segurava.

– Levadas?! – balbuciou ela.

– Recomponha-se, irmã – disse Shaetär com a costumeira frieza.

– Pelos Quatro Que São Um... – lamentou a sadummuniana. – Rei de Fogo, o que será de nós?!

Adapak inspirou fundo.

Posso fazer isso.

– Evacuem o acampamento – ordenou ele, embainhando a arma.

– Sim, S'almu Saruma. – Shaetär levou a mão à testa e fez a saudação da Irmandade. – Venha, irmã Badara...

– Espere – pediu a sadummuniana. – Meu Senhor, e-então elas estão... *mortas*?

– Quero que vocês duas me ouçam com atenção. – Ele se levantou. – Quero que desçam com essas pessoas e as levem para algum lugar seguro. Eu... encontrarei com vocês depois.

A mau'lin hesitou.

– O Imperador Negro não virá conosco? – inquiriu ela.

Adapak esfregou o rosto. Precisava ser extremamente cuidadoso com o que diria a seguir.

– Eu... ficarei no kusari – explicou ele. – Vou usá-lo para seguir o mellat que soltamos, Shaetär. Vou segui-lo até aonde quer que Puabi e Aishara tenham sido levadas.

O rosto de Badara se iluminou.

– Então nossas irmãs estão vivas? – reagiu ela.

– Imperador Saruma, eu não compreendo – disse Shaetär.

– Os Quatro falaram... *falam* comigo através das minhas espadas – inventou Adapak. – Eu amarrei minha outra espada na perna daquele mellat, pois dessa forma Enlil' När poderá me apontar para onde a criatura voou, vocês entendem? Ela vai retornar para o mesmo lugar de onde veio, que muito provavelmente é o lugar para onde levaram Puabi e Aishara. É o que os mellat fazem quando terminam uma... *tarefa*. Acreditem, eu sei.

– Aquelas criaturas eram... *guardiões*? – perguntou Badara, tentando acompanhar.

– Assim que resgatar Puabi e Aishara, eu retornarei até onde vocês estiverem com a Irmandade – disse Adapak, ignorando a dúvida da sadummuniana. – Uma vez reunidos, nós continuaremos nossa jornada para Shuru, eu prometo.

As Esposas se entreolharam.

– Rei de Fogo – Badara abriu um sorriso desconfortável –, nós... não podemos deixá-lo.

– Vocês não vão "me deixar" – replicou o espadachim. – Eu reencontrarei vocês após...

– "E nós seremos uma só carne, pois aquilo que os Quatro uniram não pode ser desunido". – Shaetär o interrompeu. – Suas Esposas o acompanharão, S'almu Saru...

– Vocês não virão comigo. – Foi a vez de Adapak interrompê-la.

O crepitar das chamas preencheu o silêncio entre os três. Badara desfez o sorriso e se voltou à colega, que mirava o espadachim com os grandes olhos amarelos. Adapak os achava impossíveis de ler, mesmo com os instintos de Telalec correndo em suas veias. Durante o tempo que estivera cativo, o rapaz imaginara múltiplos cenários onde uma revelação – acidental ou não – de sua verdadeira identidade ocorresse e considerou as possíveis reações de cada uma de suas companheiras.

De todos os cenários, Shaetär protagonizava o pior.

O mais violento. Para ela, Adapak e todos ao redor.

– Nós provamos de Sua carne e dissemos o Seu nome, meu... *Senhor* – frisou a mau'lin.

Tenha cautela, filho de Enki' När.

– Vocês... estão certas. – Adapak se rendeu, o coração martelando no peito. – Nós iremos juntos atrás de Puabi e Aishara, então.

– Justos são os Quatro Que São Um! – Badara comemorou, erguendo a jarra com o membro do espadachim.

– Mas... precisamos evacuar o acampamento antes – insistiu ele.

– Providenciarei isso, meu Senhor – disse Shaetär, começando a se afastar. Ela se interrompeu por um instante. – Meu Imperador, e quanto à questão da relíquia?

– Relíquia? – perguntou a sadummuniana.

– Sem a joia da feiticei... de *Puabi* – corrigiu-se Shaetär antes de prosseguir –, o encanto que mantém o kusari calmo aos poucos enfraquecerá. E, quando cessar, a besta provavelmente se rebelará contra as rédeas.

– Quando isso acontecer, os Dingirï proverão outro meio de transporte – afirmou o espadachim, assustado com a própria imprudência.

Shaetär fez uma saudação e partiu, deixando Badara com Adapak no aposento destruído. O rapaz caminhou até o espaço particular de Puabi, evitando pisar nas roupas, livros e outros pertences espalhados pelo tapete.

– Meu Senhor. – Badara o chamou. – Aquelas criaturas eram mesmo guardiões?

– Eu acredito que sim – respondeu ele, agachando sobre uma pequena cômoda virada. Uma das gavetas havia entortado ao tombar.

– Mas por que estão tão diferentes? As Bestas da Prisão de Cristal seriam capazes de corrompê-los?

Adapak ergueu o móvel de madeira e o colocou de pé.

– Eu... não sei, Badara.

A sadummuniana lançou um olhar em direção ao corpo do pai. A canção em sua homenagem havia cessado, interrompida por Shaetär, que explicava a todos sobre a evacuação. A passos dali, a criatura que causara a morte do monge jazia carbonizada após o experimento do espadachim, a fumaça se elevando aos céus.

– Pai Azagör sempre foi contra os guardiões abandonarem a Casa do Artesão – comentou Badara. – Ele dizia que eles foram criados para *servir* os Quatro, e não... andar por aí como se fossem mortais. Como se tivessem *alma*.

Adapak não respondeu.

Reflexos

O guardião da moral sempre empunha uma espada de vidro.

Löb.

REKZAR PUXOU gentilmente as rédeas do cascos-da-estrada, reduzindo a velocidade da carroça ao adentrar os Mercados Invisíveis. Sob o céu nublado do início da tarde, os estabelecimentos fervilhavam de movimento, cores e cheiros, abraçando clientes que encaravam boquiabertos a monstruosa silhueta do homem. Vestindo apenas um saiote e um par de botas, ele ostentava na bainha que lhe cruzava o peito a peculiar arma em forma de estrela, cuja lenda Sirara memorizara melhor que o nome.

A capitã, por sua vez, se acomodava solitária na parte traseira da carroça devido ao espaço que seu descomunal colega ocupava no assento dianteiro. Ansiosa pelo fim da inesperada viagem de volta ao lugar onde havia encontrado Jarkenum, a mulher se ajeitou desconfortavelmente entre os sacos de ração e a bagagem, mantendo no colo a bainha com a espada Lukur.

— Fiquei surpreso que tenha convencido Jark a nos esperar na minha casa — comentou Rekzar. — Ele ama este lugar.

– Jark fez algumas dívidas por aqui – disse Sirara, sentindo as costas reclamarem a cada solavanco. – Não seria muito inteligente da parte dele mostrar o rosto tão cedo.

– Há quanto tempo vocês dois não se viam?

– Tempo o bastante para que eu quase não o reconhecesse mais – falou a capitã.

– Em que sentido?

– Pelos Quatro, ele... Olhe, Jark nunca foi nenhum *monge*, mas... – Sirara tentou encontrar as palavras certas. – Eu não sei, não importa mais. Ele está diferente de quando éramos um casal, só isso.

– Ele está *solitário*.

– *Hah!* – debochou a mulher. – Acredite em mim, Reks, Jarkenum não estava nada "solitário" quando eu o reencontrei...

Rekzar riu.

– Estou falando do verdadeiro elo entre os mortais, Si, o *amor* – explicou o homem.

– Eu o amava, Reks – retrucou Sirara. – Achei... Eu não sei, achei que isso fosse o suficiente.

– A maioria de nós pensa assim... Mas os Dingirï nos ensinam que só quando realmente aprendemos a amar a nós mesmos é que somos capazes de amar os nossos pares. É por isso que o Jark destruiu a relação de vocês dois e tenta, constantemente, se destruir, porque ele aos poucos esqueceu como se amar... Jark começou a esquecer como se amar no dia em que a mãe dele o abandonou com o pai.

– Jarkenum me contou sobre a infância no circo e a vida depois, apenas ele e o pai tentando sobreviver, mas... – Sirara empurrou um saco de ração para ganhar mais espaço. – Ele quase nunca falou sobre a mãe.

– A mãe de Jarkenum escolheu culpar o marido pelas escolhas que ela mesma tomou na vida – disse Rekzar. – O pai, por sua vez, era inocente demais para enxergar essa amargura que aos poucos envenenou seu casamento.

– O rosto do Jark sempre se iluminava quando ele falava do pai.

– Um homem muito especial – observou Rekzar. – Pelos Quatro, Jarkenum realmente o *idolatrava*... Acho que é por isso que ele se afeiçoou tanto ao seu tio, Si, os dois homens tinham muito em comum.

Conforme o trânsito de veículos, animais e pessoas se tornou mais denso, a carroça passou a ser cada vez mais abordada por vendedores ambulantes que, como um cardume de ninanshi famintos, se acotovelavam para oferecer toda sorte de produtos aos possíveis clientes. Alguns apontavam para a espada de Sirara ou a estranha arma de Rekzar e lhes faziam propostas de compra que ambos impacientemente recusavam.

– Reks, você é o primeiro colecionador que eu vejo usando um item da própria coleção – comentou Sirara.

– O que foi? Eu não a escutei – reagiu Rekzar, navegando com calma o oceano de vendedores.

A capitã se ajeitou para ficar mais próxima dele.

– Me refiro à sua *estrela*. – Ela falou mais alto.

– Ah, sim, gosto de manter Krülla perto do coração, quase como um... *amuleto*. – O homem tocou o artefato embainhado no peito. – Um amuleto para me lembrar o preço da falta de fé.

Rekzar olhou por cima do ombro. A espada Lukur repousava no colo da mulher.

– E quanto à sua arma, capitã? – devolveu ele. – O que simboliza para você?

A mulher se lembrou de Telalec e da Casa do Artesão. Recordou-se da lâmina de Lukur pressionada contra sua garganta.

– Acho que o mesmo que a sua – respondeu ela. – Infelizmente, uma fraqu... EI, CUIDADO!

Rekzar freou o veículo antes que colidisse com a carreta de um vendedor de penas-de-quintal.

– Pelos Quatro, este lugar é mais cheio que a Casa dos Cinquenta – reclamou a capitã.

– Ah, a velha ilha de Eninnü... – disse um nostálgico Rekzar.

O homem emendou uma pergunta, mas a capitã não prestou atenção; distraída, ela havia retornado mais uma vez no tempo, dessa vez para a primeira vez que ouvira alguém chamar a ilha de Caspama daquele nome ancestral: *Eninnü*. Sirara se enxergou de volta na cabine do navio, interrogando um estranho clandestino de pele negra que se dizia filho de um deus.

– Sirara? – Rekzar a trouxe de volta ao presente. O volume de comerciantes havia diminuído consideravelmente. – Perguntei se você ainda tem visitado Eninnü.

– O quê? Ah, não – respondeu ela, se corrigindo em seguida. – Quer dizer, *sim*. Eu estive lá há alguns meses, sim...

– Eu imagino que não seja o mesmo sem o seu tio – comentou Rekzar. – Espero que não fique chateada, mas o Jark acabou me contando que ele retornou às estrelas...

– Ah, não tem problema – disse ela enquanto recusava os ovos de uma insistente vendedora.

– Tenho certeza de que o Artesão lhe construiu uma bela carruagem para a jornada – completou Rekzar.

Mais uma vez, a memória da capitã a sequestrou. De volta à Casa do Artesão, ela viu o cadáver ressecado do Dingirï em seu majestoso trono de cristal.

– Acho que sim – respondeu ela.

– Não se preocupe, os Mercados Invisíveis não devem nada a Eninnü. Nós vamos... Ah, não, obrigado, senhora. – O homem recusou os tecidos de uma ïnannariana e então concluiu. – Nós vamos encontrar o que precisamos para o ritual.

A CARROÇA adentrou uma viela estreita, por pouco não raspando as laterais nas paredes de chapisco e portas simples sem número. Fumando sob a soleira de uma residência, uma senhora humana recolheu as pernas para que passassem, murmurando algo cuja compreensão se perdeu em meio ao gemer das rodas do veículo.

Após algumas dúzias de cascos, Rekzar puxou as rédeas e interrompeu a viagem por completo. Sirara se impressionou com quanto a carroceria se ergueu quando ele desembarcou.

– Pode me entregar este baú bem atrás de você? – Apontou o homem.

Sirara o fez, imaginando qual seria o conteúdo pesado que o objeto de madeira guardava. Ela então se virou para pegar o resto da bagagem.

– Não se preocupe, nossas coisas estarão seguras aqui na carroça – falou ele.

– No meio da rua?

– Confie em mim – disse Rekzar, lhe estendendo a outra mão.

Ela aceitou a ajuda para descer do veículo e acompanhou o homem até a porta mais próxima. Uma singela pintura de um peixe vermelho e branco se destacava sobre a superfície de madeira.

– Pelo que você descreveu do seu amigo feiticeiro, eu não achei que ele tivesse uma loja tão... – A capitã tentou encontrar a palavra.

– Discreta? – sugeriu Rekzar, empurrando a porta e deixando um forte cheiro de incenso escapar para a rua. – Sim, Tuti é um sujeito discreto, sempre foi. Seus clientes e amigos sabem onde encontrá-lo.

Os dois adentraram um grande estabelecimento sem janelas, composto de estantes altas, mesas e balcões abarrotados de caixotes, livros carcomidos e artefatos cujo propósito a capitã era incapaz de identificar. Pendendo de longas cordas do teto, exóticos lampiões de vidro emitiam luzes que estranhamente não bruxuleavam, pintando o cenário uniformemente de esmeralda.

– Certo, eu retiro o que disse lá fora – falou ela.

Pensando ouvir a melodia de uma flauta desafinada vindo dos fundos, Sirara começou a cautelosamente explorar o recinto, cuja real dimensão era confundida graças aos espelhos de tamanhos e formas variados espalhados por todo o lugar. Sobre uma mesa circular de mármore, um bizarro maquinário chamou a sua atenção e ela se aproximou para estudá-lo: complexas armações de osso permitiam que tubos e cones de vidro fossem sobrepostos sobre um par de joias em sua base, cuja luz pulsava fraca como um coração moribundo. Observando de perto as joias ovaladas, a mulher logo deduziu que se tratava de uma única relíquia Dingirï, que, por meio de alguma técnica profana, havia sido partida em duas para que seu interior fosse exposto. Estranhamente, o aparato na mesa a fez lembrar dos instrumentos elaborados que os curandeiros das grandes metrópoles utilizavam para examinar os pacientes feridos.

– Então é verdade o que dizem sobre os feiticeiros – declarou Sirara.

– Em que sentido? – perguntou Rekzar.

– Eles realmente... *abrem* as relíquias – falou ela, afastando-se da mesa de mármore e olhando ao redor. O cenário de alguma forma a fazia lembrar da morada de Rekzar, ainda que se aproximasse mais de um depósito ou oficina cujo propósito lhe provocava a sensação de que meros mortais não deveriam estar ali.

Um par de mellat surgiu de trás de uma estante, sobressaltando a mulher. Carregando estranhas ferramentas, os seres altos paralisaram como estátuas ao encarar, com os enormes olhos ovalados, os recém-chegados.

– Pelos Quatro, eu detesto essas coisas – murmurou Sirara. Refletidas pelos espelhos do cenário, as esguias criaturas de pele branca pareciam estar em todo lugar.

– Tuti, você está aí? – chamou Rekzar.

A melodia da flauta cessou com a pronúncia do nome. Sirara ouviu passos e aguardou até que um velho mau'lin surgisse dos fundos do estabelecimento, as longas vestes brancas arrastando no assoalho empoeirado. A luz sobrenatural dos lampiões acentuava o tom verde de sua pele – outrora fina e enrugada como os de sua espécie –, transformada num couro grosseiro graças à exposição às relíquias (efeito que Sirara podia reconhecer, ainda que em menor escala, em Rekzar). Seu rosto também exibia os efeitos da prática kishpü, com lábios ressecados e um par de orifícios no lugar do nariz.

– Mas que grata surpresa, caro amigo – disse o mau'lin, revelando ser dono de uma bela voz. Aproximando-se do casal, ele se voltou primeiro à mulher. – Seja bem-vinda à minha oficina, capitã?

– Não assuste minha amiga, Tuti – brincou Rekzar, sorridente, apoiando o baú no chão.

– Não se preocupe, este não é o primeiro feiticeiro que conheço – falou ela, estendendo a mão calejada. – Capitã Sirara Nanshe.

O mau'lin a cumprimentou, estudando-a com os grandes olhos verdes. Presa à sua testa enrugada figurava uma pequena relíquia triangular.

– Eu sou Edür Tuti, ao seu dispor – respondeu ele. – Posso lhe oferecer algo para beber?

– Eu... não, obrigada – disse ela, e mudando de ideia logo em seguida acrescentou: – Água seria ótimo, na verdade.

– Certamente – concordou o ancião.

Sem que ele verbalizasse ou gesticulasse uma ordem, um dos mellat (que até então permaneciam estáticos) subitamente se moveu, dirigindo-se até um balcão de bebidas, onde pousou as ferramentas, abriu o armário acima do móvel e pegou um par de copos e uma jarra de cerâmica. Ele então caminhou até Sirara, que, disfarçando o incômodo, aceitou um dos copos que lhe foi oferecido.

A criatura, contudo, paralisou antes de servir o líquido.

– Peço desculpas, capitã, eu não tinha ciência de que os guardiões a deixavam desconfortável – disse o feiticeiro, pegando o recipiente das mãos magras do mellat.

Surpresa, Sirara assistiu à criatura dar meia-volta, retornar ao balcão, recuperar as ferramentas e seguir por onde tinha vindo originalmente, acompanhada pelo semelhante.

– Pelos Quatro, eu... eu espero não os ter *ofendido* – sussurrou a mulher enquanto Tuti enchia seu copo.

– Não se aflija, capitã, os guardiões desconhecem tal emoção – explicou ele, passando a servir Rekzar.

– Na verdade, eles não *sentem* coisa alguma – complementou o homem musculoso antes de beber a água.

– Ah, eu... não sabia.

– Uma das razões pelas quais sempre preferi conviver entre os guardiões sagrados em vez dos mortais – disse o feiticeiro, se dirigindo ao balcão. – Que grande honra é poder caminhar ao lado de semideuses, você não concorda?

Sirara pensou em Adapak e deixou escapar um meio-sorriso. O feiticeiro pareceu notar a expressão, e a mulher imaginou se ele havia espiado sua mente.

– Eu... me desculpe, é que eu achei que os mellat que vivem entre nós não fossem mais considerados "sagrados" – disfarçou ela, sorvendo um gole d'água em seguida.

– Ah, alguns, infelizmente, enxergam dessa forma, sim. – Tuti balançou a cabeça. – Entretanto, nós, praticantes da feitiçaria kishpü, pensamos de maneira diferente... Afinal, não foi o primeiro Mellat moldado pelo próprio Artesão a partir da terra de Eninnü? Não foi das lascas dos pilares que os Quatro lhe fizeram as Mãos, o Olho, a Voz e o Coração?

– "E o Mellat finalmente se ergueu, pois agora estava completo" – citou Rekzar. – "E disse o Primeiro Guardião: 'Farei do meu reflexo outros mellat, e eles guardarão as Casas dos Quatro, pois serão os meus olhos e os olhos dos Dingirï. E de Eninnü guardarei Kurgala enquanto as portas das quatro Casas estiverem fechadas.'"

Tuti exibiu um sorriso orgulhoso. Sirara argumentou:

– Mas... quando abandonaram a Casa do Artesão, os mellat não desobedeceram ao Primeiro Guardião?

– E, quando uma filha desobedece à mãe, ela se torna *menos* filha por isso? – retrucou o kishpü, retornando a jarra ao armário. – Veja, quando os Dingirï nos deixaram, muitos mortais optaram por abandonar as grandes cidades e retornar com os semelhantes às suas terras de origem, não é verdade? Os ïnannarianos retornaram aos campos floridos da Lágrima do Guia, os guandirianos penetraram ainda mais fundo nas cavernas de Orllu, e assim em diante... Pois assim também fizeram os mellat quando o Artesão partiu de Sua Casa; peregrinaram até a ilha de Eninnü não somente à procura de sua terra de origem, mas também em busca do próprio criador, o Primeiro Guardião.

– Eu não sabia disso – disse a mulher. – Achei que eles haviam simplesmente começado a vagar pelo mundo, perdidos.

– Nós, mortais, presumimos muito sobre as coisas que tememos. – O feiticeiro ofereceu uma expressão simpática.

– É... verdade. – A capitã cedeu.

– Os guardiões contribuem para manter a própria história na obscuridade, já que não registram nada no papel, na madeira ou na pedra – falou Rekzar, e então tocou a própria têmpora. – É preciso saber se comunicar com eles para ter acesso a esse tipo de informação... se eles permitirem.

Sirara retornou a atenção para o feiticeiro.

– Mas, espere, a ilha de Caspama... quer dizer, *Eninnü*, não é habitada por mortais há centenas de ciclos? – indagou ela. – Achei que o Primeiro Guardião não vivesse mais lá...

– De fato, foi o que os mellat da Casa do Artesão descobriram quando lá chegaram – revelou o mau'lin, apoiando as mãos no balcão. –

O Primeiro Guardião havia abandonado o lugar de onde, supostamente, vigiara Kurgala desde o princípio da Era dos Mortais...

Sirara olhou para Rekzar e então de volta para o feiticeiro.

– E... para onde ele foi, afinal? – perguntou ela.

Tuti inspirou fundo.

– Ah, o paradeiro do Primeiro Guardião é um mistério que os mellat, assim como todos aqueles fascinados pela história do mundo, estão tentando desvendar há centenas de ciclos – respondeu ele.

Pensativos, os três se entreolharam.

– Ah, eu peço perdão pela *palestra*, é o que acontece quando um velho como eu passa muito tempo sem ver outras pessoas – disse Tuti. – Afinal, a que devo a visita de vocês?

– Bom, eu lhe trouxe algo, meu amigo – informou Rekzar, entregando seu copo vazio para Sirara e erguendo o baú do chão. – Onde posso abrir isso?

Tuti fez sinal para que o homem o seguisse até uma escrivaninha, onde o objeto foi apoiado e destrancado.

– Pelo Trono do Viajante, você conseguiu mesmo? – disse o feiticeiro, vendo-o tirar da caixa um grande embrulho de pano.

– Não foi fácil – falou Rekzar, desembalando o presente.

Juntando-se aos dois, Sirara viu que se tratava do bico curvo de algum animal – um animal *enorme*, ela julgou pelo tamanho do par de presas quitinosas que se encaixavam uma na outra, como uma pinça. Deslumbrado, Tuti pegou uma grande lupa de vidro de uma das gavetas e a usou para examinar a peça.

– Pelos Quatro – murmurou a capitã. – De qual monstruosidade isso foi arrancado?

– Um *katumitü* – revelou o feiticeiro.

– Os caimani os chamam de "mão-morta" – complementou Rekzar.

– Bom, o nome com certeza não contribui para a reputação. – A capitã apoiou os copos vazios na escrivaninha. – Por que eles o chamam assim?

– Ah, é uma história fascinante – disse o feiticeiro, tirando os olhos da lupa. – Os filhos e as filhas de Caima dizem que, certo dia, a Lança desejou construir uma ampulheta para si. Decidindo que a faria a partir das areias do deserto de Caima, no continente do Viajante, a Lança então pediu autorização ao irmão, que Lhe concedeu, mas antes Lhe avisou: "Colha a areia somente quando a lua de Kurgala estiver nos céus, pois durante o dia o sol de Kurgala a tornará intocável." A Lança, entretanto, o mais impulsivo dos Dingirï, se recusou a aguardar e mergulhou uma de Suas muitas mãos na areia do deserto quando o sol ainda brilhava poderoso nos céus.

– Má ideia – apostou Sirara.

– De fato – concordou Tuti. – Enfurecida pela dor, a Lança decepou o membro carbonizado e o deixou afundar nas areias ferventes para ser esquecido... Contudo, do outro lado de Kurgala, os ouvidos de Tiamatu e Abzuku captaram o grito do deus ferido, e assim surgiu uma oportunidade nefasta; do interior da Prisão de Cristal, as Bestas sussurraram um encanto maligno que viajou como o vento até o deserto de Caima, encontrando a mão morta de Nintu' När e reanimando-a como um horror de muitos olhos e muitas patas... Horror este que passou a dar à luz crias que, sob as dunas do deserto proibido, hoje espreitam por incautos viajantes.

Como se para pontuar o final da história do amigo, Rekzar abriu e fechou o bico do animal com um estalo seco.

– Estranhamente, o mar e o deserto não soam muito diferentes entre si – observou a capitã.

– Ah, sim, os navegantes das águas e das areias sabem que não devem julgar o mundo pela superfície – falou o mau'lin, afastando as vestes para se sentar na cadeira da escrivaninha.

– Posso perguntar por que precisa do bico de uma coisa dessas? – indagou Sirara. – O senhor não parece um colecionador de troféus.

– Ah, não, eu deixo essa prática para nosso amigo em comum aqui – disse o feiticeiro, sorrindo para Rekzar. – Não, o pó extraído do bico deste maravilhoso animal possui, entre muitas outras qualidades, propriedades cicatrizantes que poderão ajudar muita gente.

– Foi assim que nos conhecemos, sabia? – falou Rekzar, voltando a embalar o bico.

Sirara franziu a testa.

– O que quer dizer? – perguntou ela.

O homem recolocou o embrulho no baú.

– Olhando para mim hoje, pode ser difícil de acreditar, mas... quando nasci eu era uma criança muito fraca – disse Rekzar, se dirigindo à mesa de mármore onde repousava o estranho maquinário com a relíquia aberta. – Minha mãe, que as estrelas a tenham, sempre achou que eu não fosse sobreviver à infância. Eu era magro demais, tinha problemas para respirar... Os curandeiros da região faziam o melhor que podiam, mas meu corpo simplesmente não respondia.

Rekzar deu a volta no móvel, admirando a joia cercada pela estrutura de osso e vidro.

– Mamãe havia escutado histórias sobre um feiticeiro mau'lin nos Mercados Invisíveis, alguém que talvez pudesse me ajudar – prosseguiu ele. – Mas os sacerdotes a desencorajavam, é claro, dizendo que os kishpü faziam pactos obscuros com os espíritos de Shuru.

Tuti balançou a cabeça, achando graça.

– O que fez sua mãe mudar de ideia? – perguntou Sirara.

– Ver o filho desesperado por ar durante noites e noites – respondeu o feiticeiro.

A capitã lançou um olhar para o baú aberto, onde o bico da mão-morta descansava, embalado.

– Estou imaginando qual pedaço de qual monstruosidade ele deu para você beber – brincou a mulher, arrancando o sorriso dos dois.

– Nada tão *dramático* – falou o mau'lin, se ajeitando no assento. – Os Quatro deixaram nas plantas de Kurgala os alívios da maior parte das nossas enfermidades... Infelizmente, aqueles que se resumem às orações esquecem que nossos deuses também agem por intermédio dos mortais.

– Eu devo a Tuti não só a minha vida, mas também meu interesse no estudo da magia Dingirï – contou Rekzar.

– Minha única frustração é ter falhado em convertê-lo para as práticas kishpü – disse o feiticeiro.

Sirara se voltou ao humano. Ele encarava a pulsante relíquia Dingirï através de uma das peças de vidro do maquinário.

– Você chegou a estudar para se tornar um feiticeiro? – perguntou ela.

Rekzar sorriu e ergueu o olhar para a capitã.

– Talvez não fosse meu destino – respondeu ele.

– Tínhamos... divergências ideológicas – explicou o mau'lin. – Perdi um pupilo, mas ganhei um amigo.

– Ainda assim, não deixa de ser irônico ver um feiticeiro e o descendente de um Zelador se ajudando hoje em dia – comentou Sirara.

Rekzar encolheu os enormes trapézios.

– O Artesão nos ensina que mãos abertas trabalham melhor do que punhos fechados – falou ele. – Onde a Ordem errou no *controle*, os kishpü pecaram pelo *excesso*, algo que falharam em perceber no tempo em que estiveram no auge...

– Meu antigo pupilo aqui acredita que uma reforma teria evitado a dissolução da Ordem dos Zeladores – disse Tuti.

– E com isso talvez hoje Kurgala estivesse menos *podre* – retrucou o musculoso humano.

– É precisamente esse tipo de discurso que tem inflamado os simpatizantes de um movimento que você diz não existir, querido amigo – disse o feiticeiro, cuidadoso.

Rekzar balançou a cabeça calva.

– Bravatas de jovens que acham que podem salvar o mundo com frases de impacto – retrucou ele. – Lutar contra a fé cega será sempre mais difícil do que contra a inteligência.

O feiticeiro inspirou fundo.

– Bom, tenho certeza de que não trouxe nossa capitã aqui para discutirmos política – falou o mau'lin. – No que posso ajudá-los?

Sirara direcionou o olhar para Rekzar.

– Nós precisamos do retrato de um dos pilares de Shuru – explicou o homem, se afastando do maquinário e se juntando à capitã. – Um retrato pintado por alguém que tenha, de fato, estado lá.

O feiticeiro se inclinou para a frente, pensativo.

– Creio que na infame coleção de Ishitana exista a arte que vocês procuram – respondeu ele. – Não posso lhes entregar a peça original, evidentemente, mas uma fiel reprodução.

– Será o suficiente – afirmou Rekzar. – Há mais uma coisa, Tuti, nós precisamos da cabeça de um guardião.

Pega de surpresa pela informação, Sirara entreabriu os lábios.

– Entendo – disse o mau'lin, sem alterar a postura. – Que tipo de *vínculo* está pretendendo realizar?

– Ferramenta-pilar – falou Rekzar.

O mau'lin ergueu as sobrancelhas.

– Categoria? – perguntou ele.

– Dois – respondeu o humano. – Um transportador.

Tuti voltou a recostar na cadeira.

– Tenho um mellat à disposição, mas está inteiro – disse ele, pensativo. – Vocês vieram de carroça?

– Sim – confirmou Sirara.

– Me deem até o final do dia para desmontá-lo, e então pedirei aos outros que coloquem a cabeça no veículo, junto com a pintura – falou o kishpü, se levantando.

Rekzar estendeu a mão.

– Obrigado, meu amigo – disse, cumprimentando-o.

E com um último aceno de cabeça o feiticeiro Edür Tuti retornou para os fundos do estabelecimento, sua pequena figura multiplicada pelos muitos espelhos do cenário até que ele desaparecesse por trás das estantes.

– Está com fome? – perguntou Rekzar à companheira, começando a se dirigir para a entrada. – Pelos Quatro, eu poderia comer um kusari inteiro...

Sirara o segurou pelo braço.

– O que houve? – reagiu o homem.

– Isso não é *errado*? – sussurrou ela. Rekzar franziu o cenho e ela emendou, indignada: – Sair daqui com um *mellat morto* na carroça?

– Com a *cabeça* de um mellat – frisou ele. – Não precisamos do corpo.

– Pelos Quatro, que tipo de... – A capitã olhou ao redor, como se preocupada que alguém os ouvisse, e então retomou, em tom baixo: – Que tipo de gente teria um mellat morto, à disposição, guardado nos fundos da loja?

– Si, eu acho que você continua pensando nos guardiões como *pessoas* – disse o homem.

– Eles são um *povo*, Rekzar!

– Não como nós – falou ele. – Eles sequer têm nomes próprios.

– Os sinserianos também, e nós os respeitamos.

– É... *diferente*, Si. Os guardiões são uma coisa só, eles... – Rekzar se interrompeu, olhando ao redor. Ele então se dirigiu até um móvel formado por um par de grandes espelhos em *V* e fez sinal para que Sirara se juntasse a ele. Quando ela o fez, o homem se colocou atrás do móvel e começou a fechá-lo, fazendo com que as faces dos espelhos se refletissem e multiplicassem a imagem da capitã.

– O que está fazendo? – indagou ela.

– Quantas *Siraras* você está vendo? – perguntou Rekzar.

A mulher deu de ombros.

– Não sei – respondeu. – Muitas.

– E, caso um desses espelhos quebrasse, você não seria afetada, seria?

– Claro que não.

– Pois é isso que os guardiões são – falou o homem. – *Reflexos*.

Sirara encarou uma de suas cópias confusas.

– Reflexos de quem? – perguntou ela.

– Do primeiro Mellat – explicou Rekzar. – O Primeiro Guardião.

– Como filhos e filhas, então.

– Não, não como filhos. *Reflexos* – reforçou ele. – Todo mellat que você vê é *o* Mellat. E o Mellat é todos os guardiões.

– Achei que os mellat fossem os olhos dos Dingirï.

– Os Quatro veem através do Primeiro Guardião, que vê através de seus reflexos – falou o homem.

A capitã esfregou o rosto.

– Eu... não sei se descobrir isso me deixa mais tranquila ou ainda mais nervosa – disse ela.

– O ponto que eu estou tentando mostrar aqui é que os mellat não são *indivíduos*, mas sim veículos para uma única mente, dividida – insistiu o homem. – E, quando um desses veículos quebra, ou... quando outro é *feito*, essa mente apenas se redivide entre as outras.

– E o Primeiro Guardião não se importa que nós quebremos seus veículos?

– Você se importa quando perde um fio de cabelo? – questionou Rekzar. – Os mellat são *ferramentas*, Si, como as relíquias que os Quatro nos deixaram quando se fecharam em Suas Casas. Pense, você alguma vez já viu um mellat lutar pela própria vida?

Sirara mirou mais uma vez os próprios olhos no reflexo. Ela inspirou fundo.

– Meu tio e eu certa vez vimos alguns deles serem... *queimados vivos* – disse a capitã. – Estávamos aportados em Imiü, e eu era bem mais nova, claro. Não me lembro de como a confusão começou, eu só... Eu só me lembro de vê-los apanhando da turba que os cercou... Eles erguiam aqueles braços magros tentando se defender dos paus, das pedras, mas... era tanta gente. Foi a primeira vez que ouvi alguém chamando os mellat de "marionetes". Pedi ao meu tio que saíssemos dali, mas acho que... Acho que ele não me ouviu. Às vezes acho que ele na verdade queria que eu visse, sabe? Eu não sei. Alguém apareceu com uma corda. Alguém sempre tem uma corda. Os gritos eram horríveis... Não os gritos *deles*, é claro. Eles não gritaram, não espernearam, apenas... Apenas ficaram ali, *queimando*... Queimando e encarando a multidão com aqueles olhos enormes, sem vida... Olhos de b-boneca. Pelos Quatro, como eles queimaram rápido.

Rekzar deu a volta no móvel e se juntou a Sirara.

– Você está bem? – perguntou ele.

– Deve ser *fome* – mentiu a mulher. – Vamos sair daqui.

O Deserto de Caima

Histórias viajam mais rápido que o vento.

Tamtul e Magano contra a voz
do Guardião Cego.

NOITÁRIO DE Badara, Esposa de S'almu Saruma
Acampamento sobre o patas-de-trovão – noroeste de Badibiria
Lua 33 do mês do Barro
Ciclo 1701 da Era dos Mortais

Passamos o resto da madrugada de ontem apagando o incêndio. Pelos Quatro, perdemos tanta coisa!

Bastou o sol raiar para que a irmã Shaetär ordenasse que começássemos os preparativos para a evacuação do nosso acampamento. ~~Não tivemos nem tempo de descans~~ Foi decidido que a Irmandade rumará a pé para noroeste e aguardará em Moloz até que retornemos com as irmãs Puabi e Aishara. Pelos Quatro, ~~minhas mãos tremem~~ eu estou tão nervosa!

Pedi a S'almu Saruma que dissesse algumas palavras antes que começássemos o desembarque. Nosso Senhor nos contou uma bela parábola sobre um monge humano que perdeu a fé quando a esposa morreu, e sobre como ele culpou os Dingirï por retornarem a alma da mulher para as estrelas. "Se agarrar ao ódio é como pegar um carvão em brasa para jogá-lo em outra pessoa. Você é quem acaba ferido", disse o Imperador de Fogo. Eu poderia jurar que o vi se emocionar ao nos contar a parábola!

Antes do desembarque, os condutores do patas-de-trovão nos explicaram com bastante detalhe sobre como as "rédeas" funcionam, e que é preciso ao menos duas pessoas para operar o maquinário, sempre. Tudo é muito lento e barulhento dentro da cabine (eu nunca estive num navio, mas acho que deve ser parecido). Shaetär já sabia como tudo funcionava e ficou quieta enquanto eu e o Imperador de Fogo fazíamos as perguntas. Prestei muita atenção, mas acho que não consegui decorar tudo.

O desembarque em si levou o dia inteiro, mas conseguimos ~~desembarcar~~ descer com todos em segurança. Que os Quatro sejam louvados! Os feridos e os animais de carga foram os que deram mais trabalho, mas ao final do dia ~~todos haviam~~ o acampamento estava vazio, com exceção do Imperador de Fogo, irmã Shaetär e eu. Me despedir do corpo de ~~papai~~ pai Azagör não foi fácil, mas sei que ele agora está junto de minha mãe. Pai, mãe, olhem por nós dos céus de Kurgala!

O Rei de Fogo insistiu que partíssemos logo em seguida, mas, como até mesmo Shaetär parecia exausta após todo o trabalho, ele então nos concedeu esta noite de descanso. Como a nossa moradia original foi destruída pelo incêndio, movemos o restante das nossas coisas para uma tenda menor, mais ao norte do patas-de-trovão. Irmã Shaetär dorme enquanto escrevo, mas o Rei de Fogo ainda está lá fora, consultando os Quatro através de sua espada mágica.

Partiremos ao amanhecer. Puabi, Aishara, vamos encontrar vocês, irmãs! Salve S'almu Saruma!

– Badara

~

NOITÁRIO DE Shaetär Urdo, Esposa de S'almu Saruma
35ª lua do mês do Barro do Ciclo 1701 E.M.
Acampamento sobre o Kusari, deserto de Caima

O acampamento ainda cheira a lona queimada.

O patas-de-trovão avança pelo deserto de Caima. Engenharia mortal movida a feitiçaria.

Suas passadas não trovejam tanto sobre as dunas.

Viajamos sob o sol de Kurgala. Dormimos sob a lua de Sinanna. Com meu auxílio, o Imperador Negro direciona o kusari para o sudoeste, perseguindo o rastro da aberração voadora. Mellat? Reexaminei um dos corpos após o desembarque. Há semelhanças. Corrompidos por Tiamatu e Abzuku? Badara acha que sim. O Imperador Negro diz ser possível.

Para onde terão voado com a humana e a feiticeira, então? Por que simplesmente não as assassinaram no acampamento?

Areia. Rocha. É tudo o que vemos aqui do alto. Os ventos e o horizonte amarelo me ferem a vista. O sol maltrata minha pele. Lábios rachados. Temos água e mantimentos para um mês de viagem. O kusari não durará tanto. O animal é capaz de se sustentar em jejum por longos períodos, mas, sem a relíquia, sua obediência se esvairá antes que a fome o perturbe.

Ficaremos sem transporte nas areias de Caima.

~~Minha fé no Imperador Negro não me parece mais infinita. Incon-sistências. Primeiro os Círculos Tibaul. Depois o "nó de Löb". S'almu Sa-ruma nunca navegou.~~

Peço aos Quatro que perdoem minhas incertezas. Salve S'almu Saru-ma. Imperador Negro dos Nove Mil Dignos.

S.

~

NOITÁRIO DE Badara, Esposa de S'almu Saruma
Acampamento sobre o patas-de-trovão –
deserto de Caima, noroeste de Badibiria
Lua 36 do mês do Barro
Ciclo 1701 da Era dos Mortais

Pai Azagör, sinto tanto a sua falta! Oro todas as noites para você e ~~mam~~ minha mãe, consegue me escutar?

Meus pelos começaram a cair conforme penetramos cada vez mais no deserto de Caima! Achei que era porque eu estava nervosa, mas os dias passaram e eles continuaram a cair, e cair... Muitos!! Hoje, após a refeição da tarde, me apavorei quando me penteei, mas S'almu Saruma escutou meu choro e veio me acalmar, explicando que isso é comum entre o meu povo! Ele me explicou que os sadummunianos podem perder pelos com a chegada de um verão intenso e ganhar com a chegada de um inver-no rigoroso! Realmente, acho que nunca tinha experimentado tanto calor quanto o que estamos passando. Justos são os Quatro Que São Um, que nos fizeram com tanta perfeição!

Ontem de tarde, da cabine de navegação, avistamos uma floresta lá embaixo! Na verdade, não era bem uma floresta, mas se parecia com um grande jardim no meio de toda aquela areia, com lagos e tudo! S'almu Saruma chamou de um "oásis". Eu nunca tinha ouvido essa palavra.

Não foi preciso descermos para abastecer (Shaetär disse que já temos bastante água armazenada), mas aproveitamos para guiar o patas-de--trovão até o "oásis" e o deixamos matar a sede e se alimentar das árvores. É tão impressionante vê-lo comer! Da cabine, me senti um inseto pousado num sisu, olhando-o pastar na grama abaixo. Contei isso à irmã Shaetär, mas ela não achou graça. Aishara acharia graça do que eu falei.

Eu não sabia que era possível encontrar tantas plantas juntas assim no deserto, mas S'almu Saruma me ensinou que, quando ~~criaram~~ moldaram Kurgala, os Quatro Que São Um fizeram "rios subterrâneos" sob os desertos também, muito abaixo da areia, e que às vezes esses rios naturalmente encontram o caminho até a superfície e assim fazem esses ~~jardins~~ oásis crescerem ao redor deles. S'almu Saruma nos contou que, antes da guerra, quando os caimani ainda deixavam os outros mortais também viverem aqui no deserto, algumas pessoas chegavam a usar relíquias Dingirï para furar o solo e chegar nesses rios, criando oásis artificiais!

Fiquei feliz em saber que existem lugares assim para que os animais (e povos?) do deserto possam se refrescar, sejam pequenos ou grandes como o patas-de-trovão que nos carrega nas costas.

Felizmente a lua de Sinanna nos esfria agora, durante a noite, quando interrompemos a viagem para o descanso de todos nós, incluindo o patas-de-trovão. Enquanto os dias são mais difíceis para mim ~~e fáceis~~ do que para a irmã Shaetär, durante a noite as coisas se invertem e ela se encolhe sob os cobertores, já que não tem pelos para protegê-la. O Rei de Fogo não parece se incomodar tanto quanto nós com o frio ou o calor e prefere passar a maior parte do tempo do lado de fora da cabana, consultando sua espada mágica.

É tão triste ver o acampamento assim, vazio e destruído, sem o barulho das crianças brincando e o esvoaçar dos penas-de-quintal. O silêncio lá fora é tão assustador! Sinto falta de conversar com minhas irmãs na tenda esmeralda, durante as refeições. De ouvir a irmã Puabi falando sobre as coisas que ela aprendeu com a mãe dela. Eu sinto falta de ver a pequena Aishara arregalar seus olhinhos enquanto Shaetär fala sobre a guerra em Larsuria.

A irmã Shaetär me fez uma faca! Eu disse a ela que nunca mais vou matar nada, mas ela respondeu que todos andam com facas e que "facas não servem só para matar coisas, Badara". Que debochada! Ela também insistiu em aprontar nossas malas e deixá-las perto dos elevadores, para quando tivermos que abandonar o patas-de-trovão. Ela colocou roupas, cobertas, remédios, cordas e hastes para podermos montar acampamento no meio do deserto. Colocou também água e comida, é claro. É uma pena que não teremos sisus nem outros animais de carga para nos ajudar lá embaixo. Shaetär disse que, por causa da minha força, eu farei o trabalho de um sisu. O Imperador de Fogo a repreendeu, mas eu não me ofendi, Shaetär só estava sendo prática. Ela tem razão, minha mala deve ser a maior.

– Badara

~

NOITÁRIO DE Shaetär Urdo, Esposa de S'almu Saruma

37ª lua do mês do Barro do Ciclo 1701 E.M.
Acampamento sobre o Kusari, deserto de Caima

Noites geladas. Mãos tremem.

Durante o dia, o sol de Kurgala nos castiga sobre este animal profano. O calor é sufocante, dentro e fora desta tenda. Badara fede como uma ninzuna cansada, mesmo sem metade dos pelos.

Nosso "veículo" demonstra cada vez mais sinais de abstinência de magia da feiticeira. Agora há pouco o kusari se recusou novamente a interromper o caminhar. As engrenagens gemeram. A cada passagem de Sinanna nos céus, os tambores da contagem regressiva aceleram.

"E Nossos gritos de ódio vencerão as paredes desta Prisão de Cristal", disseram Tiamatu e Abzuku, "e ecoarão através de Kurgala, enfurecendo os animais da terra e do mar."

Que os Quatro nos protejam.

Na manhã de ontem avistamos uma comitiva caimani. Quatro ou cinco. Manchas coloridas sobre dunas monótonas. Alguns fugiram, outros se arriscaram sob a sombra do kusari para nos arremessar flechas. Lanças.

Inofensivos. Nós os deixamos para trás.

Na guerra de Larsuria fizemos uso do povo caimani. Eficazes na violência, mas instáveis. Egoístas. Não entendem cooperação. Não são como nós, mau'lin, humanos, sadummunianos. Família, valores. Seus olhos não conversam com os nossos. Enquanto nascemos moles, caimani nascem duros, ovos abandonados ao sol. Solitários. Prontos.

"Sangue frio e sangue quente nunca se misturarão."

S.

~

NOITÁRIO DE Badara, Esposa de S'almu Saruma
Acampamento sobre o patas-de-trovão –
deserto de Caima, noroeste de Badibiria
Lua 39 do mês do Barro

Ciclo 1701 da Era dos Mortais

O patas-de-trovão demorou muito a se deitar hoje. A noite está especialmente fria e a irmã Shaetär já está dormindo, enrolada num pequeno montante de cobertores aqui na tenda.

S'almu Saruma ainda está ali fora, perto do fogo que acendemos ao final da tarde, consultando sua espada. Ele nos disse que ~~a criatura~~ o guardião que estamos perseguindo mudou de direção de ontem para hoje e passou a seguir para o sul. Eu não sei o que isso significa, mas nosso Senhor me pareceu muito frustrado! Que os Quatro nos ajudem!

Aishara e Puabi, penso em vocês todos os dias, irmãs! Pela glória dos Quatro Que São Um, se eu estou apavorada, imagino o que vocês estão passando, onde quer que est

O ACAMPAMENTO balançou e Badara não terminou de escrever a frase. Shaetär despertou assustada, vendo a colega impedir, por pouco, o lampião de cair da cômoda onde ela escrevia.
– Vocês estão bem? – Adapak surgiu por detrás da lona de entrada, deixando o ar gelado entrar.
Um ronco longo ecoou através do deserto e o acampamento balançou mais uma vez.
– Precisamos descer antes de o animal se erguer – disse Shaetär, livrando-se das cobertas. Badara entregou o lampião ao espadachim, guardou o noitário num dos bolsos do casaco e começou a se vestir. A mau'lin estava pronta antes que a colega calçasse as botas e deixou a tenda portando somente a bainha das espadas.
– Temos que ir! – Adapak apressou a filha de Azagör. Ela havia perdido tantos pelos que parecia ter emagrecido.
– Um instante, meu Senhor – pediu a sadummuniana, tirando de um baú o recipiente com a mão morta do rapaz. Cuidadosa, ela

guardou o precioso objeto numa bolsa amarrada à cintura. – Estou pronta!

Sob a luz das estrelas, o trio correu pelo acampamento abandonado, desviando-se do labirinto de espigões e tendas carbonizadas. Outro ronco soou através da noite e o kusari começou a se erguer, tirando o equilíbrio dos últimos passageiros em sua carapaça; pressionados contra o solo rugoso, Adapak e as Esposas não tiveram escolha senão aguardar, sob o vento frio, a enorme criatura se colocar sobre as seis patas. Em seguida, sentiram o efeito inverso e foram momentaneamente puxados para cima antes de retornarem à estabilidade.

– Vamos, estamos próximos! – disse Shaetär ao se levantar. Ainda desorientados, Adapak e Badara a seguiram aos tropeços quando o acampamento começou a oscilar.

– P-para onde o patas-de-trovão está indo?! – perguntou Badara entre as estrondosas passadas do animal. O caminhar parecia diferente. Irregular.

– Esta besta esteve enfeitiçada há sabe-se lá quanto tempo – falou a mau'lin. – Fome, raiva... Não ficarei aqui para descobrir o que ela está sentindo.

O grupo finalmente alcançou a borda oeste do kusari, onde a plataforma de desembarque os aguardava entre as redes de proteção. A estrutura de madeira rangia com o movimento do acampamento, algumas escadas desenroladas e um dos balaios já pendendo para fora da beirada. As grandes mochilas que Shaetär preparara dias antes, com roupas e mantimentos para a viagem, os aguardavam amarradas ao parapeito. Adapak se debruçou e avaliou a distância; centenas de cascos abaixo, as dunas do deserto eram ondas num mar negro e estático.

– Estamos alto demais para as escadas, vamos ter que usar os elevadores – disse o espadachim, se encaminhando ao primeiro cesto. – Peguem suas malas e entrem aqui, eu liberarei a alavanca...

– Irmã Badara terá que descer em outro cesto – afirmou a mau'lin, colocando sua mochila nas costas.

– O quê? – indagou a colega, ainda desamarrando a sua. – Por quê?

Shaetär empurrou metade do balaio para fora da plataforma.

– Você é pesada demais para vir conosco – falou ela.

Confusa, a sadummuniana lançou um olhar para o espadachim.

– Não se preocupe. – Adapak a acalmou. – Eu descerei você primeiro e depo...

O acampamento sofreu um solavanco. Adapak se agarrou ao parapeito e Badara foi ao chão, mas Shaetär tropeçou da plataforma e por pouco não conseguiu se agarrar ao elevador de vime, que terminou de escorregar para fora da estrutura, levando a jovem consigo. Badara gritou pela colega, vendo-a balançar e retornar com um baque, quase despencando para a morte. Adapak saltou para o cesto e a segurou pelos braços, puxando-a para o lado de dentro com dificuldade dobrada por conta do peso extra da bolsa.

– Você está bem? – perguntou ele, os dedos dormentes pelo esforço. Arfante, Shaetär confirmou com a cabeça.

De súbito, as engrenagens estalaram e o elevador começou a descer. Adapak e Shaetär se agarraram à borda do balaio e flagraram Badara com uma das mãos na alavanca.

– Estarei logo atrás de vocês, não se preocupem! – gritou ela.

Reféns do ritmo lento do mecanismo, Adapak e Shaetär se agacharam no fundo do cesto, protegendo-se do frio que os castigava. Sob o embalo do patas-de-trovão, eles sentiram o elevador balançar de um lado para o outro como um pêndulo.

– Vamos ter que saltar! – avisou o espadachim, vendo o solo cada vez mais próximo.

– O quê?! – reagiu a mau'lin.

Adapak espiou para o lado de fora, o vento forçando-o a semicerrar os olhos.

– Quando eu disser, pule com os braços e pernas encolhidos! – gritou ele. A mau'lin se agarrou à borda do balaio, sua faixa de cabelos chicoteando no ar. – AGORA!!

O par saltou. A inclinação da duna suavizou o impacto, mas não os livrou da dor que a queda exigiu; abraçados pela areia morna, Adapak e Shaetär rolaram ladeira abaixo ao som do caminhar do kusari, que prosseguia indiferente à fuga de seus últimos passageiros.

Quando o mundo parou de girar, Adapak ergueu o rosto da areia e inflou os pulmões. Suas costelas reclamaram. Tossindo, ele se ajoelhou com dificuldade, sentindo também as pernas.

– Shaetär! – chamou ele, limpando a face. – Shae...

Uma enorme massa avermelhada desceu dos céus e afundou no solo a alguns passos de onde Adapak se encontrava. Um estrondo e uma nuvem de areia o envolveram, e então a massa retornou aos céus tão rápido quanto surgira. Cobrindo olhos e boca, ele compreendeu que, por pouco, não havia sido esmagado por uma das patas da gigantesca criatura.

– Meu Senhor! – gritou Shaetär, a voz em algum lugar do caos.

– Aqui – respondeu o espadachim, se levantando em meio à cortina de areia, que aos poucos se dissipava. – Shaetär, você... Você viu se Badara conseguiu descer?

– Impossível dizer, meu Senhor – afirmou ela, se aproximando. A mau'lin terminava de improvisar um lenço ao redor da cabeça, deixando apenas uma fresta para os olhos.

Adapak se voltou para o kusari. Contra o céu estrelado estava a insana silhueta de uma montanha em movimento, afastando-se ao som de trovoadas.

– Venha – disse o rapaz.

Com Shaetär em seu encalço, o espadachim seguiu o rastro da colossal criatura, escalando e escorregando nas dunas maculadas por suas poderosas patas.

– Ali! – Shaetär apontou para um volume parcialmente enterrado na areia.

– Badara! – chamou Adapak, correndo até a sadummuniana. Com uma expressão dolorida, ela segurava um dos seus braços menores. A grande mochila de viagem jazia ao lado.

– R-Rei de Fogo, irmã Shaetär... – respondeu ela, levantando-se com dificuldade. Havia areia grudada por toda a sua pelagem rala.

– Está ferida? – perguntou Adapak.

– Acho que... torci meu braço. – Badara fez uma careta. – E meu... Ah, espere!

A sadummuniana abriu o fecho da bolsa na cintura, onde guardara a jarra com a mão de Adapak. Secretamente, o espadachim desejou vê-la se desesperar ao constatar que o recipiente havia se partido.

– Ah, graças aos Quatro... – Ela removeu o objeto da bolsa. Estava intacto.

– Badara, guarde isso e preste atenção – insistiu o rapaz. – Onde mais você está ferida?

– M-meu pé também dói – falou ela.

Shaetär a examinou.

– Seu pé está apenas torcido, mas o braço quebrou – disse a mau'lin, removendo uma haste de bambu e um conjunto de bandagens da bolsa. – Felizmente o osso não saiu. Fique parada.

Com a experiência de quem já o havia feito inúmeras vezes, Shaetär começou a imobilizar o membro da colega com uma tala firme. Ao som dos gemidos contidos da sadummuniana, Adapak voltou a atenção ao kusari; vendo-o rumar para longe em sua marcha estrondosa, o jovem questionou se, assim como o acampamento em sua carapaça, a criatura também estaria fadada à morte, incapaz de sobreviver solitária no implacável deserto de Caima. Estaria apta a encontrar alimento ou água, novamente? A voz que o espadachim não se orgulhava em ouvir na consciência, todavia, insistia que a vida de Puabi e Aishara valia mais do que a daquele pobre animal, cujo destino fora selado não pelas mãos de Adapak, mas por aqueles que haviam removido o ser da natureza e o transformado numa gigantesca aberração.

– Meu Senhor – chamou-o Shaetär. Adapak viu que ela havia terminado a tala de Badara. – Onde está sua mochila?

– Eu... a deixei no kusari – revelou o rapaz, contraindo os lábios. – Ainda não a tinha pegado quando pulei no cesto para salvá-la.

Irritada, Shaetär dirigiu-se à colega.

– Irmã Badara, por que não a trouxe consigo?! – indagou a mau'lin.

– E-eu não... Eu não sei, eu...

– Não tem problema – interveio o espadachim. – Badara, você...

– Você pode ter nos condenado, Badara! – insistiu Shaetär.

Adapak ergueu a mão cinzenta.

– Eu já disse que não tem problema – repetiu o rapaz. Após o bufar de Shaetär, ele se voltou à sadummuniana. – Você consegue andar?

– Sim, meu Senhor – respondeu ela, apoiando-se no par de braços maiores.

Adapak tentou levantar a mochila da sadummuniana, mas era pesada demais.

– Eu consigo, Rei de Fogo, pode deixar – afirmou a filha de Azagör, recuperando a bolsa e colocando-a nas costas.

Adapak voltou-se para Shaetär.

– Eu levarei a sua – disse o rapaz.

Pega de surpresa, a mau'lin segurou as alças.

– Não será necessário, meu Senhor, eu...

– Eu não estou pedindo – interrompeu-a o espadachim. – Eu e
Badara somos os mais fortes.

Shaetär o encarou, os olhos amarelos espreitando entre a fresta do
pano que lhe cobria a cabeça e os cabelos.

– Sou serva da Sua vontade, Imperador Negro – disse ela, lhe entregando a mochila.

Devoção

A flecha é rápida, mas escrava do vento.

Tibaul Danvelec.

OS PRIMEIROS raios de sol começavam a atravessar a copa das árvores, aquecendo o interior da floresta por onde Sirara, Jarkenum e Rekzar caminhavam a pé. Cantarolando, o musculoso humano liderava a comitiva, puxando pelas rédeas um sisu de pelagem cinzenta. Abarrotado de bolsas e malas, o animal bufava enquanto transpunha o terreno irregular, os cascos lutando contra as pedras e raízes úmidas.

– É uma pena que tenhamos deixado a carroça para trás – disse Sirara, emendando um bocejo matinal.

– Devíamos ter trazido um daqueles seus cascos-da-estrada *fortões* – falou Jarkenum, a armadura tilintando a cada passo. Um pequeno cigarro de mochi pendia do canto de sua boca, ainda apagado.

– Aqueles estão reservados para o *jantar* – respondeu Rekzar. A arma estrelada Krülla repousava na bainha do peito, subindo e descendo sob a pesada respiração. – Este sisu é forte o bastante, não se preocupem.

– Eu sei que você... *Ah, bosta!* – Jarkenum tropeçou e caiu de joelhos, derrubando o cigarro. Ele começou a procurá-lo entre a folhagem, sem sucesso. – BOSTA! Por que, em nome dos Espíritos, precisamos ir até esse pilar se vocês já têm a espada e a maldita cabeça do mellat, hein?

Rekzar puxou as rédeas do animal e interrompeu a caminhada.

– Confesso que também ainda não entendi exatamente como isso vai funcionar – falou Sirara.

– Bom – disse Rekzar –, vocês sabem que todas as ferramentas... ou *relíquias*, como as chamamos, foram feitas a partir de fragmentos dos pilares, certo?

– Sim – respondeu a capitã. Jarkenum, por sua vez, se concentrava em recuperar o fumo perdido.

– Agora, imaginem que cada pilar é como um *farol* – explicou o musculoso humano. – No passado, quando uma relíquia era feita pelos Dingïrï, isso significava que uma fagulha dessa luz era emprestada para a joia.

– Certo... – A mulher acompanhou o raciocínio.

– Segundo apurei – prosseguiu ele –, Yarlagandu, o criador das três relíquias originais que Puzur roubou para colocar nas espadas, dizia que "juntas elas são uma ponte". Pois eu acredito que a fagulha responsável por fazer essa "ponte" tenha sido simplesmente dividida em três pelo próprio Yarlagandu antes de presenteá-las às filhas... e é por isso que as joias só funcionam quando juntas. O que pretendo fazer é justamente *compensar* a falta das fagulhas de Igi e Sumi.

– Ligando Lukur ao pilar e roubando a luz do pilar – sugeriu Sirara.

– *Pegando emprestado* um pouco de sua luz sagrada – corrigiu Rekzar.

– E isso faria o poder de Lukur funcionar sem Igi e Sumi, permitindo que eu consiga viajar para Shuru – completou a capitã.

– Bom, é aí que entramos em terreno desconhecido, como a alertei antes – falou o homem. – Há também a hipótese de que a atração natural das três joias faça com que, ao ativarmos Lukur, elas queiram se... *reencontrar*.

– Trazendo meu amigo diretamente até mim.

– Ou levando você até onde quer que ele esteja, *caso* ele esteja com Igi e Sumi e *caso* ele esteja próximo a um pilar – frisou Rekzar. – Ou...

– Ou...?

– Ou provocando uma reação catastrófica que destrua a sua relíquia – disse o homem, contraindo os lábios.

– O quê? – Jarkenum se ergueu com o cigarro na mão. – Eu não sabia que isso poderia acontecer, Si.

– Ou talvez *nada* aconteça. – Rekzar puxou o animal pelas rédeas, retomando a caminhada. – Não temos como saber ao certo.

Jarkenum esperou o amigo se distanciar e então segurou Sirara pelo braço.

– O que foi? – reagiu ela.

– Como assim "o que foi"? – sussurrou o homem de cabelos compridos. – Só eu que ouvi as palavras "reação catastrófica"?! Você sabia disso?

– Rekzar me explicou esse risco quando voltávamos das Cidades Quietas, sim – falou a capitã.

Jarkenum franziu o cenho.

– Si, isso não... Você... – Ele tentou encontrar as palavras certas. – Você está mesmo disposta a arriscar a vida por esse seu... *amigo?* – perguntou ele.

– Eu sou a única pessoa que ele tem, Jark.

– Mas e quanto às pessoas que se importam com você, Si?

– As que ficaram ao meu lado ou as que foram embora?

O homem bufou.

– Isso não é justo – falou ele. – *Você* me pediu para ir embora!

– Jarkenum, você... você é *inacreditável*. – Ela balançou a cabeça. – Se o Conselho tivesse descoberto o que você estava contrabandeando, meu tio teria sido preso!

– Ah, por favor... *Ninguém* teria descoberto, Si. – Ele tirou os cabelos compridos da vista.

– Você partiu o coração dele, sabia? – disse a capitã. – Partiu o *meu* coração.

Jarkenum entreabriu os lábios, mas foi incapaz de retrucar.

Na metade da manhã o destiño do trio de viajantes se fez visível, conforme a superfície esmeralda do pilar Dingirï aos poucos foi ganhando destaque por trás dos troncos da floresta. Ainda na dianteira, Rekzar subitamente interrompeu a caminhada e fez sinal para que os companheiros fizessem o mesmo.

– O que foi? – sussurrou a capitã.

– Acho que vi alguém – respondeu o musculoso homem, os olhos verdes focados à frente. O sisu bufou e bateu o casco na terra.

– Eu *avisei* que estávamos muito perto da cordilheira – falou Jarkenum.

– Qual o problema da cordilheira? – perguntou Sirara.

– Como assim "qual o problema"? – retrucou o homem de cabelos longos. – Aquelas cavernas estão fervilhando de orelhas-de-vela, Si!

– E daí? – indagou ela. – Pelos Quatro, Jark, eles não são *animais*...

– Se fossem guandirianos, nós já teríamos ouvido os guinchos há tempos – disse Rekzar, mantendo o tom de voz baixo. – Não, eu escolhi este pilar justamente porque os únicos mortais que costumam visitá-lo são, de fato, os moradores das cordilheiras... Mas eles o fazem à *noite*.

– Tem certeza de que viu alguém? – insistiu Jarkenum.

– Vamos descobrir, venham – falou o homem.

O gigantesco pilar Dingirï nascia do solo da clareira e se projetava muito acima da copa das árvores, competindo em altura somente com a famosa cadeia de montanhas ao leste. Na base da colossal estrutura havia vasos, joias, armas e outras oferendas sendo reviradas por um jovem casal ushariani.

– O que pensam que estão fazendo, peles-de-vidro? – Rekzar os confrontou, saindo da mata com sua pequena comitiva.

O casal se virou, seus corpos semitransparentes adquirindo o tom esverdeado do pilar à retaguarda. O macho, franzino e encurvado, segurava uma bela jarra de cerâmica nas mãos, que por pouco não escapou para o chão com o susto.

– Quem vem lá? – perguntou, apreensiva, a pele-de-vidro fêmea, tocando o cabo do facão amarelado amarrado à cintura. Os cordões de joia ao redor do pescoço contrastavam com as roupas simples de camponesa que ela e o companheiro trajavam. Duas mochilas de viagem jaziam semiabertas a alguns passos dali.

– Eu sou Rekzar Marchan, último descendente das Asas do Viajante – declarou o humano, entregando as rédeas do animal de carga para Jarkenum. – Como se atrevem a profanar este lugar sagrado?

Intrigados, os camponeses se entreolharam. Sirara não soube se a expressão era fruto do flagrante ou se da aparência bizarra de Rekzar.

– Você disse que não haveria ninguém neste pilar – falou o jovem ushariani para a companheira.

– Eu lhes fiz uma pergunta! – insistiu Rekzar.

– N-não somos devotos do Viajante – respondeu o camponês, tentando disfarçar a insegurança ao inflar o peito magro. – A ponta da Lança nos guia!

– Você fala em nome de um deus enquanto rouba os pertences de outro? – indagou Rekzar.

– Pertences?! – A fêmea pele-de-vidro abriu o trio de braços em protesto. – Algumas dessas coisas estão largadas aqui há *centenas* de ciclos! O Viajante dorme em seu trono nas nuvens e não se importa com o que acontece aqui embaixo!

Rekzar tocou a bainha de Krülla.

– *Aaaacho* que estamos ficando um pouco dramáticos, aqui – disse Jarkenum, exibindo um sorriso nervoso.

Sirara se colocou ao lado de Rekzar e pousou a mão sobre seu ombro. O homem olhou para ela e, relutante, baixou a guarda. A capitã então se dirigiu ao casal ushariani.

– Olhe, por que... por que vocês dois não deixam essas coisas aí e nós fingimos que nada aconteceu? – sugeriu ela.

O camponês pousou o vaso no chão.

– Não, Calal! – protestou a fêmea pele-de-vidro. – Nós viemos de muito longe, *precisamos* disso!

– Escute, parceira. – Foi a vez de Jarkenum tentar. – Pessoalmente eu deixaria você levar o que quer que os orelhas-de-vela tenham deixado apodrecer aqui, mas... o meu amigo fortinho aqui é um sujeito *beeem* religioso, como vocês já devem ter notado, e ele não vai levar na boa, acredite em mim...

A camponesa moveu uma das mãos na direção do facão.

– *Garota* – chamou-a Sirara, firme. – Quero que olhe bem para *vocês* e olhe bem para *nós*. Quem você acha que vai sair vivo se você sacar a sua arma?

– Uta, por favor – pediu o jovem pele-de-vidro.

A camponesa moveu o olhar tenso para Jarkenum e depois para Rekzar. O homem a mirou de volta com os penetrantes olhos verdes.

– Está bem... – A pele-de-vidro relaxou os ombros.

– Dê-me esses cordões – ordenou Rekzar, caminhando até ela.

E então o enorme humano a agarrou pela cabeça e a girou violentamente para trás, quebrando seu pescoço com um estalo úmido.

Boquiabertos, Sirara e Jarkenum acompanharam o corpo da camponesa tombar sem vida aos pés de Rekzar. O ushariani macho gritou e recuou, o olhar incrédulo alternando entre o cadáver da companheira e seu musculoso assassino. O jovem deu meia-volta e correu, as três pernas tropeçando nas oferendas espalhadas pelo chão.

Rekzar tirou Krülla da bainha do peito, as lâminas de osso ainda mais alvas sob os raios do sol.

Sirara gritou, assustando o cascos-da-estrada. Rekzar arremessou a arma estrelada. Jarkenum segurou as rédeas do animal assustado. Krülla girou e assobiou, cortando o ar morno da manhã. O pele-de-vidro olhou por cima do ombro um instante antes de ter a cabeça decapitada.

A arma de Rekzar terminou a jornada cravada no tronco de uma árvore à frente, as lâminas agora vermelhas.

– Pelos Espíritos... – balbuciou Jarkenum.

– Reks, o que... o que você fez? – perguntou Sirara.

Com o olhar fixo no local onde Krülla havia fincado, Rekzar ergueu a mão direita. A estranha arma se moveu timidamente, como se um fantasma estivesse tentando puxá-la do tronco de árvore, sem sucesso. Rekzar abriu ainda mais os dedos e o artefato finalmente se desprendeu da madeira e voou girando na sua direção. Sirara prendeu a respiração, imaginando os dedos do homem sendo decepados num esguicho escarlate. Rekzar, entretanto, capturou Krülla no ar com a precisão de um malabarista veterano.

– "Eu sou Aquele que cortou a escuridão" – disse o homem.

Oásis

A floresta é paciente, pois sabe que vencerá.

Lin, no livro de Kettä.

– AQUILO são... plantas? – indagou Badara.

Do alto da duna íngreme, a filha de Azagör mirava algo no horizonte do deserto ao final da tarde. Uma dezena de passos atrás da sadummuniana, Shaetär e Adapak ainda terminavam de escalar o monte de areia.

– Mesmo com o pé torcido... e uma bolsa nas costas... ela consegue subir... mais rápido do que eu – resmungou a mau'lin, o pano sobre o rosto abafando sua voz arfante.

Igualmente cansado, o espadachim ao seu lado esboçou um sorriso.

– Bom... ela tem sete outros membros para ajudá-la – brincou ele, o peso da mochila de Shaetär lhe castigando os ombros.

– Vejam. – Badara apontou para o sul, assim que os dois a alcançaram. – É outro daqueles *jardins*, eu acho.

Usando a mão cinzenta para proteger os olhos do sol poente, Adapak vislumbrou o local indicado; de fato, centenas de milhares de cascos adiante, um atraente refúgio esverdeado se destacava na monocromia do cenário.

– O nome correto é oásis, irmã. – Shaetär se apoiou nos joelhos.

– É a mesma coisa, sua chata – retrucou a filha de Azagör.

– Hum... Parece menor do que aquele que encontramos quando ainda estávamos sobre o kusari – disse o espadachim. – Centenas de ciclos atrás, quando o deserto ainda era livre para todos, oásis como esses eram muito usados como pontos de parada entre uma cidade e outra.

– Está bem na nossa rota. – Badara sinalizou com uma das mãos. – Será que o guardião voador pousou ali para comer?

Desamarrando a mochila das costas, Adapak negou com a cabeça.

– Os mellat não precisam de água nem comida – explicou ele, apoiando o equipamento na areia. – Mas nós, sim. Podemos aproveitar para reabastecer nosso estoque de mantimentos e descansar.

– Onde há *recursos*, há quem queira *protegê-los* – disse Shaetär. – Precisamos ser cuidadosos, meu Senhor.

– Nem todas as pessoas do mundo são nossas inimigas, irmã – falou Badara.

Enquanto as duas discutiam, o espadachim limpou o suor da testa e se permitiu um momento para recuperar o fôlego, naquele que era o quarto dia desde que haviam abandonado o kusari. Obedecendo à espada Igi, o trio seguia na direção sul, caminhando sempre do final da tarde até o início das manhãs seguintes e parando para abrigar-se quando o sol estava a pino.

Tendo passado quase a vida inteira no Lago Sem Ilha, Adapak nunca havia sido exposto a condições climáticas tão extremas quanto as que experimentava agora no deserto de Caima. Porém, ainda que o calor intenso o maltratasse e seus músculos doessem como ao final dos treinamentos com Telalec, ele descobrira que seu corpo parecia estar resistindo melhor do que o de muitos outros povos de Kurgala – incluindo os de Shaetär e Badara.

Shaetär, a mais vulnerável às queimaduras do sol por conta da pele branca, fina e enrugada, era obrigada a se cobrir por inteiro, improvisando – além da capa que todos usavam – com faixas de tecido ao redor dos braços e pernas. À noite, ainda que envolta em cobertas, ela se esforçava para disfarçar que sofria bastante com o frio, ao contrário da colega sadummuniana.

Badara, por sua vez, não se importava em vocalizar as dificuldades que enfrentava; o calor intenso havia cobrado boa parte de sua pelagem, com quase um terço de seu volume corporal perdido para o efeito (assim como parte do bom humor). A tala feita por Shaetär imobilizara seu braço quebrado, mas a dor a mantinha ainda mais estressada – mesmo sob a medicação que a mau'lin lhe fazia ingerir diariamente. Mancando graças ao pé torcido, Badara também descobrira que o peso avantajado a fazia *afundar* na areia fofa, dificultando ainda mais o caminhar.

– Shaetär tem razão – falou Adapak, interrompendo a discussão das Esposas. Ele mirou as árvores na distância. – Se tem água e comida, com certeza terá *vida*. E potencialmente hostil.

– Caimani? – sugeriu a filha de Azagör.

– Ou animais – disse a mau'lin. – Imperador Negro, como a mais discreta e rápida de nós, proponho que eu siga na frente e realize um rápido reconhecimento.

Adapak olhou ao redor.

– Estamos no meio do nada e daqui a pouco vai anoitecer – respondeu ele. – A chance de nos perdermos é muito alta, eu... prefiro que nós fiquemos juntos. Venham.

O SOL desaparecia no horizonte quando Adapak e as Esposas alcançaram a margem do oásis. Pássaros de crinas coloridas e pescoços compridos os observavam da copa das árvores, piando como se para anunciar a chegada dos visitantes.

– O que são aquelas coisas, meu Senhor? – perguntou Badara.

– *Furareias* – disse ele, observando as criaturas aladas. – Não vão nos atacar, não se preocupem. Estão mais interessadas em carniça ou pequenos animais que se escondem na...

Adapak interrompeu a frase e o caminhar. Algo naqueles animais havia fisgado sua memória e ele precisou de um instante até compreender do que se tratava.

As asas.

As asas das furareias eram perturbadoramente semelhantes às dos mellat que haviam atacado o acampamento. Dos dedos alongados à membrana translúcida que se unia ao tronco.

– Que se escondem onde, Rei de Fogo? – Quis saber Badara, parando de caminhar.

– O quê? – reagiu ele.

– "Estão mais interessadas em carniça ou pequenos animais que se escondem na..."? – indagou a sadummuniana.

– Na... Na *areia* – concluiu Adapak, disfarçando a inquietação.

Tranquilizadas pela informação que ele havia compartilhado, as Esposas prosseguiram para a mata. O rapaz aguardou para ver se alguma delas ia notar a semelhança – o que não ocorreu.

Antes que o trio penetrasse no oásis, contudo, Shaetär fez sinal para que parassem:

– Meu imperador, veja – disse ela.

A uma centena de passos do trio, próximo à linha da vegetação, uma estranha estrutura de madeira se destacava no crepúsculo.

– Onde? – perguntou Badara.

– Consegue enxergar o que é? – falou o espadachim, fazendo sinal para que se abaixassem.

A mau'lin levou alguns instantes para responder.

– Algum tipo de... *embarcação* – finalmente arriscou. – Tem um mastro e... algo como remos nas laterais.

– Na areia?! – reagiu Badara.

– Consegue ver se há alguém no convés? – perguntou Adapak.

– Não vejo ninguém, meu Senhor – disse a mau'lin.

Cauteloso, o trio margeou o oásis até desvendar o mistério; estacionado sobre a areia estava uma espécie de veículo composto de três cascos de madeira alinhados em paralelo. Um único mastro se erguia do casco do meio, abrigando em sua base um par de enormes velas dobradas. No topo da viga, uma pequena esfera de vidro refletia a lua de Sinanna.

Seis longas extensões flexíveis figuravam nas laterais do estranho veículo; eram semelhantes a *remos*, mas Adapak sabia que essa não era exatamente sua função. O jovem calculou que o transporte inteiro devia medir cerca de 35 passos de comprimento de uma ponta à outra, sendo projetado para três ou talvez quatro ocupantes.

-- Se parece mesmo com um *barco* – exclamou Badara, logo atrás de Shaetär e Adapak. Ao longe, as furareias piavam em ritmo, compondo uma apropriada sinfonia de suspense.

– Foi o que eu *disse* – sussurrou a mau'lin. – E fale baixo, estúpida.

– *Você* é estúpida – retrucou Badara, baixando a voz.

– É uma cruzadunas – murmurou Adapak.

– Uma o quê?

– Uma cruzadunas – repetiu ele, fascinado com o achado. – Foram inventadas pelos ushariani na era Dingirï, quando os Quatro ainda viviam entre os mortais. Eram um meio de transporte comum no deserto antes de os caimani decidirem tomar a região somente para si.

– O senhor... realmente disse que os Quatro nos proveriam outro transporte – falou Badara.

Adapak engoliu em seco.

– Sim... eu disse – respondeu ele.

– Não vejo ninguém em seu interior – comentou Shaetär, as pupilas dilatadas na penumbra.

O espadachim desembainhou sua arma.

– Badara, nos espere aqui. – Ele apoiou a mala no chão.

Agachados, Adapak e Shaetär se esgueiraram pela margem do oásis até a cruzadunas e então começaram a escalá-la pela lateral do casco direito. Adapak notou a palavra NANIELE escrita na madeira, mas não soube dizer o que significava.

A bordo do veículo, uma grossa rede se estendia sobre o trio de cascos de madeira, formando uma espécie de convés (ainda que instável) repleto de baús, caixas e barris – a carga, no entanto, parecia ter sido recentemente violada, com garrafas quebradas e restos de mantimentos espalhados por todo o lugar. O entalhe do mastro há muito tinha se desgastado, mas a viga de madeira fora reforçada e parecia firme o bastante para sustentar as velas, quando infladas através de um sistema de amarras, como numa embarcação tradicional. Já os seis longos "remos" da cruzadunas podiam ser erguidos ou baixados até a areia graças a um complexo mecanismo de roldanas e cordas ligadas a uma alavanca à dianteira do veículo, onde se encontrava o assento de comando. Fixas nos cascos laterais da embarcação estavam duas balestras com afiados arpões disponíveis para disparo; o espadachim imaginou que tipo de alvo costumavam acertar.

Shaetär assobiou baixo, chamando a sua atenção; uma abertura na traseira do casco principal levava a uma pequena cabine inferior, que eles encontraram vazia ao final das escadas.

– Sinto fedor *humano* – disse Shaetär, farejando a cama desarrumada. – Um macho humano, que costuma passar bastante tempo neste buraco.

– Como sabe que se trata de um macho?

– O fedor dos machos humanos é diferente do fedor das fêmeas. – A mau'lin torceu o nariz.

Adapak deu de ombros; o único odor que sentia era o do prato de arroz esquecido no chão. Ele notou também que os armários e gavetas estavam abertos e revirados.

– Acha que esse "macho humano" saiu daqui às pressas antes que a cruzadunas fosse saqueada? – perguntou o espadachim, recolhendo um chapéu negro de uma cômoda. A aba era adornada com dentes de algum predador que ele não soube identificar.

– Aposto mais que tenha sido levado à força – disse a mau'lin. – Só não compreendo por que não levaram o veículo. Será que está quebrado?

Pensativo, Adapak pousou o chapéu na cama e fez sinal para que Shaetär o seguisse de volta ao convés enredado. Uma vez lá fora, ele apontou para a esfera de vidro escuro no topo do mastro.

– Está vendo aquilo ali? – perguntou ele.

– A lanterna, meu Senhor?

– Não é uma lanterna. Ali dentro há uma relíquia Dingirï – revelou o rapaz, para o espanto da companheira. – É graças àquele artefato que as cruzadunas eram... *são* – corrigiu-se Adapak – capazes de pairar sobre a areia e velejar como barcos.

Shaetär estudou a esfera.

– Não parece violada – disse ela.

– Consegue subir até lá e conferir?

Sem pestanejar, a mau'lin embainhou a espada e começou a escalar o mastro, impressionando Adapak com a agilidade.

– Pelos Quatro... – Ela espiou o interior do globo. – A relíquia ainda está aqui dentro, meu Senhor.

Uma respiração pesada chamou a atenção do espadachim; ele se virou com a arma em punho, apenas para descobrir Badara se aproximando na lateral da cruzadunas.

Shaetär terminou de descer do mastro e repreendeu a colega:

– O Imperador Negro ordenou que você nos aguardasse, irmã – protestou a mau'lin.

– Perdoe-me, eu... É que vocês demoraram e eu fiquei com *medo* – disse a filha de Azagör, em posse das duas mochilas na areia. – Há *barulhos* naquele matagal...

Adapak embainhou a espada Igi e ajudou Badara a subir a bordo do veículo.

– Não há ninguém aqui? – Badara apoiou as malas nas redes do convés.

– O capitão sumiu – respondeu o rapaz.

– Será que ele foi... atacado por algum animal? E devorado? – perguntou Badara.

– Haveria *sangue* – argumentou Shaetär. – É mais provável que tenha sido levado. Levado por alguém que não tinha conhecimento de como um veículo desses funciona. Por isso o abandonaram aqui.

– Exato. – Adapak lançou um olhar para a linha das árvores.

Shaetär notou.

– Ele pode ter sido levado para outro lugar do deserto, meu Senhor – sugeriu ela.

– Ou estar lá dentro precisando da nossa ajuda – disse Adapak, pegando a mochila menor do chão. – De qualquer maneira, vamos precisar repor a nossa água e a nossa comida, estão quase acabando.

– Podemos pegar o que sobrou da carga da cruzadunas, Senhor – falou Shaetär.

– Shaetär, não vai nos custar procurar por...

– Pode custar nossas *vidas* – interrompeu-o a mau'lin.

– É por isso – Adapak retomou o discurso, cauteloso – que quero que você e Badara me esperem aqui enquanto eu vasculho o oásis.

– N-nós ficaremos sozinhas neste barco? – perguntou a filha de Azagör.

– Não é um *barco* – disse Shaetär, voltando-se então ao espada-chim. – Somos uma só carne, meu Senhor. Não podemos deixá-lo.

O rapaz inspirou fundo.

O trio desceu para a areia e se embrenhou na vegetação do oásis, com Shaetär liderando e abrindo caminho com suas espadas de osso. Badara mancava entre a colega e Adapak, reclamando dos galhos que feriam sua pele carente da pelagem que perdera para o calor do deserto.

O ar aos poucos se tornou abafado e úmido, e os cheiros e sons da floresta trouxeram uma estranha sensação familiar a Adapak, cuja mente consultava enciclopédias e o provocava com ameaças em potencial.

– Que tipos de predador podem viver num lugar como este? – sussurrou Shaetär, parecendo adivinhar os pensamentos do rapaz.

– Fora insetos e outras coisas venenosas rastejantes – respondeu ele –, eu só consigo pensar em alguns carniceiros, mas a maioria costuma fugir quando escuta barulho de alguém se aproximando.

– Espero ouvi-los antes que ouçam *a mim* – disse Shaetär, cortando a folhagem.

Adapak tentou ler as frases escritas nas lâminas da mau'lin, mas ela as movimentava rápido demais.

– Você... tem um belo par de espadas aí, não? – falou o rapaz.

Um belo par de espadas? Idiota.

– Meu Senhor? – Ela se virou, fazendo o grupo parar de caminhar.

– Suas... suas espadas – disse o jovem. – É *mau'lini* escrito nas lâminas, não é?

– Sim, meu Senhor, trata-se do nome de cada espada – confirmou Shaetär. Sem esconder o orgulho, ela ergueu a arma mais longa. – Esta é Vento Branco, um presente de minha mãe, Shaetär Urdo, devota de S'almu Saruma. Eu a ganhei quando ingressei na Academia.

– É muito bonita – elogiou o espadachim. – E a outra?

– Rio Vermelho, um presente de meu pai. – Ela exibiu a espada curta. – Um presente de pai para filha, mas também...

Shaetär interrompeu a frase no meio. Por um instante, Adapak achou que ela tivesse escutado algo suspeito na mata, mas quando viu que seus olhos amarelos ainda miravam a própria lâmina, entendeu que o que a havia distraído fora o coração.

– Mas... também um presente do Imperador de Larsuria para a sua guarda pessoal – completou Shaetär, a voz sutilmente embargada ao final da frase.

– As duas são lindas, irmã Shaetär – elogiou Badara após um momento de silêncio.

Adapak tomou a dianteira e avançou até enxergar uma clareira à frente; mantendo-se oculto graças à vegetação fechada, fez sinal para que as companheiras se juntassem a ele e espiassem.

Cercando uma lagoa de águas turvas, lá estavam as ruínas de uma pequena comunidade, iluminada somente pelo luar de Sinanna. Completamente tomadas pela vegetação, as estruturas de pedra deixavam evidente há quantos ciclos tinham sido deixadas abandonadas e expostas aos efeitos implacáveis da natureza.

– Não vejo ninguém – disse o espadachim. – E vocês?

Badara negou com a cabeça. Shaetär embainhou as armas.

– Não há ninguém – confirmou a mau'lin. – Mas acho que enxergo um poço em frente àquela ponte.

Os três cautelosamente adentraram o cenário e seguiram na direção da estrutura que Shaetär havia sinalizado. As ruas e calçadas da cidade eram um carpete irregular de pedras e plantas mescladas pelo tempo – antigas vias civilizadas vencidas pelo oásis. No céu, as barulhentas furareias haviam dado lugar a outra sorte de seres alados, porém menores, silenciosos e interessados apenas em se alimentar dos suculentos insetos noturnos.

– Achei que todas as cidades do deserto haviam sido destruídas pelos caimani – falou Shaetär, transpondo uma grande raiz. – Este lugar me parece apenas... *abandonado.*

– Nem todos quiseram ou tinham como lutar pelo direito de ficar – explicou Adapak. – Algumas pessoas simplesmente... partiram.

– Testemunhei tanta devastação durante a guerra em Larsuria que esperava encontrar o mesmo aqui – disse ela.

– Por que você sempre espera por *morte* ou *destruição*, irmã? – perguntou Badara.

Shaetär soltou um riso baixo.

– A destruição é parte da criação, irmã Badara – respondeu ela ajeitando a faixa de cabelos. – Aqueles que se sentam nos tronos de Kurgala, como meu pai fez antes de ser assassinado, compreendem esse equilíbrio.

– Que tipo de equilíbrio o seu pai estava buscando quando começou uma guerra pelo controle da Casa de Anu' När? – Foi a vez de Adapak questioná-la.

Surpresa, Shaetär interrompeu o caminhar.

– Meu Senhor, os segredos no interior da Casa Abandonada tinham... *têm* o poder de retornar o nosso reino ao que éramos na era Dingirï – disse ela, cuidadosa. – Os recursos que teríamos à nossa disposição, as doenças que poderíamos erradicar... Meu pai enxergou isso, ao contrário dos meus tios; *eles* foram os verdadeiros responsáveis pelo eclodir da guerra.

Sem retrucar, Adapak retomou o passo.

O trio logo alcançou o antigo poço da cidade. Tudo que restara da estrutura, contudo, era o buraco no solo e parte da mureta, onde o espadachim se debruçou para espiar a escuridão:

– Mesmo que tivéssemos como descer um balde até o fundo, está tão infestado de plantas que nunca chegaríamos à água – observou ele.

Um grito ecoou na noite.

– De onde veio isso? – perguntou Badara.

O grito ecoou mais uma vez, dessa vez acompanhado do piar já familiar das furareias. De espadas desembainhadas, Shaetär apontou para um grande moinho à margem da lagoa.

– Veio de lá – disse ela.

A mau'lin fez sinal para que a sadummuniana e o espadachim se esgueirassem com ela para trás dos escombros de uma estátua em frente ao moinho, de onde puderam avaliar o novo cenário: parte da parede da antiga estrutura havia colapsado, centenas de ciclos atrás, transformando-a numa caverna artificial para a flora invasora, que a forrara com musgo, raízes e flores dos mais variados tipos e cores. Desenhando uma cortina natural por todo o interior, dezenas de longos cipós pendiam do teto do abrigo e terminavam em cachos de apetitosas frutas avermelhadas que relavam o matagal no solo.

Pousadas na entrada do moinho, duas furareias piavam para um acampamento montado aos fundos, onde um humano acuado – sentado e de mãos atadas – berrava para afugentar as aves carniceiras.

Adapak deixou a mochila com Badara e saiu de trás da estátua, gritando e correndo para o interior do moinho. Assustadas, as pequenas criaturas alçaram voo e escaparam para a noite.

– Q-quem está aí? – A pergunta do humano ecoou pela câmara. Através da cortina de cipós e do mato baixo, o espadachim tinha dificuldade de enxergá-lo, mas julgou que sua voz soava um pouco debilitada.

– Fique calmo, amigo, estamos aqui para ajudar – declarou Adapak, caminhando em direção ao acampamento. Seguida pela colega, Shaetär parou na entrada da câmara, farejando o ambiente.

– Não se aproximem! – berrou o homem.

– Nós não vamos machucá-lo – falou Adapak, afastando os cipós do caminho.

Um deles se enroscou ao redor do seu braço esquerdo.

Estarrecido, o rapaz agarrou a corda natural com a outra mão e tentou se libertar, sentindo a pressão contra seu bíceps crescer. Sem sucesso, ele buscou a espada na bainha e o cotovelo tocou outro cipó.

O vegetal se enroscou ao redor do seu punho direito.

O espadachim começou a ser içado para o alto. O primeiro puxão foi com um espasmo, erguendo o jovem pelos braços e mantendo-o desajeitadamente no ar, como a marionete de um artista sem prática.

Shaetär veio em seu socorro e tentou segurá-lo pela bota, mas o segundo espasmo o tirou do alcance dela. Adapak olhou para cima.

Presas ao teto florestal do moinho, enormes bolsas amarelas davam origem aos cipós que cortinavam o cenário abaixo. Elas eram inchadas e de textura fibrosa, pontuadas com as mesmas pequenas frutas que balançavam ao final dos apêndices que partiam de suas bases.

– Pela Matriarca – balbuciou Adapak.

Como uma flor desabrochando para o sol, a bolsa que o mantinha de refém se abriu lentamente, dividindo-se em quatro segmentos arroxeados. Havia um volume em seu interior, que se desprendeu com um som úmido e despencou, passando por Adapak e se espatifando ao lado de Shaetär. Mancando, a sadummuniana se juntou à colega e cobriu a boca ao se deparar com os restos parcialmente digeridos de um caimani e sua lança.

– Me ajudem! – chamou o espadachim imobilizado, sendo puxado para cima com outro espasmo. No teto, a planta havia se aberto completamente, expondo os restos de couro e osso do caimani ainda grudados em seus segmentos viscosos.

– Afaste-se, Badara! – ordenou a mau'lin, começando a cortar os cipós ao redor da área onde o rapaz havia sido pescado. A sadummuniana obedeceu, vendo que as extensões decepadas sangravam uma seiva clara e se retraíam de volta para as enormes bolsas no teto. Duas delas se abriram e deixaram cair a carcaça de uma furareia e os restos mortais de outro caimani, que se espatifaram no solo. Aflita, Shaetär estudou as paredes e o teto do moinho, calculando a possibilidade de escalá-las e, de alguma forma, ajudar o espadachim.

Seria impossível.

Adapak sentiu outro espasmo e olhou para o alto; paciente, o horror vegetal o aguardava com a faminta cavidade arroxeada escancarada, os cipós como línguas grotescas lentamente arrastando a presa para o abate. Adapak girou a cabeça e viu Shaetär, no solo, segurando uma das espadas como uma lança, porém hesitante em arremessá-la. O rapaz começou, então, a balançar as pernas livres para a frente e para trás até formar um pêndulo e finalmente tocar com a bota esquerda o cipó de outra planta, a dezenas de cascos de distância da que o tinha como refém; tal qual ocorrera com os braços, a extensão se enroscou no seu tornozelo.

Do solo, Shaetär testemunhou as duas plantas passarem a içar o espadachim em conjunto, mantendo seu corpo de lado e expondo os cipós de forma horizontal. Ela segurou a espada Rio Vermelho pela ponta do cabo, fez um cálculo rápido e a arremessou para o alto com um movimento de giro; a lâmina curta chegou perto dos cipós no apogeu, mas retornou sem o corte, fincando na mata abaixo. Shaetär segurou Vento Branco pela ponta do cabo e repetiu a ação.

A espada errou o alvo.

– Rápido! – gritou Adapak, vendo o teto do moinho cada vez mais próximo. O coração martelava no peito. O bíceps e o punho sofriam sob a pressão das amarras.

Shaetär recuperou Rio Vermelho e se posicionou. Adapak a ouviu gemer com o arremesso.

Por favor.

Nada.

Retesados, os cipós começaram a puxar o espadachim em direções opostas, dando início a um lento cabo de guerra pela presa capturada. Em agonia, ele fechou os olhos e imaginou qual dos seus músculos se rasgaria primeiro. *Provavelmente a mão*, pensou. Visualizou seu antigo membro direito dentro do jarro de vidro na mochila de Badara. Em breve ele teria companhia. O pensamento de duas mãos suas flutuando no líquido amarelo o apavorou mais do que a perspectiva de ser devorado por um vegetal faminto.

Adapak sentiu um tranco na mão direita.

Ele aguardou a dor – a dor que já havia sentido antes, na casa de Barutir. Quando ela não veio, o jovem abriu os olhos e viu que o cipó que prendia seu punho estava parcialmente rasgado, deixando escorrer a seiva clara. Ele ouviu o som da espada de Shaetär atingindo o solo abaixo e compreendeu que a mau'lin havia finalmente acertado o alvo.

Adapak puxou o braço para si com toda a força que tinha. A extensão rangeu e estalou as fibras até arrebentar de vez. O rapaz levou a mão livre à cintura e desembainhou a lâmina de Igi. Com mais um espasmo, as plantas que competiam pelo seu corpo o puxaram, fazendo o rapaz gritar e, por pouco, não deixar a espada lhe escapar dos dedos. Ele apertou o cabo da arma com firmeza e a usou para cortar o cipó que o segurava pela perna; a corda natural arrebentou e o jovem desferiu um pêndulo para o lado oposto, cortando os outros cipós antes que tivessem a chance de o agarrarem. Preso agora somente pelo bíceps esquerdo, Adapak tocou a lâmina de Igi no cipó e hesitou, pensando na altura da queda. Ele lançou um olhar para cima; escancarada, a horrenda cavidade do vegetal parecia salivar com o aproximar da cobiçada refeição.

Hoje não, sua desgraçada.

Adapak despencou através do moinho. Fechando os olhos, descobriu que não sabia exatamente o que esperar; graças à sua natureza única, o jovem espadachim não tinha parâmetros de comparação com outros de sua espécie e ainda desconhecia muito dos extremos que seu corpo era capaz de suster.

O ar lhe escapou dos pulmões quando Badara o recebeu nos braços.

A musculosa filha de Azagör tombou com o peso do rapaz e os dois foram ao chão, envoltos pela relva ao redor. Shaetär correu até eles.

– S'almu Saruma! – chamou ela, afastando a folhagem. Ainda de olhos fechados, Adapak aguardou a dor lhe informar as consequências do trauma; mesmo amortecido por Badara, ele nunca havia despencado de tamanha altura.

– Eu... estou bem – disse o jovem, exibindo uma careta que sugeria o oposto. As costelas do seu lado direito reclamavam a cada inspiração. Ele sentia um desconforto nas costas e nos membros superiores, mas não parecia ter quebrado nem torcido nada.

Ouvindo o gemido de Badara, ele se virou para vê-la.

– A reputação das filhas da Mãe Montanha a precede – comentou Shaetär, avaliando a colega. – É preciso mais do que isso para debilitar esta Esposa de S'almu Saruma.

Badara deixou escapar um sorriso dolorido. Segurando o braço enfaixado, ela se levantou junto ao espadachim.

– Foi uma manobra arriscada, meu Senhor – falou a mau'lin, ajudando-os. – O Senhor poderia ter sido partido em dois.

– A alternativa não era muito atraente – respondeu o espadachim, olhando para o teto do moinho. A enorme bolsa amarela havia recolhido os cipós feridos e voltado a se fechar, pulsando de forma rítmica. Um fio de seiva escorria por entre uma de suas frestas. Adapak se descobriu torcendo para que a planta não fosse capaz de sentir dor.

– Por favor, me ajudem – exclamou o humano no acampamento.

Recuperando as armas, Adapak e Shaetär caminharam com Badara até os fundos da câmara, onde encontraram os restos de uma fogueira, panelas de barro, uma tenda de couro e uma carroça com um grande embrulho na caçamba. O homem, com cerca de trinta ciclos de idade, se encontrava sentado e com as costas apoiadas na parede de musgos, os pés e mãos amarrados. De pele bege bronzeada pelo sol, ele tinha o porte robusto e ostentava um bigode e uma barba curta, que lhe emolduravam o rosto simpático de olhos verdes. Trajava roupas adequadas ao deserto, que pareciam ter sido rasgadas graças ao tratamento que recebera dos captores. Seu ombro direito ostentava uma já desgastada tatuagem que Adapak identificou como uma flor em chamas.

– Muito obrigado – disse o homem quando Shaetär o libertou das amarras.

– Por que não nos alertou sobre as plantas? – inquiriu a mau'lin, ríspida.

– Eu tentei dizer a vocês, mas... era tarde demais – lamentou o humano, esfregando os punhos feridos. Ele então olhou para o espadachim. – Fazia tempo que eu não via um dos seus.

Adapak franziu a testa.

– Um dos *meus*?

– Um... *feiticeiro* – reforçou o homem.

Indignada, Shaetär cuspiu no chão ao lado dele.

– Mostre respeito, você está na presença do *profeta* – vociferou a mau'lin.

– Este é S'almu Saruma, o Imperador Negro dos Nove Mil – completou Badara.

– Está tudo bem, pessoal, calma – pediu o espadachim, voltando-se para o homem. – Eu... não sou um feiticeiro.

– Me desculpe... – reagiu ele. – Eu não saberia reconhecê-lo, senhor Saruma. Não me lembro da última vez em que entrei num templo.

Balançando a cabeça, Shaetär se afastou.

– Não se preocupe – disse o espadachim, aceitando o apoio de Badara para se acomodar sobre um pequeno tronco.

– Eu me chamo Rüdrik. – O homem se apresentou. – Rüdrik Lango, às suas ordens.

– Eu sou S'almu Saruma, senhor Rüdrik – falou Adapak. – Esta é Badara e aquela ali atrás é Shaetär.

– Você está ferido, humano? – perguntou a filha de Azagör, acomodando-se ao lado do espadachim. – Precisa de água, comida? Temos pouco, mas...

– Não, eu... eu estou bem, obrigado.

Adapak e Badara lançaram um olhar para as carcaças de caimani que as plantas haviam deixado cair.

– Aqueles ali eram os seus captores? – indagou o espadachim.

– Sim – confirmou Rüdrik. – Havia um terceiro escamoso, mas ele fugiu com a montaria quando viu os colegas serem agarrados pelos cipós.

– Por que eles acamparam aqui debaixo dessas... *coisas*? – Badara lançou um olhar para o teto do moinho.

– Quando os escamosos armaram o acampamento, os cipós não estavam aqui embaixo, estavam lá no alto, recolhidos dentro daquelas plantas – disse o homem. – As tribos locais nunca param neste oásis, justamente porque sabem, assim como eu já sabia, que o lugar está infestado dessas coisas. Mas os três escamosos que me encontraram, eles... eram *jovens* e *estúpidos*; não sabiam disso. Eu tentei avisá-los... *Gritei* com eles, até, mas só um deles, a fêmea, acho, falava a Língua Antiga. *Arranhava* a Língua Antiga, na verdade. Eles não me ouviram, só... me chutaram e me ignoraram. Quando finalmente dormiram, eu... fiquei acordado, é claro. *Esperando*. Esperei até que os cipós começaram a descer. Ah, essas coisas descem devagar, beeem devagar... Não sei dizer quanto tempo levaram para alcançar o chão, talvez a noite toda. Pensei em acordar os escamosos, mas... eu não sei, achei que os desgraçados apenas fossem me chutar de novo. Me chutar até me matar de vez. Quando me dei conta, já era de manhã e dois deles estavam acordando.

Eu não consegui notar se eles se surpreenderam quando viram todos aqueles cipós cercando o acampamento... Os escamosos são difíceis de *ler*. O que sei é que eles sequer se preocuparam, simplesmente tentaram atravessar a cortina... Uns cinco ou seis cipós os pegaram de uma vez. Eu devia ter fechado os olhos, mas não fechei. Vi tudo. Eu os vi se debaterem enquanto as coisas os puxavam para cima, um deles até começou a... ele começou a *roer o próprio braço* para se soltar, mas... mas não adiantou. Eram tantos... A terceira escamosa acordou e não teve opção senão assistir comigo aos dois infelizes serem erguidos até o alto e...

O homem engoliu em seco.

– Achei que fosse gostar de vê-los morrer, sabe – prosseguiu ele, visivelmente perturbado. – Achei que eu fosse me sentir *vingado* depois do que fizeram comigo, mas... Ah, não foi nada disso... Pude ouvi-los gritando de *dentro* das plantas, dentro daquelas... *bolsas* amarelas. Gritos abafados. *Molhados*. Eles gritaram e espernearam lá dentro por um bom tempo, como... como crianças manhosas tentando escapar do castigo. Não sei se os escamosos são capazes de *chorar*, mas... foi o que me pareceu daqui de onde eu estava. Prefiro acreditar que eles acabaram morrendo *sem ar*, ou afogados, não sei. Antes de começarem a ser... antes de serem...

– *Digeridos vivos* – falou Shaetär, assustando a todos ao retornar ao acampamento.

– Pelos Quatro, irmã Shaetär, não faça isso – reclamou Badara.

– Você é o dono daquela cruzadunas parada na margem do oásis, não é? – perguntou o espadachim.

– Nunca vi um barco como aquele – disse Badara.

– Não é um *barco* – corrigiu-a Shaetär, entre dentes.

– Ah, vocês encontraram a *Naniele*? – O humano pareceu aliviado. – Felizmente os escamosos não tinham ideia de como fazê-la funcionar, caso contrário eu já estaria do outro lado do deserto com eles...

– O que um humano como você estava fazendo neste lugar? – indagou Badara. – Achei que os caimani tivessem proibido outros povos de viajarem pelo deserto.

– É o que a minha mulher faz questão de me lembrar todos os dias – respondeu Rüdrik, esfregando os olhos. – Mas vocês têm ideia do que os mercadores das cidades pagam pelas coisas que eu encontro por aqui?

– O risco não me parece valer a pena – opinou Adapak.

O explorador sorriu e inclinou a cabeça.

– É o que minha mulher vive me falando também – disse ele, se levantando. – Mas a minha cruzadunas é mais rápida do que os usugäl ou qualquer outra montaria dos escamosos, então não costumo ter problemas. Mas ontem acho que eu estava me sentindo tão sortudo com algo especial que encontrei no deserto, que... acabei me arriscando demais. É como eu disse, os escamosos nunca param neste oásis, por isso estacionei Naniele lá na margem, atravessei a mata, me lavei no lago, colhi algumas frutas e quando retornei... aqueles *lambe-valas* estavam me esperando...

O homem se interrompeu, irritado.

– Desculpem, eu não costumo usar esse tipo de linguagem – continuou ele. – Enfim, os escamosos me arrastaram de volta para a minha cruzadunas e me obrigaram a abrir cada caixa e cada barril até que descobriram o meu achado, e... de alguma forma eles pareceram *ofendidos* por eu estar com aquilo. Então pegaram a carga para si, me amarraram e me levaram junto. Pelo pouco que entendi da fêmea que arranhava a Língua Antiga, eles pretendiam me levar para Zabalamu.

Adapak olhou para a carroça ao lado da tenda. A carga na caçamba havia sido embalada numa lona envolta em cordas.

– Rüdrik, o que foi que você encontrou que os deixou assim? – O jovem franziu o cenho.

Relutante, o explorador encarou os olhos brancos do espadachim. No teto, o som do pulsar das bolsas tornou o silêncio ainda mais desconfortável.

– Bom, eu... suponho que possa confiar num *profeta* – disse ele, por fim, dirigindo-se até a carroça. – Podem me emprestar uma faca?

Badara tomou a iniciativa e lhe emprestou a arma com que Shaetär a havia presenteado.

– Está louca? – protestou a mau'lin.

– Calma, Shaetär, não se preocupe. – Adapak se levantou, ainda dolorido. – Vamos, Rüdrik, mostre-nos o que você tem aí.

– Não tenho ideia do que seja essa coisa, mas estou apostando que possa me render o suficiente para me aposentar – disse o homem, cortando as cordas e descobrindo a carga.

Adapak e Shaetär imediatamente reconheceram o cadáver do mellat alado que estavam seguindo.

– Há algumas luas, parei a Naniele para fazer um reparo numa das velas quando avistei um grupo dessas criaturas voando em direção a Zabalamu – contou Rüdrik, apreciando o guardião. – Continuei o conserto e, um tempo depois, para a minha sorte, esta outra criatura aqui veio voando baixo, seguindo a mesma rota das outras. Eu não pensei duas vezes, corri para o arpão e a acertei de primeira! Podem acreditar?

Indiferente à animação do homem, Adapak se aproximou do corpo. Havia uma grande perfuração em seu tórax e outra, menor, na lateral do grande crânio.

– Ainda estava viva quando a icei de volta à cruzadunas, mesmo com a seta atravessando o seu peito – disse o explorador, devolvendo a faca a Badara. – Tive que sacrificá-la, ou não teria conseguido trazê-la a bordo.

– Rüdrik, por acaso havia algo amarrado à perna desta criatura? – Adapak terminou de descobrir o mellat.

O homem franziu as sobrancelhas.

– Como... sabe disso? – perguntou ele.

– Responda ao Rei de Fogo – ordenou Shaetär, segurando-o agressivamente pelas vestes.

O humano agarrou a mão da mau'lin e a socou no queixo com o outro punho, fazendo-a soltá-lo e cair sentada para trás.

Badara gritou. Igualmente alarmado, Adapak desembainhou Igi e enxergou os Círculos marcarem o homem, que recuou alguns passos.

Calma.

– Calma, esperem! – pediu Adapak, abaixando a arma.

Atordoada, Shaetär tentava se levantar, a mão buscando o cabo de Rio Vermelho.

– Estou cansado de ser ameaçado – exclamou Rüdrik, o corpo retesado pronto para o combate. Os Círculos o coloriam com o óbvio alerta de que o espadachim estava diante de alguém acostumado a se defender, mesmo desarmado.

– Rüdrik, nós não estamos aqui para ameaçá-lo, eu prometo – disse Adapak, erguendo a mão cinzenta em sinal de paz. – Peço desculpas pela minha amiga, é que... nós estamos exaustos também.

Badara tentou ajudar a colega a se levantar, mas a mau'lin a dispensou com um gesto ríspido e se pôs de pé sozinha, o olhar fixo no humano.

– Havia sim algo amarrado no tornozelo desta criatura – disse o explorador, retribuindo o olhar de Shaetär. – Uma *espada*.

Adapak virou Igi de lado e a exibiu ao homem.

– Era como esta? – perguntou o jovem.

O explorador inspirou fundo, como se travasse um duelo mental.

– Bosta... sim – revelou ele. – Está na minha cruzadunas. Eu a escondi sob uma tábua solta no chão da cabine, e os escamosos não a encontraram.

– Rüdrik... – Adapak embainhou a arma. – Fui eu quem amarrou aquela outra espada nesta criatura. Eu... É um pouco complicado de explicar, mas minhas Esposas e eu estávamos usando-a para seguir *esta* criatura.

– Segui-la? – perguntou o humano. – Por quê?

– Nossas irmãs foram sequestradas pelas criaturas que você viu antes desta aí – falou Badara. Ao seu lado, Shaetär esfregava o queixo. – Nós achamos... *achávamos* que esta que você matou poderia nos levar a elas.

O homem baixou a guarda.

– Eu... lamento, eu...

– Você não tinha como saber – disse Adapak.

Badara voltou a se sentar, colocando o rosto entre as mãos. Pensativo, o espadachim encarou o próprio reflexo nos olhos do mellat.

– Você disse que os caimani ficaram ofendidos quando encontraram esta criatura na sua cruzadunas, não foi? – perguntou o rapaz.

– Foi o que me pareceu – respondeu o humano.

– E que as outras criaturas estavam voando para a cidade de Zabalamu, certo? – emendou o espadachim.

– Bom... Elas estavam indo naquela direção, pelo menos – confirmou Rüdrik. – Olhem, existem outras coisas naquela direção também, pode ser que...

– Mas os caimani disseram que pretendiam levar você para Zabalamu – prosseguiu Adapak.

– Foi o que eu *entendi* – frisou Rüdrik, cuidadoso. – Mas é como eu disse, a fêmea mal falava a Língua Antiga...

– Então eles... eles levaram as nossas irmãs para uma cidade cheia de caimani? – indagou Badara.

– Não seja tola – falou Shaetär. – Depois das guerras caimani o lugar se tornou uma cidade fantasma.

– Uma... *cidade de fantasmas?!* – exclamou a filha de Azagör.

– Não, Badara, uma "cidade fantasma" – repetiu Adapak. – Significa uma cidade vazia, sem pessoas.

Badara relaxou os ombros, aliviada.

– Ah – disse ela. – E por que ninguém mais mora lá?

– Porque os caimani consideram *profanas* as cidades construídas na era Dingirï – explicou Adapak.

– O que não significa que alguns escamosos tenham decidido desrespeitar essa lei – argumentou Rüdrik.

– Mas meu pai e eu já encontramos muitos caimani em cidades antigas – falou Badara.

– Os escamosos deste deserto não são como os que vivem nas cidades – afirmou Rüdrik. – Eles abandonaram a civilização há muitos ciclos, se tornaram... *selvagens*.

– Ao contrário de você, nós não tememos os caimani – disse Shaetär.

– Ah, sim, eu vi como você sabe se virar. – Rüdrik estalou os dedos doloridos.

Adapak se colocou entre o humano e a mau'lin.

– Zabalamu é nossa melhor aposta. – O jovem se dirigiu para Rüdrik. – Você pode nos levar até lá?

Houve um silêncio. O explorador coçou a barba.

– Posso deixá-los perto dos portões, mas... se avistarmos sinal de escamosos, darei meia-volta, entenderam? – respondeu ele.

– Perto está ótimo – disse Adapak, lançando um olhar para Shaetär. – Vocês dois acham que conseguem manter as mãos longe um do outro até lá?

A mau'lin cuspiu sangue no chão.

– Sou serva de Sua vontade, Imperador Negro – declarou ela.

O ritual

Sabe, achei que vocês fossem apenas estúpidos. Agora vejo que são completamente insanos.

Puzur, em *Tamtul e Magano
e os muros da fortaleza de areia.*

— NÓS vamos mesmo fingir que nada aconteceu? – indagou Sirara.

Do outro lado da fogueira apagada, Jarkenum limpava com um pano as panelas sujas do almoço. À sua retaguarda, o cascos-da-estrada mordiscava a grama.

— *Shh!* Ele vai nos ouvir. – O homem de armadura levou o indicador aos lábios.

A mulher se levantou e olhou sobre o ombro. Na clareira, a cerca de cinquenta passos do pequeno acampamento, Rekzar entoava orações enquanto terminava de montar um pequeno altar de pedras sobre a base do pilar. Mais ao leste, sob a sombra que a colossal estrutura Dingirï projetava naquele início de tarde, o casal pele-de-vidro que o musculoso homem havia assassinado jazia de bruços sobre a folhagem. Deixada entre os corpos, a cabeça decepada do jovem camponês encarava o céu azul.

– Ele não pode nos ouvir, Jark – disse a capitã, mantendo o tom de voz baixo.

– O que você quer que a gente faça? – perguntou Jarkenum.

– Pelos Quatro, eu... não sei. – Sirara esfregou o rosto. – Devíamos falar algo...

– Falar o quê, Si? – Jarkenum se levantou com o pano sujo e as panelas. – "Parceiro, acho que você não devia ter matado aquele casal a sangue-frio, hein"? Bosta, você o ouviu se justificando no almoço, toda aquela baboseira religiosa...

O homem de cabelos compridos se encaminhou até o cascos-da-estrada.

– Esse é o problema com *aventureiros*, Si, eu sempre disse para você. – Ele começou a guardar os utensílios nas malas do animal.

– É isso que você acha que estamos fazendo aqui? – reagiu Sirara. – Acha que isso é algum tipo de *aventura* para mim? Eu estou tentando salvar um amigo em perigo, Jarkenum!

– Eu estava me referindo a *eles*, Si. – O homem apontou para os cadáveres ao longe.

Pega de surpresa, a mulher baixou a guarda.

– Eu... não acho que eles fossem "aventureiros" – falou ela.

Jarkenum deu de ombros.

– O que acha que eram? – indagou Sirara. – Irmãos? Amigos? Talvez amantes?

– Não faz diferença. – Jarkenum fechou a bolsa que estava pendurada no animal. – É o que eu estava tentando dizer, Si, ninguém se lembra das histórias daqueles que não voltaram.

Sirara balançou a cabeça.

– Pelos Quatro, Jark, o que houve com você? – perguntou ela.

– O que quer dizer?

– Você... você não era assim – disse a mulher.

– "Assim" como?

– *Assim* – repetiu ela, apontando as mãos para ele. – Quando encontrei você naquele lugar horrível, eu achei... Achei que fosse algo de momento, sabe, mas aos poucos fui me dando conta de que você está...

Eu não sei, parece que você perdeu a sua *cor*! Pelos Quatro, você foi criado num circo! Vê-lo assim me parte...

Jarkenum soltou uma sonora risada debochada.

– Ah, por favor, não me venha falar de corações partidos de novo, Si – disse ele. – Você acha que o que eu fiz não partiu o *meu* coração também? Depois que meu pai se foi, você e seu tio se tornaram a minha família! Você diz que esse seu amigo só tem a você? Pois você e seu tio eram tudo que *eu* tinha!

– Não ouse se colocar no lugar de vítima, Jarkenum...

– E você não ouse sugerir que eu também não sofri! Você acha que ouvir a mulher da minha vida me mandar embora não me destruiu? Eu... *quebrei*, Si! Você quebrou algo que havia aqui dentro de mim! – Ele bateu com o punho no peito, sobressaltando a companheira. – Quebrei como... Quebrei como se eu fosse feito desta armadura e depois tivesse que encará-la despedaçada no chão.

Desviando o olhar para as brasas da fogueira, o homem fez uma pausa. Sirara engoliu em seco e aguardou, sabendo que ele ainda não havia terminado.

– Então... aos poucos eu me remontei como pude – continuou Jarkenum. – E quando terminei minha armadura havia... talvez perdido um pouco da *cor*, sim, mas... pode apostar que ela me serve melhor agora.

Os dois ouviram um assobio a distância.

Sentindo o coração saltar, Sirara se virou e viu que Rekzar terminara os preparativos para o ritual e agora acenava para que a capitã e seu amigo se juntassem a ele na clareira.

– Traga o animal – disse Jarkenum, tomando a dianteira. – Vamos acabar logo com isso.

Rekzar havia afastado cuidadosamente as oferendas mais próximas do pilar para dar lugar ao altar improvisado. Apoiada sobre a rústica estrutura de pedras descansava a cabeça do mellat, os grandes olhos brancos – tão mortos quanto em vida – espelhando a chegada de Jarkenum e Sirara.

– Aproximem-se, amigos. – O enorme humano os saudou com um sorriso. Sirara ainda não conseguia crer na escuridão por trás daquele carisma.

– O que devo fazer? – perguntou ela, trazendo o sisu pelas rédeas.

– Pegue a pintura, querida – pediu Rekzar.

A capitã tirou, com cuidado, o pergaminho de uma das bolsas da montaria e o desenrolou; na belíssima ilustração, um solitário pilar Dingirï figurava em meio a um onírico deserto de cristais, avermelhado pelo sol que morria no horizonte.

– Isso foi mesmo desenhado pela filha daquela feiticeira famosa? – Quis saber Jarkenum.

– *Ishitana*, a primogênita das oito filhas de Asara, sim. – Rekzar fez sinal para que a capitã trouxesse a arte para perto dele. – Foi supostamente pintada durante o período em que estiveram em Shuru, estudando a magia que as tornaria, ciclos depois, as mulheres mais poderosas de Kurgala...

– E a Si precisa memorizar essa pintura, certo? – perguntou Jarkenum.

– Imagino que já a tenha memorizado. – Rekzar olhou para Sirara.

– Sim – confirmou a capitã.

– Aproveite para dar uma última olhada enquanto faço os ajustes finais – disse Rekzar. – Agora me empreste a sua espada.

Sirara puxou Lukur da bainha e a entregou ao homem, que se virou para o altar de pedras e a pousou cuidadosamente em frente à cabeça do mellat. Em seguida, ele se voltou para a capitã com um sorriso satisfeito.

E então a segurou pelo rosto com suas enormes mãos.

O movimento foi delicado, mas suficiente para fazer disparar o coração da mulher, sua mente trazendo a imagem de Rekzar torcendo o pescoço da camponesa com a facilidade de quem virava uma maçaneta. Igualmente apreensivo, Jarkenum tocou o açoite quando seu amigo começou a falar:

– Igi, Sumi e Lukur pertenceram a alguém que protagonizou um importante capítulo da história da minha família – começou Rekzar, os olhos fechados como se numa oração. Com a pintura tremendo nas mãos, Sirara mais escutava o próprio coração do que o discurso. – Os Dingirï não trabalham com o acaso, e você aparecer na porta da minha casa com uma dessas relíquias não foi uma exceção. O Viajante certamente me escolheu para esta tarefa sagrada e eu não O decepcionarei.

O musculoso humano a soltou e se virou para o altar de pedras. Erguendo os braços volumosos, ele então proferiu palavras numa língua desconhecida para os ouvidos da capitã:

– Nurugasisü... n'adanu emuku shuhadakä!

Ao final da sentença, a superfície diretamente atrás do altar começou a se mover. Como num lago atingido por um seixo, os cristais se reorganizaram em padrões de ondas até projetarem extensões que, ao tocar o crânio do mellat, se multiplicaram até envolvê-lo por completo, com exceção dos olhos. Uma leve vibração tomou conta da área, assustando o cascos-da-estrada, que bufou e tentou se afastar antes que Jarkenum o impedisse pelas rédeas.

– Está feito! – falou Rekzar.

Sirara voltou a atenção para Lukur. Pousada em frente à cabeça do guardião, a espada parecia inalterada pelo fenômeno.

– Funcionou? – questionou Jarkenum, ainda acalmando o animal de carga.

– Só saberemos ao certo quando você a tocar – falou Rekzar para a capitã, apontando para a arma.

A mulher baixou o olhar para a pintura em suas mãos. O retrato do destino que ela tanto almejava agora a apavorava, um continente proibido envolto em horrores e mistérios que poucos haviam retornado para contar. Um infindável deserto esmeralda ocultando um jovem espadachim de carvão. Shuru, a Prisão de Cristal. A Casa das Bestas.

– Aqui. – Rekzar retornou sua atenção para o momento, colocando nas costas da mulher a pesada mochila que ela havia preparado para a viagem.

– O-obrigada – disse ela.

– Que o Viajante a carregue em segurança até o outro lado desta... *ponte*, minha querida – desejou o carismático gigante.

Sirara se voltou para Jarkenum. Segurando firme as rédeas do sisu, o homem de armadura a encarou de volta, os cabelos compridos disfarçando o olhar melancólico.

– Não faça isso, Si – falou ele, entregando as rédeas para Rekzar. – Você não sabe o que há do outro lado.

– Não me peça isso, Jark – disse ela, caminhando até o amigo.

– Si, por favor, eu...

Sirara o abraçou, calando seu pedido.

– Obrigada – sussurrou ela.

Relutante, Jarkenum a abraçou de volta.

A capitã o deixou e retornou até o altar. A cabeça do mellat, completamente coberta pelos cristais do pilar, espelhava com os enormes olhos brancos a espada Lukur. A mulher inspirou fundo, pensou na imagem de Shuru e segurou o cabo da arma.

Os olhos amarelos do cabo de Lukur se acenderam e uma forte vibração tomou conta da floresta.

Os incontáveis cristais que formavam o pilar Dingirï começaram a se mover, afugentando os pássaros das copas das árvores ao redor da clareira. O cascos-da-estrada bufou, e Rekzar se afastou com a criatura conforme a vibração e o vento se intensificavam. Nuvens começaram a se formar acima do topo estrelado da gigantesca estrutura, cujos espigões cresciam e alteravam de forma. Tremendo, Sirara deixou a pintura lhe escapar das mãos para o solo. Ela fechou os olhos, mantendo o destino em mente. O vento se tornou mais forte, esfriando sua pele morena. Ela pensou em Adapak.

Alguém segurou sua mão.

O pilar Dingirï se acendeu como um imenso farol. E quando se apagou Sirara e Jarkenum haviam partido. Sorrindo de satisfação, Rekzar sentiu a chuva fina cair sobre ele e a montaria inquieta.

A cidade de Zabalamu

É fácil desejar a destruição do inimigo. Recuse-se a odiá-lo e você descobrirá o verdadeiro desafio.

Kingul, o Emissário.

A CRUZADUNAS avançava pelo deserto de Caima. Os ventos da tarde sopravam contra suas velas remendadas, empurrando-a através de um melancólico oceano amarelo em direção à cidade morta de Zabalamu; graças à relíquia Dingirï no alto do mastro, o veículo pairava uma dúzia de cascos acima da areia quente, singrando como um navio fantasma das histórias fantásticas de Tamtul e Magano.

Ao contrário de uma embarcação tradicional, entretanto, a cruzadunas não era guiada pela combinação das velas com um leme, mas com a ajuda das seis extensões em suas laterais, que, dependendo da direção desejada, eram baixadas para raspar a areia e forçar a embarcação à esquerda ou direita. Acomodado no assento de comando à dianteira do veículo, Rüdrik Lango segurava com firmeza a alavanca de direção, os olhos verdes mirando o horizonte árido. Agachado ao seu lado, Adapak entregava no sorriso o deslumbre pela paisagem desolada, esquecendo, ainda que por alguns instantes, a apreensão que pairava sobre o destino da viagem. Na bainha em sua cintura, as espadas Igi e Sumi – recentemente reunidas – dormiam tranquilas.

O jovem olhou por cima do ombro, notando Shaetär se aproximar. Ela se equilibrava com facilidade sobre as redes que formavam o convés, onde a carga recuperada – incluindo o corpo do mellat alado – sacudia com o balançar do veículo.

– Quanto tempo falta? – perguntou a mau'lin, elevando a voz contra a ventania. O sol forte a castigava, mesmo protegida pelas camadas de roupa.

– Assim que Sinanna subir aos céus, estaremos perto – respondeu Rüdrik, baixando o lenço que também lhe protegia o rosto e o pescoço.

– Como está Badara? – quis saber o espadachim.

– Ela reclama do vento – disse Shaetär. – A falta de pelos a incomoda.

– Continua enjoada? – emendou o rapaz.

Shaetär confirmou com a cabeça.

– E quanto a você? – indagou Adapak.

– Os Mau'lin não enjoam, meu Senhor – respondeu ela. – Mas admito que esta vibração constante me incomoda.

– "Vibração"? – perguntou Rüdrik.

A mau'lin apontou para a cúpula de vidro no topo do mastro.

– Ah – reagiu o explorador. – Você se acostuma. Eu nem a sinto mais.

– É irritante, apenas isso – falou ela.

– Ainda estou para descobrir algo que não irrite você, *olho-de-joia* – zombou o humano, chamando-a pelo nome popular dos mau'lin.

Resmungando, Shaetär se encaminhou à traseira da cruzadunas, descendo as escadas para a cabine.

– Tem certeza de que precisa de mais esposas? – perguntou Rüdrik ao espadachim, que se divertiu com a brincadeira. – Ah, eu não posso culpá-la... A Naniele, minha mulher, também odeia esta bacia velha... Tentei fazê-la mudar de ideia dando seu nome à cruzadunas, mas acho que o efeito foi o *oposto*.

– Este veículo deve ter centenas de ciclos – comentou o jovem. – Como você o conseguiu?

Rüdrik coçou a barba.

– Eu caí de bunda sobre ele – disse o homem.

Adapak franziu a testa. Após uma risada, Rüdrik começou a explicar:

– Quando eu tinha uns... treze ou catorze ciclos, meu irmão e eu gostávamos de explorar a margem do deserto, sudoeste, perto de onde nossa família morava. Um dia, enquanto cavávamos a areia, eu... simplesmente caí num buraco.

– Um... buraco? – repetiu o espadachim.

– Uma antiga *mina de sal* – esclareceu o humano. – A areia havia coberto uma entrada alternativa, bloqueada com tábuas. As tábuas se partiram com o meu peso e eu despenquei como uma furareia sem asas. E adivinhe o que me impediu de morrer? – Ele deu uma pequena batida na alavanca de guia. – As velas dobradas desta cruzadunas! Esta belezinha estava me esperando na câmara lá embaixo... Acho que o antigo dono a escondeu na mina durante ou após a guerra, eu não sei, e simplesmente nunca voltou para recuperá-la.

– Para a sua sorte – falou o espadachim.

– Com certeza. Quebrei só esta perna aqui. – Rüdrik tocou a coxa direita. – Funciona bem até hoje, só é um pouco mais curta do que a outra. Fiquei lá embaixo, sozinho, no escuro e com dor, esperando meu irmão buscar meu pai. Eles levaram algum tempo para desobstruir a entrada principal da mina e me encontrar lá dentro.

– E a cruzadunas?

– Bom, nenhum de nós saberia reconhecer uma cruzadunas, mas de cara a identificamos como algum tipo de embarcação do deserto – respondeu o homem. – Meu pai, quando mais novo, trabalhou consertando navios no porto de Pakal, então se animou em tentarmos repará-la. Ironicamente, eu fui o único a sugerir que simplesmente a desmontássemos e tentássemos vender as partes, mas meus pais e meu irmão discordaram de mim, mesmo depois de descobrirmos a relíquia intacta no alto do mastro...

Adapak considerou traçar um paralelo com o que Rüdrik pretendia fazer com o cadáver do mellat na carga, mas preferiu guardar o pensamento para si.

– Depois de tanto tempo naquela mina, a Naniele estava bem deteriorada, como você deve imaginar – prosseguiu o explorador. – Mas não é como se estivéssemos com *pressa*, entende? A coisa toda se tornou o nosso... projeto em família, acho. Descobri que eu era bom nisso, bom em remontar coisas, encontrar as peças certas. Encontrei uma ilustração em Nippuru que me ajudou bastante com referências, também. Aos poucos, comecei a levá-la ao deserto e usá-la para explorar o lugar. As coisas que eu encontrava meu irmão vendia nas cidades da costa. No começo eu não chegava perto das ruínas, mas as coisas boas mesmo estão lá, é claro. Vasos antigos, armas....

– Caimani... – sugeriu Adapak.

Rüdrik sorriu.

– ... e profetas atrás de esposas perdidas – retrucou ele. Adapak retribuiu o sorriso. O humano passeou o olhar pela cruzadunas e emendou. – Eu... não sou um sujeito religioso como o senhor, mas quando imagino que este veículo foi projetado com a própria ajuda dos Dingirï... Eu não sei, é algo que nos faz pensar, não acha?

Adapak voltou a encarar o horizonte.

– Acho que sim – respondeu o rapaz.

O LUAR de Sinanna já banhava o deserto quando Shaetär chamou a atenção de todos para o pilar Dingirï que despontava no horizonte; a gigantesca relíquia de topo estrelado sinalizava a proximidade do portão oeste do que outrora fora a maior e mais próspera cidade da região.

– *Zabalamu* – murmurou Adapak, enxergando as outras edificações que começavam a surgir por trás da decadente muralha de rocha.

– Consegue ver luzes ou outro sinal de caimani? – Rüdrik girou o mecanismo que baixava as velas do veículo.

– Não – respondeu o espadachim. – Shaetär?

Do alto do mastro, tremendo contra o vento gelado que a noite trazia, a mau'lin varria o cenário distante com os olhos amarelos.

– Não, meu Senhor! – exclamou ela.

Em velocidade reduzida, a cruzadunas flutuou em direção ao destino, confirmando, aos poucos, a lendária reputação de Zabalamu; ainda que desabitada e em ruínas, a metrópole preservara parte do esplendor de uma era em que deuses e mortais andavam lado a lado, ostentando edificações de arquitetura sobrenatural e torres que ousavam rivalizar, em altura, com o pilar em seu interior. Maltratada pela guerra e o tempo, a muralha que cercava a cidade ancestral era coberta de vegetação, evidenciando a vitória da flora em seu interior. Os portões da entrada oeste haviam sido violados e escancarados para o lado de dentro, com a passagem obstruída por escombros e um grande pedregulho amarronzado; Adapak imaginou que tipo de catapulta – ou criatura sob o comando dos caimani – o teria arremessado durante a invasão, centenas de ciclos atrás.

De súbito, Rüdrik baixou completamente as extensões laterais da cruzadunas, escavando sulcos na areia até a parada total do veículo.

– Ah, eu tenho um mau pressentimento sobre isso – disse ele, levantando-se do assento.

A cerca de uma centena de passos dos portões havia uma estranha estrutura rústica de ossos e madeira, erguida na forma de uma torre, um pouco mais baixa que o mastro da cruzadunas. Do seu topo, penduricalhos feitos de penas de furareia e crânios de caimani oscilavam ao vento, preenchendo o ambiente com um chacoalhar macabro.

– O... que é aquela coisa? – perguntou Shaetär, descendo do mastro.

– Eu os chamo de "espantalhos" – respondeu Rüdrik. – Acho que os escamosos constroem essas coisas para afastar as visitas indesejáveis. Há vários espalhados pelo deserto, me surpreende que vocês não tenham visto nenhum...

– *Pedidos* – disse Adapak, avaliando a medonha construção.

– Meu Senhor? – falou Shaetär.

– Não são "espantalhos". São pedidos a Caima – explicou o espadachim.

– Os escamosos pedem coisas para o deserto? – indagou Rüdrik.

– Não para o deserto, mas para *Caima*, a primeira caimani criada pelo Viajante – corrigiu o rapaz. – "A Primeira ao Sol."

Notando a parada repentina da cruzadunas, Badara espiou para fora da cabine:

– Chegamos? – perguntou ela, a voz embargada pelo enjoo.

– Sim, ajude-me com as malas, venha – chamou-a Shaetär.

Badara obedeceu e Rüdrik desceu à cabine, deixando Adapak e as Esposas conversarem e se prepararem para o desembarque. Quando retornou ao convés, o homem exibia o chapéu negro na cabeça e uma expressão ainda mais aflita no rosto.

– Como vocês pretendem voltar à civilização? – perguntou ele.

– O Rei de Fogo proverá outro meio – respondeu Badara, terminando, com a ajuda do espadachim, de afivelar a mochila. Portando o resto do equipamento, Shaetär descia pela lateral do veículo.

– Nós... ficaremos bem, Rüdrik. – Adapak lhe estendeu a mão. – Obrigado por nos trazer até aqui.

De semblante preocupado, o homem o cumprimentou. Com um aceno simpático, Badara se despediu e seguiu o espadachim até a beirada por onde a mau'lin descera.

– Escutem, por que não... Por que não fazemos um trato? – sugeriu Rüdrik, esfregando a barba.

Já no solo arenoso, o trio se interrompeu.

– Eu retornarei a este lugar dentro de três dias – explicou o explorador. – Aqui mesmo, próximo àquele espantalho, ou... seja lá como chamem essa coisa. Tendo encontrado suas amigas ou não, vocês terão carona para fora deste lugar horrível.

– Justos são os Quatro Que São Um! – exclamou Badara.

– Eu... não posso pedir a você que se arrisque mais, Rüdrik – respondeu Adapak.

– Você não pediu – disse o homem. – Sou eu que estou oferecendo.

O espadachim pesou a proposta. Às suas costas, o totem de osso e madeira gemia contra o vento, provocando sua angústia. Ele considerou sugerir que Badara e Shaetär o aguardassem na cruzadunas com Rüdrik, mas sabia que a estratégia seria, mais uma vez, enterrada sob os dogmas de S'almu Saruma.

Quantas vezes mais ele poderia sugerir que se separassem antes que elas o desmascarassem de vez?

– Está bem – cedeu Adapak. – Três dias.

Satisfeito, o humano tocou a aba do chapéu como se para selar o acordo.

O espadachim e as Esposas de S'almu Saruma prosseguiram na direção dos portões de Zabalamu. Olhando por sobre o ombro, Adapak foi tomado por uma enorme sensação de abandono ao ver o dono da cruzadunas observando-os, taciturno, do convés.

– Ele não retornará – afirmou Shaetär.

– Por que diz isso, irmã? – indagou a filha de Azagör.

– Ele é um oportunista sem fé, Badara – disse a mau'lin, os braços cruzados contra o frio. – Vive dos restos do deserto, como uma daquelas aves carniceiras que encontramos no oásis.

– Talvez... talvez S'almu Saruma tenha enxergado algo diferente no coração do homem. – A sadummuniana lançou um olhar para o espadachim.

Adapak não ofereceu resposta, e o silêncio perdurou até que o trio alcançasse o totem caimani.

– Que tipo de povo homenageia seus antepassados com símbolos tão horrorosos? – Badara fez uma careta enquanto passavam pela estrutura.

– Quando você ainda estava na cabine da cruzadunas, S'almu Saruma nos explicou que não são "homenagens", mas sim *pedidos* a Caima – falou Shaetär. – Caima foi a primeira caimani, a "Primeira ao Sol".

– Mesmo assim – insistiu Badara. – Meu Rei de Fogo, por que Caima aceita pedidos tão *feios*?

Adapak sorriu ao se lembrar das palavras do Pai.

– Não há feiura na criação, Badara – explicou o jovem. – Para um artista, sempre haverá beleza naquilo que ele ou ela criou.

– Glória aos Quatro – disse Shaetär.

Adapak lançou outro olhar para trás. As velas da cruzadunas começavam a ser reerguidas.

– E por que Caima era chamada de "a Primeira ao Sol"? – perguntou a sadummuniana, recuperando sua atenção.

– Bom... – O espadachim pensou por um instante. – Os caimani acreditam que, quando Enlil' När colheu o pó das estrelas e o enterrou sob as areias deste deserto, um único ovo se formou e, depois de aquecido pelo sol de Kurgala, deu origem a Caima. E dos ovos que ela pôs vieram seus filhos e filhas, que por sua vez também botaram mais ovos... E assim surgiu a espécie "caimani".

– É por isso que eles expulsaram todos os outros povos deste deserto após a partida dos Quatro. – Shaetär lançou um olhar para a cidade à frente. – Os caimani consideram este lugar a sua "terra sagrada" e não querem dividi-la com ninguém.

– Se o meu povo tivesse uma "terra sagrada", tenho certeza de que a compartilharíamos com outros mortais – declarou a sadummuniana.

– Vocês *têm* uma terra sagrada, irmã – falou a mau'lin, ríspida. – Está no nome do seu povo.

Badara franziu as grossas sobrancelhas.

– "Sadummum" – explicou o espadachim.

A filha de Azagör continuou sem entender. O rapaz continuou:

– A cidade de Sadummum, em Larsuria, fundada aos pés da Mãe Montanha.

– Ah, eu... nunca parei para pensar... – disse a sadummuniana.

– Isso não me surpreende – alfinetou-a Shaetär.

Adapak ignorou a mau'lin e prosseguiu:

– Você se lembra da frase que eu disse na noite em que fomos atacados no kusari? – perguntou ele a Badara.

A sadummuniana tocou o lado esquerdo do próprio peito.

– Nascemos fracos pelo ventre?... – disse ela, tentando se lembrar da frase inteira.

– ... Morremos fortes por *Sadummum* – completou Adapak. – Seu povo acredita que Sadummum foi a primeira da sua espécie, nascida das rochas das montanhas em Larsuria. E que todos vocês são filhas e filhos dela.

– É por isso que somos as mais fortes das mortais? – indagou ela.

– Sim – respondeu o espadachim, vendo o orgulho nos seus quatro olhos.

– E quanto ao seu povo, Shaetär? – Badara se voltou à colega.

Com o trio finalmente alcançando os portões da cidade, a mau'lin mudou o assunto:

– É melhor procurarmos outra brecha na muralha – falou, avaliando o grande pedregulho que obstruía a passagem. A rocha amarronzada repousava em meio à folhagem e aos destroços de madeira.

– Talvez possamos escalar esta coisa – sugeriu Adapak, se adiantando e procurando um lugar para se apoiar.

A rocha se moveu.

O espadachim recuou, porém os escombros não cederam mais.

– Acho melhor... – começou a dizer ele, se interrompendo quando algumas vigas de madeira se deslocaram mais um pouco.

Pela Matriarca.

– Badara, Shaetär... – O espadachim recuou um passo cauteloso. – *Para trás.*

– O que houve? – perguntou a sadummuniana.

– Isso não é uma pedra – respondeu Adapak.

Como se despertados por um antigo encantamento, um a um os longos pedaços de madeira se desdobraram para fora dos escombros e fincaram como estacas no solo quente. E então, com um ronco gutural, o animal que descansava nos restos do portão se deslocou para fora da passagem e se equilibrou sobre a dezena de patas encouraçadas, erguendo-se a quase vinte cascos de altura e examinando os recém-chegados com a miríade de olhos negros. Seu corpo era uma massa escura de pelos e tentáculos abrigados numa carapaça rígida, curva e amarronzada, onde depósitos de areia se acumulavam nas rachaduras que o tempo e os desafios do deserto haviam lhe imposto. Em meio ao horror, Adapak enxergou um bico quitinoso abrindo e fechando com um estalar faminto.

Shaetär largou a mala no chão e correu de volta por onde tinham vindo, seguida por Badara. Adapak disparou logo atrás delas, buscando algum sinal da cruzadunas de Rüdrik; para seu desespero, porém, somente o totem caimani se destacava no horizonte.

– Corram para o totem!! – gritou o espadachim.

Escravo do próprio tamanho, o predador vagarosamente iniciou a perseguição às presas, ainda que suas largas passadas compensassem a lentidão. Mancando e carregando a mala mais pesada, Badara logo foi ultrapassada por Adapak.

Bosta.

O rapaz parou de correr, se virou e desembainhou Sumi.

– Não pare!! – gritou para Badara.

A sadummuniana passou ofegante pelo espadachim, que manteve o foco na ameaça iminente. Inúteis contra a monstruosidade, os Círculos se mantinham dormentes.

A criatura o alcançou e tentou agarrá-lo com as patas dianteiras, que se abriram como pinças. Adapak as evitou ao saltar para a frente numa cambalhota, colocando-se diretamente abaixo do algoz e aplicando-lhe uma estocada entre os tentáculos do ventre vulnerável; graças à altura, no entanto, a lâmina de osso penetrou apenas um palmo na carne peluda do animal antes que ele se erguesse com um gorgolejar doloroso e a desprendesse de si com um esguicho de sangue azulado. Um cheiro desagradável invadiu as narinas do espadachim, lembrando-o de um copo de leite azedo que provara, acidentalmente, certa vez na casa de Barutir e Nafaela.

Vamos.

Enjaulado pela anatomia do inimigo, Adapak se dirigiu a uma de suas dez patas e tentou espetá-la na articulação, mas falhou quando o animal caminhou para o lado, forçando o jovem a acompanhá-lo para manter-se sob seu corpo. Com um silvo frustrado, a coisa então parou e começou a tatear às cegas embaixo de si, errando a presa, mas erguendo uma inconveniente nuvem de poeira. Tossindo, Adapak decidiu escapar da prisão em que havia se colocado e correu para além dos membros da criatura, mas a coisa imediatamente o localizou e tentou acertá-lo outra vez, forçando-o a retornar para baixo do seu ventre.

Uma súbita lufada de ar os atingiu. Adapak buscou, através da poeira que se dissipava, a origem do fenômeno.

Ali.

Deslizando magicamente sobre a areia, a cruzadunas de Rüdrik os circundava como um audaz navio pesqueiro prestes a arpoar a caça. A criatura emitiu um gorgolejo baixo e girou no próprio eixo, mantendo a dezena de globos oculares na ameaça; ao comando do veículo, o homem de chapéu gritava e gesticulava, mas Adapak era incapaz de compreendê-lo daquela distância. O espadachim então lançou um olhar para o totem caimani e viu Badara e Shaetär, atônitas sob a sombra da estrutura, testemunhando a cena.

Aproveitando a distração que Rüdrik havia causado, Adapak correu até as Esposas sem que a criatura o notasse.

– Aqui, rápido! – disse ele, escondendo-se com elas atrás do totem. A estrutura oscilava como uma árvore ao vento, os chocalhos de ossos batendo uns contra os outros.

– Teremos mais abrigo na cidade – argumentou Shaetär.

– Se tentarmos correr de volta para os portões, aquela coisa vai nos alcançar. – O espadachim balançou a cabeça.

– Que criatura hedionda é essa, meu Senhor? – indagou Badara.

– Acho que é um katumitü – respondeu o rapaz.

– Um o quê? – Badara indagou.

– Uma *mão-morta* – esclareceu ele.

– O que quer que seja, acha que podemos matá-la? – perguntou Shaetär.

– Qualquer coisa pode ser morta, nós só precisamos atingir o lugar certo – murmurou o jovem, voltando a atenção para a criatura. Agitada, ela gorgolejava para a cruzadunas, que completava outra volta ao seu redor. – Eu a *feri*, e Rüdrik a assustou. Talvez ela desista de nós...

O predador girou o corpo grotesco e localizou o trio. Os tentáculos em volta do seu bico escorriam a saliva de um animal que não tinha o luxo de desperdiçar o alimento que o deserto lhe oferecia.

– Bosta. – Adapak desembainhou a outra arma.

Shaetär começou a escalar o totem.

– O que você está fazendo?! – exclamou o rapaz.

– Quando eu saltar sobre ela, corram para os portões! – falou a habilidosa mau'lin, já na metade da subida.

– Não, Shaetär, o que... – O rapaz não terminou a frase; a mão-morta os alcançou e, focada nas presas em solo, começou a persegui-los ao redor do totem como num jogo infantil. No topo da estrutura, Shaetär ensaiou a ação.

– Cuidado!! – gritou Adapak.

Shaetär ouviu o alerta a tempo e saltou sobre a mão-morta no instante em que o veículo de Rüdrik colidiu em cheio contra o totem caimani; Adapak e Badara se jogaram no chão, protegendo-se da chuva de destroços enquanto a danificada cruzadunas seguia por mais algumas dezenas de cascos até perder a flutuação e encalhar na areia. Cobrindo a cabeça, o espadachim deduziu que o explorador, numa manobra desesperada para salvá-los, havia mirado na criatura e errado o alvo.

A mão-morta, por sua vez, gorgolejou e balançou o corpo pesado, tentando livrar-se de Shaetär, agarrada à sua carapaça como um suga-sangue à pele de um sepu.

– CORRAM! – gritou ela.

Adapak ajudou Badara a se levantar, mas, antes que pudesse acatar a ordem da mau'lin, enxergou algo que o paralisou: a alguns passos da cruzadunas, em meio ao rastro de madeira, crânios e penas deixados pelo totem caimani, Rüdrik se contorcia dolorosamente na areia, as roupas rasgadas pela queda que sofrera do veículo.

– Pare de se mover... – murmurou o espadachim.

Rüdrik se sentou.

A mão-morta o notou.

Não.

Ainda com Shaetär às costas, o enorme animal se encaminhou para o explorador ferido. Adapak desembainhou as armas, mas Badara o segurou firme pelo antebraço antes que ele corresse, o rosto implorando para que não a abandonasse.

– Badara, me solte, eu preciso ajudá-lo! – falou o jovem, vendo a criatura se aproximar de Rüdrik.

E então trespassou sua coxa direita com uma das pinças.

Como um inseto pregado por um colecionador, o homem se debateu no solo, a areia se tornando escura sob o membro perfurado. A mão-morta se curvou sobre ele, o bico estalando em meio à massa de tentáculos esfomeados. Rüdrik tateou a areia e, encontrando um dos arpões que haviam caído da cruzadunas, o enfiou desajeitadamente abaixo dos olhos do predador.

Com um lamento doloroso, a mão-morta puxou a pinça de volta e cambaleou para o lado, tentando livrar-se do arpão e por pouco não derrubando a mau'lin agarrada à sua carapaça. Desesperado, Adapak finalmente se desvencilhou de Badara, mas então ouviu Shaetär gritar:

– Corram para a cidade ou esta coisa vai matar a todos nós!

Com os lamentos de Badara à sua retaguarda, o espadachim lançou um olhar para Rüdrik, agora um corpo inerte na areia.

– Vá, é nossa única chance!! – gritou a mau'lin.

Corra.

O rapaz embainhou as armas, agarrou uma das mãos de Badara e correu com ela em direção aos portões da cidade; ao alcançá-los, recuperou a mochila que Shaetär havia descartado e avaliou os escombros que ainda bloqueavam a passagem.

– Consegue mover essa viga? – perguntou ele.

A filha de Azagör agarrou o grande pedaço de madeira com quatro dos seis braços e o empurrou sem muito esforço para o lado.

– Entre e se esconda em algum lugar lá dentro – disse o espadachim. – Eu preciso voltar para ajudá-los.

Badara se esgueirou pela passagem e desapareceu. Respirando fundo, Adapak se virou, mas abortou o plano imediatamente.

Shaetär vinha correndo na sua direção. Uma centena de passos atrás, o horror de dez patas a perseguia.

Adapak fez sinal para que ela adentrasse a passagem feita por Badara e a mau'lin o fez, seguida imediatamente pelo espadachim.

– Pela Matriarca – murmurou o jovem ao sair do outro lado.

A cidade de Zabalamu se encontrava em condições familiares à pequena cidade onde haviam resgatado Rüdrik, ainda que a dimensão e a arquitetura de suas ruínas fossem inigualáveis. Partindo da entrada, uma larga avenida de blocos de pedra seguia por uma centena de passos até uma praça interna, onde o pilar Dingirï se mantinha (mesmo que cercado de escombros) inalterado pelo tempo e pela guerra. Em contraponto, ao longo da via os restos de bancos, postes, carruagens e outros objetos do passado cotidiano haviam se mesclado à natureza que escapara dos jardins, assim como às areias que o deserto soprava por entre as brechas da muralha.

– Badara! – chamou Adapak, a voz preocupada ecoando através da via. Não havia sinal da sadummuniana.

Com um gorgolejo frustrado, a criatura se chocou contra os portões atrás dele e da mau'lin. Rocha e madeira se rearrumaram.

– Isso não vai segurá-la – disse Shaetär, vasculhando os arredores.

– *Ali*, venha, meu Senhor!

Adapak a seguiu pela avenida até uma edificação simples de dois andares, cujo propósito original – tal qual o dos prédios vizinhos – havia se tornado indecifrável. Ao cruzarem a soleira do abrigo, eles ouviram os escombros dos portões da cidade cederem às investidas da criatura.

– Será que ela nos viu entrar aqui? – sussurrou o jovem, os olhos brancos ainda se adaptando à escuridão. A mobília, o chão e as paredes haviam se mesclado num grosseiro tapete vegetal.

– Venha, devemos nos afastar da entrada. – Shaetär recuou para atrás do que parecia ter sido um balcão no passado.

– Precisamos voltar até Rüdrik – disse Adapak, juntando-se a ela atrás do móvel.

Pesarosa, a mau'lin negou com a cabeça. Adapak a questionou com o franzir do cenho.

– O humano está *morto*, meu Senhor – revelou Shaetär.

– O quê? Não, eu... Eu vi a mão-morta feri-lo na perna, ele ainda pode estar...

– A criatura terminou de executá-lo logo após o senhor e Badara escaparem – continuou Shaetär, reamarrando a faixa de cabelos que havia se soltado. – Aproveitei para saltar para a areia e correr para os portões, achando que a besta ficaria satisfeita com a refeição... Mas a maldita me seguiu.

– Pela Matriarca... – lamentou o jovem. – Eu não deveria tê-lo deixado, eu...

Um estrondo fez tremer o esconderijo.

Como se os dedos de um gigante das aventuras de Tamtul e Magano estivessem se fechando ao redor do prédio, as muitas patas da criatura invadiram o aposento, quebrando janelas e perfurando paredes. Sob poeira e fragmentos de pedra, Shaetär e Adapak recuaram para os fundos enquanto o animal enfiava a cabeça pela porta, os tentáculos cobiçando o aroma das presas acuadas. Livre do arpão de Rüdrik, a ferida sob seus olhos negros deixava escorrer um pequeno rio azulado.

– Deve haver uma saída aqui atrás! – gritou o espadachim, tateando a parede. Nos livros de fantasia, as tavernas onde os heróis se escondiam tinham sempre uma porta nos fundos.

– Não vejo nenhu...

Antes que Shaetär terminasse a frase, a mão-morta retrocedeu, chacoalhando mais uma vez o cenário. Quando voltou a abraçar o prédio, derrubou parte do segundo andar com o impacto, por pouco não soterrando seus ocupantes. Tossindo, Adapak conseguiu enxergar uma das pinças entrar pela porta; ele agarrou a mau'lin e se jogou no chão antes que as farpas os atingissem.

Em algum lugar lá fora, alguém começou a gritar.

A pata da mão-morta se interrompeu.

– Você ouviu isso? – sussurrou o espadachim.

O animal removeu o membro do prédio, arrancando mais alguns pedaços de rocha com o movimento. Em seguida, gorgolejou e seguiu na direção dos chamados, desaparecendo do campo de visão de Adapak e Shaetär.

Os dois permaneceram inertes. E então ouviram os gritos novamente.

– Pela Matriarca, é *Badara*! – exclamou o espadachim, se levantando. Shaetär o seguiu para fora do prédio em ruínas.

Ao final da via, parada em meio aos escombros que circundavam o pilar da praça da cidade, a filha de Azagör gritava e gesticulava para a criatura, que agora vinha ao seu encalço.

– Pelos Quatro... – falou Shaetär. – O que ela pensa que está fazendo?

– Tentando nos ajudar – respondeu o rapaz. – Venha!

No lugar das oferendas normalmente encontradas aos pés dos pilares Dingirï, a base da relíquia de Zabalamu era tomada pelo entulho do que parecia ter sido um violento sítio durante a guerra, com restos de cercas, trajes e veículos, ilustrando uma fração da tragédia que a cidade vivera. Vendo que seu plano havia funcionado, Badara desapareceu entre os destroços de uma carruagem tombada, um pouco antes que a mão-morta alcançasse a praça. Adapak e Shaetär, correndo pela via de pedras, testemunharam impotentes o enorme predador começar a vasculhar os escombros à procura da laboriosa refeição, os tentáculos farejando cada lixo revirado. *Por favor, não a encontre*, pensou o rapaz, sentindo os ombros castigados pelo peso da mochila. A filha de Azagör berrou quando as pinças balançaram seu esconderijo. Adapak e Shaetär adentraram a praça aos gritos, desesperadamente tentando desviar a atenção da criatura.

O ar foi tomado por uma forte vibração.

O espadachim e a companheira mau'lin se interromperam, assustados com o fenômeno súbito. Como a superfície de uma lagoa sob a chuva, os milhões de cristais que formavam o pilar Dingirï começaram a se mover em padrões concêntricos. No topo da estrutura, os espigões se reorganizavam em forma e tamanho. A mão-morta roncou e largou a carruagem de Badara. Shaetär se prostrou de joelhos e ergueu os braços em louvor. Adapak voltou a atenção para as espadas Igi e Sumi em suas mãos; os olhos das esculturas brilhavam intensamente.

Não faz sentido.

Como um gigantesco farol esmeralda, o pilar se acendeu por inteiro, inundando a cidade de Zabalamu com sua luz. Adapak fechou os olhos, protegendo-os da claridade intensa. Ele ouviu a mão-morta emitir um gorgolejar agudo, seguido pelo eco de suas muitas patas se afastando, aos tropeços, do local. Shaetär, imersa em seu êxtase religioso, berrava o nome dos Quatro Que São Um.

E então o pilar Dingirï se apagou, cessando o movimento dos cristais e a vibração. E, quando o espadachim voltou a abrir os olhos, encontrou uma Zabalamu novamente entregue ao pálido luar de Sinanna, com nenhum sinal da criatura que os ameaçara.

Shaetär se ergueu e correu em direção à carruagem de Badara. Adapak se preparou para fazer o mesmo quando algo em meio à penumbra dos escombros capturou sua atenção.

Paradas em frente à base da gigantesca relíquia estavam duas silhuetas. Cauteloso, o jovem se aproximou, identificando um casal de humanos, de mãos dadas e visivelmente desorientado. A mulher de cabelos curtos se voltou ao espadachim de carvão e, semicerrando os olhos sob a meia-luz, indagou com a voz trêmula:

– A-Adapak? – perguntou ela.

Tambores para o sol

Arranque o braço fraco, e um mais forte crescerá.

Caima, a Primeira ao Sol.

Trecho de um manuscrito anônimo extraído do livro *Os povos e histórias do Viajante*, de Cal'Dalah Lenakas.

DUVIDO QUE alguém, algum dia, coloque as mãos nestas páginas amassadas. Não sei quanto tempo eu tenho, posso ser o próximo. Os Quatro nos abandonaram.

"Cerâmica guandiriana, direto de Orllu!", disse Falafas. "Vasos direto da fonte! Esqueça os Mercados Invisíveis, pense no quanto que poderemos ganhar ao revendê-los em Narba!"

O combinado era buscarmos a mercadoria onde o rio do Peregrino desaparece. Nós nunca deveríamos ter penetrado o deserto. Maldito seja,

Falafas, espero que a sua alma esteja sendo devorada lentamente na Prisão de Cristal.

Eles emergiram do solo. Não sei quantos eram, foi impossível contar no meio de todo aquele caos. Há quanto tempo deviam estar ali, enterrados? Esperando sob a areia quente? Eles são pacientes, os escamosos. Hoje, os observo através das barras deste nosso cativeiro, se banhando ao sol, virando aquelas velas que eles têm nas cabeças em direção à luz. Eu juro pelo Viajante que já os vi ficar parados, na mesma posição, por um dia inteiro, sem mover um músculo. Dúzias deles, amontoados uns sobre os outros, como pedras.

Falafas e seu irmão foram mortos na emboscada, os sortudos. Magral, Tehad e eu fomos enfiados em gaiolas e trazidos para o pesadelo em que me encontro agora. O horror que senti quando nos vi sendo colocados junto com o gado, pelos Quatro!

Havia outros prisioneiros quando chegamos ao acampamento da tribo. Meia dúzia de mulheres, jovens e velhos, estúpidos ou azarados, que, como nós, ousaram pisar no proibido deserto de Caima. Aqueles que escolheram ou tinham condições de falar conosco não sabiam de muita coisa. Ou talvez tenham fingido não saber. Hoje eu entendo que foi melhor assim.

No começo, Magral e Tehad tentaram implorar. Pelos Quatro, eu também pedi para que nos deixassem ir. Achei que os escamosos simplesmente ignoravam as nossas súplicas, mas hoje desconfio que sequer saibam falar a Língua Antiga. Talvez tenham se esquecido.

Não posso culpá-los. Os Quatro esqueceram esse deserto, primeiro.

Esses escamosos não são como os das cidades. Ah, não, eles abandonaram o mundo civilizado há gerações. Eles andam nus e pintam os corpos com uma lama branca, fedorenta. Erguem totens abomináveis de osso e penas, certamente dedicados às Bestas (juro que alguns se parecem com grandes marionetes). Não vejo casas aqui em cima, apenas buracos no chão, de onde eles entram e saem. Talvez exista um sistema de túneis debaixo deste lugar maldito, ligando várias cavernas individuais. Não importa, em breve eu descobrirei. É para um desses buracos que eles me levarão em breve.

No dia seguinte à nossa chegada houve algum tipo de festival. Do nosso cercado assistimos à tribo inteira tocar tambores para o sol. Não houve canto nem dança, apenas um ronco que todos emitiram juntos. Que som horroroso! Por um momento, achei que eu finalmente havia morrido e me encontrava na Prisão de Cristal, atormentado pelas Bestas. No centro do círculo formado pelos tambores, um escamoso enorme tirou a espada do cinto e decepou o próprio braço. Os outros celebraram.

Tehad me disse que o membro vai crescer de novo. Será possível uma aberração dessas? Talvez o homem tenha finalmente enlouquecido.

Eu quase não vejo os escamosos saírem do acampamento à noite. Quando o fazem, carregam sempre grandes tochas e andam em grupos aglomerados, quase colados uns nos outros, e por pouco tempo.

Não há famílias. As crianças ora estão sob o cuidado de uns, ora de outros. Um dos pequeninos (não sei dizer se era menino ou menina) se aproximou curioso do meu cercado no segundo dia. Eu estendi a mão para cumprimentá-lo e o bostinha me mordeu. A mandíbula deles quase sai para fora da boca quando o fazem, é horrendo. Eu achei que fosse perder meus dedos, mas Magral os enfaixou bem, usando uma tira da minha calça.

"Somos fortes, vamos trabalhar e sobreviver", disse Magral. Ela foi a primeira de nós a ser levada para baixo da terra. Dias depois foi a vez de Tehad. O homem cravou as unhas no chão, chorou e esperneou enquanto era arrastado para o buraco, mas isso não fez diferença alguma. E por que deveria? Nós não tratamos ninzunas ou cascos-da-estrada como gente. Não pedimos que nos sirvam, apenas roubamos o seu leite e o seu suor.

Sua carne.

A capitã e o espadachim

Tempo, esse deboche.

Piträ, em *Tamtul e Magano e o elmo do Imperador Sorridente.*

— S-SIRARA?... – indagou o espadachim de carvão.

Na praça do pilar em Zabalamu, em meio às ruínas da antiga cidade do deserto, os olhos brancos de Adapak não conseguiam crer no que viam sob o luar: Sirara e um humano que ele não reconheceu o encaravam de volta, atordoados após terem sido trazidos ao local pela gigantesca relíquia Dingirï. De mãos dadas, o casal parecia ter dificuldade em manter o equilíbrio.

— ADAPAK!! – gritou a capitã, soltando a mão do homem de armadura e cambaleando na direção do espadachim. – P-pelos Quatro, é... é você mesmo?!

Embainhando as armas, Adapak foi ao encontro da mulher e a amparou nos braços antes que ela caísse.

— Pela Matriarca, você está bem? – perguntou ele.

— S-sim, eu... eu acho que sim – respondeu Sirara, se recompondo. Em sua outra mão, o cabo de Lukur ainda emitia uma fraca luminosidade, assim como os de Igi e Sumi. O pilar Dingirï também aos poucos retornava à normalidade, reordenando padrões e encolhendo os espigões ao longo de sua superfície esmeralda.

– Como... Eu não entendo, como você conseguiu chegar aqui só com uma espada? – perguntou o jovem de pele negra.

– Onde estamos? – Sirara olhou ao redor, tremendo. – O-Onde está o sol?... E por q-que está tão *frio*? Estamos em... *Shuru*?

– Shuru? – repetiu Adapak. – Não, nós estamos em Zabalamu.

– Z-Zabalamu? – indagou ela.

– A *cidade* no meio do deserto de Caima – explicou ele. – Sirara, eu... eu tentei escapar, mas...

– Si?... – Veio a voz atrás da capitã.

Sirara se virou e viu Jarkenum prostrado de joelhos, a cabeça baixa deixando os longos cabelos tocarem o chão.

– Jark! – exclamou a mulher, embainhando Lukur e indo ao seu auxílio.

Adapak, por sua vez, lembrou-se de suas outras companhias.

Girando a cabeça, ele as localizou: alheia à presença dos recém-chegados, Shaetär havia se adiantado até a carruagem onde Badara se refugiara e agora a ajudava a se esgueirar para fora do veículo. O espadachim vasculhou o cenário à procura da mão-morta que os havia atormentado, certificando-se de que o fenômeno do pilar realmente a afugentara.

A criatura ainda pode estar dentro da cidade.

Retornando a atenção para Sirara, Adapak viu que ela ajudava o humano a se levantar.

– O efeito logo vai passar – disse o espadachim, indo até o casal.

E então Adapak reconheceu o humano de armadura vermelha.

Como um soco no peito, a lembrança de quando ele e Jarkenum haviam escapado da prisão de Urpur o atingiu com força, resgatando os cheiros, as mortes e os sentimentos que o rapaz havia experimentado naquela noite.

– Jark, seu idiota, por que fez isso? – perguntou a capitã, afastando os cabelos do rosto desorientado do homem. – Por que segurou a minha mão?!

– E deixar você se divertir em Shuru sozinha, Si? – Jarkenum recompôs o equilíbrio.

E então ele se voltou para Adapak.

– Ei, espere... espere um pouco – disse o humano, arregalando os olhos na penumbra.

Notando a expressão do homem, a capitã tentou situá-lo:

– Jark, não se assuste, este é o amigo de quem lhe falei! – explicou ela, tocando o braço de Adapak. – Eu não sei como, mas...

– O que você está fazendo aqui? – perguntou Jarkenum ao espadachim.

– Eu?! – reagiu o jovem. – O que *você* está fazendo aqui?!

Confusa, Sirara alternou o olhar entre os dois.

– Vocês... se conhecem?! – indagou ela.

– Meu Imperador? – chamou a voz de Shaetär.

Adapak espiou sobre o ombro. A algumas dezenas de passos de distância, a mau'lin se aproximava com a filha de Azagör – ambas visivelmente intrigadas com a presença dos humanos.

– Prestem atenção, não temos muito tempo – sussurrou o rapaz para Jarkenum e Sirara. – Apenas... apenas concordem com tudo que eu disser, está bem? Ficaremos bem contanto que vocês façam isso... E, Sirara, não deixe que elas reparem na sua espada!

– Minha espada? – A capitã tocou o cabo de Lukur, na bainha. – Não, nós... Adapak, essas são as pessoas que sequestraram você, não são?

Mas Adapak já havia se virado para as Esposas de S'almu Saruma:

– Badara, v-você está bem? – perguntou ele.

– Forcei um pouco o meu pé torcido, mas estou bem, Rei de Fogo – respondeu a sadummuniana, mancando ao lado da colega. Uma das fivelas de sua pesada mochila havia arrebentado. – Quem são esses humanos?...

– Imperador Saruma, o que está acontecendo? – Shaetär reforçou a dúvida, o olhar dançando entre a capitã e o homem de armadura.

Adapak inspirou fundo.

– Shaetär, Badara, eu *invoquei* esses dois humanos através do pilar Dingirï. – Ele apontou para Sirara e Jarkenum. – Eu os trouxe para nos ajudar a encontrar Puabi e Aishara.

Houve um instante de silêncio, logo quebrado pela filha de Azagör:

– Todo aquele brilho que eu vi de dentro da carruagem?... – indagou ela.

– Exato – disse Adapak. – Shaetär, você viu quando eu pedi o auxílio dos Dingirï, não é verdade?

– Eu... O pilar se acendeu, sim – respondeu a mau'lin, relutante.

– Os Dingirï atenderam ao meu pedido, assustaram a mão-morta e enviaram esses aliados para nos ajudar – falou o espadachim.

– Aliados... – repetiu Shaetär, encarando Jarkenum. O homem mantinha os dedos inquietos sobre o chicote.

– Sim, seguidores da palavra... da *minha* palavra – completou o espadachim. – Esta é Sirara, e este...

Adapak não conseguia se lembrar do nome do humano.

– *Jarkenum*. – Ele mesmo se apresentou. – Jarkenum Raned.

– Jarkenum, Sirara, estas são as minhas Esposas, Shaetär e Badara – disse Adapak.

– Suas *o quê*? – indagou a capitã.

– Nossos ventres anseiam pela semente do Reì de Fogo – falou Badara.

Sirara deixou o queixo cair. Jarkenum torceu os lábios num meio-sorriso.

– Sirara, Jarkenum, sei que vocês estão confusos, mas me ouçam – emendou o espadachim, implorando para que a expressão no rosto dos humanos fosse atenuada pela penumbra. – Vocês estão na antiga cidade de Zabalamu, no deserto de Caima. Eu, S'almu Saruma, os invoquei para que nos ajudem a resgatar minhas duas outras Esposas, Puabi e Aishara, que foram sequestradas por... forças que ainda não compreendemos.

– Ãh... certamente. – Jarkenum se colocou ao lado de Adapak. – Estamos aqui para ajudá-lo, imperador *Saruman*.

O espadachim contraiu os lábios.

– Vejo que a viagem os *atordoou* – arriscou o jovem, olhando para Sirara. – Eu os trouxe de terras muito distantes, não é verdade?

– S-sim – balbuciou a capitã.

– Seus poderes estão retornando, Rei de Fogo! – disse Badara, emocionada.

– Sim, a... a proximidade com os pilares me fortalece – falou Adapak.

– Salve S'almu Saruma! – bradou a sadummuniana, erguendo dois dos seis braços.

– Isso, salve o Saruma! – Jarkenum a acompanhou com o gesto.

Shaetär mirou Sirara. Seus grandes olhos amarelos eram sóis tentando afastar a sombra que pairava sobre o semblante da capitã.

Ouça os Círculos, filho de Anu' När. Ouça os Círculos e termine com isso. Como eu o ensinei.

– Sou... serva de sua vontade, Imperador Negro – disse, por fim, a mau'lin.

Os Círculos a descoloriram.

– Devemos procurar abrigo do frio – emendou o espadachim. – E da mão-morta, que pode retornar.

– Eu não tenho ideia do que seja uma "mão-morta", mas já não gosto dela. – Jarkenum olhou ao redor.

– Um predador do deserto que nos perseguiu até esta praça – falou Adapak. – Fugiu quando o pilar se acendeu e vocês chegaram.

– O barulho que fizemos também pode ter atraído a atenção dos caimani – disse Shaetär. – Vamos...

– Esperem, esperem – pediu Badara. – E quanto a Rüdrik?

– Badara... – Adapak inspirou fundo antes de entregar a notícia, mas Shaetär se adiantou.

– O humano está morto – declarou ela, e então começou a se afastar do pilar.

Estarrecida, Badara se voltou para Adapak.

– A... a criatura o matou, Badara – confirmou o espadachim, para o horror da sadummuniana.

– Ele... ele voltou para nos salvar... – falou Badara, os quatro olhos se enchendo de lágrimas. – Irmã Shaetär, ele voltou para nos ajudar!

A alguns passos do grupo, Shaetär interrompeu o caminhar.

– Sim, eu estava errada sobre o explorador – disse ela, sem olhar para trás. – Venho errando sobre muitas coisas, ultimamente.

O QUINTETO deixou a praça do pilar e se aventurou pelas ruas desertas de Zabalamu, com a mau'lin na dianteira à procura do abrigo para a noite. Logo atrás dela, o espadachim ajudava Badara a caminhar com o pé ferido, lutando contra o desejo de se virar para abraçar a companheira humana e inundá-la de perguntas sobre a jornada que a levara até ali – incluindo a presença intrigante do homem que, meses atrás, ajudara Adapak a escapar da prisão de Urpur.

Jarkenum e Sirara, por sua vez, se entreolhavam ao final da fila, mudos, cientes de que haviam aberto um livro na metade e, caso quisessem chegar ao final, precisavam fingir que compreendiam a narrativa – ao menos temporariamente.

A cidade, apesar de morta, respirava. O silêncio sepulcral era, eventualmente, pontuado por sons indecifráveis que ecoavam entre as vielas escuras e edificações semidestruídas à distância, assombrando a imaginação de seus visitantes. Adapak sentia como se cada passo seu se destacasse como o instrumento de uma orquestra inconveniente, perturbando a paz dos fantasmas de outrora.

Logo, uma grande estrutura cilíndrica chamou a atenção de Shaetär, que sinalizou para que o grupo adentrasse. O local parecia ter sido, no passado distante, algum tipo de teatro, com uma pequena arena a céu aberto cercada por uma deteriorada arquibancada de pedra, que se dividia em dois corredores de entrada e saída. No nível mais alto dos assentos, mastros pontuavam a mureta que circundava o cenário, indicando onde antigas flâmulas costumavam anunciar as apresentações.

– Os corredores parecem estreitos demais para a criatura – disse Shaetär, sua voz reverberando através da câmara.

– Sim, acho que podemos passar a noite aqui – sugeriu Adapak, pousando a mala no centro da arena. O espaço ainda exibia os restos dos móveis de um cenário arruinado pelo tempo, com bancos, armários e tecidos que, em algum ponto da história, haviam composto uma peça artística capaz de emocionar a audiência do teatro.

– Irmã Badara, adiante o acampamento – comandou Shaetär. – Farei um reconhecimento completo do lugar.

A sadummuniana sem pelos obedeceu à ordem com a ajuda de Sirara e Jarkenum, que logo se renderam à sua simpatia. Esforçando-se para conter a tempestade de pensamentos que o atormentavam, Adapak preferiu observá-los da entrada de um dos corredores entre as arquibancadas, torcendo para que os humanos não falassem nada que comprometesse a frágil ficção que ele havia criado para justificar a presença deles ali. Para seu alívio, o casal correspondeu à expectativa e se manteve fiel à farsa, mesmo quando a filha de Azagör os apresentou à mão decepada de Adapak e, como uma cronista orgulhosa das aventuras que testemunhara, contou sobre o kusari e a jornada que S'almu Saruma e suas corajosas Esposas tinham vivenciado até aquele momento, incluindo o ato heroico – e trágico – de Rüdrik.

Acompanhando a narrativa, o espadachim recordou uma passagem de um dos livros de Tamtul e Magano; "Seu verdadeiro destino se encontra nas entrelinhas, aventureiro", dizia uma misteriosa personagem para um dos protagonistas. Adapak se pegou invejando a vida fictícia dos seus heróis, cujas soluções dos dilemas eram expostas para o leitor como as peças de um amigável quebra-cabeças. O jovem pensou em como sua vida seria mais fácil se pudesse escutar um narrador otimista que lhe guiasse para longe dos perigos, em vez da voz do antigo mestre que outrora tentara lhe tirar a vida.

"Mestre". "Mentor". Vestes egocêntricas que Telalec não exige do filho de Anu' När.

Adapak o afastou da mente no instante em que Shaetär retornava ao acampamento.

O espadachim decidiu se juntar ao grupo que se acomodava ao redor da fogueira acesa com pedaços de madeira do antigo cenário do teatro. Guardando o recipiente com a mão negra de Adapak, Badara então começou a distribuir pequenas porções de pão e carne-seca que ainda tinha em sua outra mochila.

– Ãh, senhor Saruma – falou Jarkenum, apontando em seguida para Badara. – A sua *Esposa carequinha* aqui nos contou um pouco sobre o que vocês passaram antes de virem parar no deserto, mas ainda não entendi direito sobre esses tais "guardiões voadores".

– Eu... – O espadachim pensou em como responder. – Eu sei que soa estranho, mas é o que aquelas coisas me pareceram ser.

– E você acha que as suas Esposas sequestradas foram trazidas para algum lugar nesta cidade? – perguntou o homem.

– Temos razão para acreditar que sim – respondeu Adapak.

– E como vocês têm certeza de que elas ainda estão vivas? – Quis saber Sirara, recusando a porção que Badara lhe ofereceu.

– Nós... não temos – disse Adapak.

– Mas temos *fé* – falou Badara, oferecendo o alimento a Shaetär. – Não temos, irmã?

– A feiticeira ainda pode estar viva – declarou Shaetär, aceitando a provisão. – Mas Aishara é *fraca*. Não sobreviveria a uma viagem daquelas, presa nas garras das criaturas aladas, sem água e sem comida por tanto tempo.

– Você está *errada*, irmã, Aishara é mais forte do que você pensa – afirmou a filha de Azagör, emocionada. – Não se esqueça de que ela é uma Filha do Fosso!

Sirara e Jarkenum se entreolharam.

– Desse tal Fosso nós já ouvimos falar, mas o que seria uma "Filha do Fosso"? – perguntou o homem, entre mastigadas.

– É uma grande honra para a menina Aishara! – disse Badara.

– É um... tipo de *festival* – respondeu Adapak. – Uma cerimônia realizada pelas Cidades Quietas.

– Que tipo de cerimônia? – indagou Sirara.

Adapak inspirou fundo.

– A cada quatro ciclos, uma criança da comunidade é escolhida para ser levada até o fundo do Fosso e deixada sozinha lá embaixo – explicou o espadachim. – Caso essa criança seja capaz de sobreviver aos... *perigos* do lugar e retornar à superfície por conta própria, significa que a ira da Lança foi aplacada e a criança foi honrada como uma Filha ou Filho do Fosso.

– Pelos Quatro... – murmurou Sirara.

– Eu aposto que esta é uma honra bem rara, então – falou Jarkenum. Em silêncio, o grupo terminou a refeição ao crepitar do fogo.

– Eu farei a primeira guarda, vocês podem descansar – declarou Adapak, se levantando. – Badara, sugiro que troque a bandagem do braço antes de dormir.

O espadachim se sentou no primeiro nível da arquibancada, de onde assistiu aos companheiros apagarem as chamas e se prepararem para o repouso. Aos poucos, ele acompanhou um a um se render ao cansaço noite adentro, até que a jovem sentinela se tornou a única a admirar as estrelas sobre Zabalamu. Com as costas apoiadas na pedra, Adapak cruzou os braços contra o frio e bocejou, as pálpebras cada vez mais pesadas. As piscadas, cada vez mais longas, traziam o conforto da escuridão.

Exausto, ele foi vencido pelo sono.

Ikibu.

Adapak despertou com o rosto de Sirara o encarando.

Levando o dedo aos lábios, a mulher fez sinal com a outra mão para que ele a seguisse. O jovem negou com a cabeça, lançando um olhar apreensivo para Shaetär – deitada de lado, a mau'lin dormia, assim como Badara e Jarkenum. Ainda era noite.

Enfática, Sirara repetiu o sinal, adentrando o corredor entre as arquibancadas. Adapak engoliu em seco, se levantou vagarosamente e a obedeceu, seguindo-a até o arco de entrada do teatro.

E ali, ocultos do olhar da lua e dos colegas, a capitã Sirara e o espadachim de carvão se beijaram.

Ele a abraçou com força, como havia sonhado em voltar a fazer tantas vezes.

– Pela Matriarca, eu... eu tenho tanta coisa para te contar... – sussurrou ele. – Essas pessoas, esse... *culto* acha que eu sou um *profeta*! Eu tentei...

– Adapak, nós não temos tempo, *me escute* – começou ela, espiando pelo corredor. – Eu vou acordar Jarkenum e...

– Não! – reagiu o espadachim, segurando-a pelos braços.

– Acalme-se, eu já entendi que a mau'lin é perigosa – disse Sirara. – Eu trouxe uma *corda* na minha mochila. Eu, você e Jarkenum podemos...

– Não é só isso, Sirara, você... você não entende, nós... nós não podemos ir embora!

Confusa, a mulher o encarou na penumbra.

– Adapak, nós agora temos as três espadas – falou ela, tocando Lukur na bainha. – Se voltarmos até aquele pilar da praça, podemos usá-las para deixar esta cidade maldita!

– Não é simples assim, Sirara, eu... – Ele controlou o volume da voz. – Puabi e Aishara foram sequestradas, nós não...

– *Você* foi sequestrado! – retrucou a capitã.

– Não! Quer dizer, *sim*, mas... – O jovem buscou as palavras.

– Adapak. – Sirara o segurou pelo rosto antes que ele as encontrasse. – Você não é o herói dos seus livros de aventura! Você não pode salvar o mundo!

O jovem tirou as mãos dela do rosto.

– Eu *sei* – disse ele. – Mas posso tentar salvar duas pessoas. Duas pessoas *inocentes*.

– Inocentes? Adapak, do que você está falando?! – protestou a mulher. – Eu vi como a biblioteca em Isin ficou depois que você foi levado. Essas pessoas tentaram *matar* você!

– Fale baixo, por favor... – Ele espiou pelo corredor.

Sirara esfregou o rosto.

– Adapak, eu... – retomou ela, baixando o tom. – Olhe, eu não posso imaginar o que você passou com esse culto, mas... Pelos Quatro, eu também passei por muita coisa para poder chegar até aqui... A minha cabeça ainda está rodando, eu ainda não entendo por que era *dia* quando eu e Jarkenum entramos no outro pilar e *noite* quando chegamos aqui! E também não entendo como que vocês dois já se conheciam...

– Quando eu estava em Urpur...

– Isso não importa agora! – Ela o cortou. – Só o que importa é sairmos daqui, Adapak!

O espadachim escutou algo acima deles.

Erguendo o olhar, teve tempo apenas de vislumbrar uma silhueta saltar de uma arquibancada para outra. Passos apressados. Algo aterrissou ao lado de fora do teatro.

O casal se virou na direção do som.

Agachada na calçada em frente ao arco de entrada, Shaetär os mirava com seus olhos amarelos.

Falsos profetas

O herói está sempre cheio de dúvidas. O vilão, de certezas.

Puzur, em *Tamtul e Magano*
no *Átrio da Segregação.*

DO LIVRO *Crônicas de Saalmo Sarrum.*
Capítulo 57: "Despedida no Lago das Cinzas"

E o Imperador Saalmo Sarrum, vendo a multidão que se aglomerava ao redor da pira, ergueu suas espadas e, com uma voz que alcançou a todos, lhes disse:

"Prestem atenção e levem minhas palavras para aqueles que não puderam estar presentes aqui hoje. Prestem atenção porque eu não estarei entre vocês amanhã, pois das cinzas das estrelas eu vim e para as cinzas das estrelas hoje eu retornarei.

Mas não temam, pois na lua em que a Prisão de Cristal começar a rachar os Quatro Que São Um soprarão o Seu hálito sobre as minhas cinzas e eu serei carne uma vez mais. E as Bestas tremerão.

No Primeiro Dia do meu retorno, Nove Mil entre vocês me reconhecerão, pois as chamas terão enegrecido minha pele, mas não o meu olhar. E eu negarei o meu nome para testá-los, mas aqueles que forem dignos farão o meu sinal e eu saberei que eles espalharão a palavra de que Sarrum caminha novamente entre os dignos.

No Segundo Dia a minha carne será a certeza. E das quatro casas de Kurgala surgirão quatro eleitas, e elas provarão da minha carne e dirão o meu nome, e assim eu saberei que são dignas de serem minhas Esposas. E elas deixarão pai e mãe e se unirão a mim na estrada para Shuru. E nós seremos uma só carne, pois aquilo que os Quatro Que São Um uniram não pode ser desunido.

No Terceiro Dia os dignos enxergarão os seus reflexos nas minhas lâminas e reconhecerão o seu valor na terra e nos céus. E o sangue deles se misturará ao meu na estrada para Shuru.

No Quarto Dia, a Prisão de Cristal se partirá. E do ventre de minhas Esposas nascerão as nossas crianças, que sobre as areias de Shuru enfrentarão a Besta Branca e a Besta Negra, queimando-as com seus olhos de fogo.

E os Quatro Que São Um ouvirão o grito das Bestas e deixarão as Suas Casas. E então os dignos formarão uma fila e se apresentarão perante os Quatro Que São Um.

E, até que o Primeiro Dia chegue, atentem-se aos falsos profetas, pois muitos surgirão após o meu caminhar para as chamas. Mas eles errarão o meu nome, e assim vocês saberão que eles falam com a língua da Besta Branca e da Besta Negra. E a língua das Bestas deve ser cortada, ou a sua saliva grudará como piche naqueles que a escutarem, fazendo irmão se voltar contra irmão.

E, até o meu retorno, deixo duas coisas, as minhas Crônicas e o meu exemplo, e se os seguirem jamais serão corrompidos pelo sussurro das Bestas."

E com essas palavras o Imperador Saalmo Sarrum se despiu. E disse ele, olhando para os céus:

"Senhores de Kurgala, nas Suas mãos entrego a minha alma. Eis aqui o seu filho."

E então o Imperador Saalmo Sarrum adentrou a pira com os próprios pés. E a multidão louvou aos Quatro Que São Um até que o profeta se tornou cinzas e os ventos o soprassem sobre a superfície do lago.

O Vento Branco e o Rio Vermelho

A embriaguez da fúria cobra a mais cara das ressacas.

Jer Carran, em Os Círculos de Tibaul Danvelec.

DA CALÇADA em frente ao teatro de Zabalamu, Shaetär encarava Adapak e Sirara, flagrados conversando sob o arco de entrada do prédio.

– "E atentem-se aos falsos profetas, pois muitos surgirão após o meu caminhar para as chamas" – falou a mau'lin. As espadas Vento Branco e Rio Vermelho descansavam nas bainhas das suas costas, a faixa de cabelos presos roçando os cabos de couro.

– Shaetär, eu... – tentou falar o espadachim.

– "Mas eles errarão o meu *nome*..." – Ela o interrompeu, dando um passo na direção do casal. O luar de Sinanna insistia em destacar as velhas cicatrizes de tortura em sua pele branca. – "E assim vocês saberão que eles falam com a língua da Besta Branca e da Besta Negra."

– Shaetär, *me escute* – insistiu o rapaz, recuando cautelosamente com Sirara pelo corredor entre as arquibancadas.

– Adapak... – murmurou Sirara, a mão pairando sobre a bainha de Lukur.

– Ada-pak – falou Shaetär. – *Esse* é o seu verdadeiro nome. O nome que escutei nas sombras.

O corredor entre as arquibancadas abriu para a arena do teatro. No acampamento improvisado ao centro, já de pé entre os móveis do antigo cenário, Jarkenum os aguardava, alarmado. Deitada ao lado dos restos da fogueira, Badara ainda roncava.

– Jark, fique atento – disse a capitã, desembainhando Lukur.

– Não! – Adapak ergueu a mão cinza para o humano de armadura. – Não importa o que aconteça, *não façam nada*! Fiquem longe!

Badara despertou.

– Todos os sinais estavam lá – falou Shaetär. – *Todos*.

Ela tocou o cabo das armas.

Os Círculos Tibaul se acenderam.

Ouça-os, filho de Anu' När.

– Shaetär, por favor... – pediu Adapak, parando a alguns passos do acampamento. À sua retaguarda, Jarkenum ajudava Badara a se levantar.

– O que está acontecendo?... – indagou a sadummuniana, esfregando o rosto amassado.

Shaetär desembainhou Vento Branco e Rio Vermelho.

Os Círculos coloriram o seu corpo.

– Shaetär, não faça isso – implorou Adapak.

Rápida como um lalasu, Shaetär avançou contra o espadachim. Adapak desembainhou Igi e Sumi a tempo de rechaçar a furiosa primeira sequência de investidas da oponente, recuando para o acampamento no centro da arena; com dificuldade, Jarkenum puxou Badara para o lado antes que os combatentes os atropelassem, o baque das lâminas de osso reverberando através da câmara.

Adapak era rápido. Shaetär era um *relâmpago*.

Diferente dos Círculos, a técnica da Academia era criativa, beirando a imprevisibilidade. Se para o espadachim Igi e Sumi eram as ferramentas de um engenheiro obcecado pela exatidão, Vento Branco e Rio Vermelho eram os pincéis de uma artista que buscava a imagem final não com traços, mas com *manchas*.

Adapak recuou em meio ao cenário do teatro até que seu calcanhar encontrou os restos de um banco, fazendo-o tropeçar e colar as costas num velho armário. Shaetär projetou a espada longa e por pouco errou a garganta do alvo, trespassando a madeira podre do móvel. Adapak a empurrou com a bota e a afastou de si. Alguém agarrou a mau'lin por trás. Obedecendo ao instinto, Shaetär passou Rio Vermelho por baixo do braço e perfurou quem a segurava.

Badara gritou de dor.

Não.

A lâmina se desprendeu do abdômen da sadummuniana quando ela soltou a colega. Shaetär se virou e arregalou os grandes olhos. Badara colocou as mãos sobre o corte profundo e cambaleou até Jarkenum, que não teve forças para evitar que a pesada filha de Azagör fosse ao chão.

– Não! – exclamou Adapak, a atenção alternando entre a vítima e a responsável pelo acidente.

– A coisa foi feia, parceiro – falou Jarkenum, ajoelhado junto a Badara. O sangue começava a surgir entre seus dedos, manchando a pelagem rala.

Murmurando palavras inaudíveis, Shaetär recuou alguns passos, o olhar fixo na colega caída. Embainhando as armas, Adapak correu até Badara e se ajoelhou ao lado do homem de armadura.

– Temos que fazer pressão! – disse o espadachim. – Sirara, precisamos de panos!

Com a espada Lukur ainda apontada para a mau'lin, Sirara hesitou.

– Sirara! – gritou Adapak.

Mantendo parte da atenção em Shaetär, a mulher correu até as mochilas e começou a vasculhá-las.

– E-eu não quero morrer, Rei de Fogo... – disse a sadummuniana.

– Você não vai morrer, Badara – respondeu o rapaz, mantendo as mãos sobre o corte.

Sirara chegou com um tecido e o entregou a Jarkenum. O homem o dobrou, afastou as mãos de Adapak e o pressionou sobre o ferimento.

– Estou com m-medo – falou Badara. Seus lábios grossos estavam cada vez mais descoloridos. – Não sou t-tão corajosa quanto o meu pai...

– Você é *sim* – afirmou o espadachim, encarando seus quatro olhos. – Azagör teria ficado orgulhoso se visse o que você fez com aquela criatura nos portões. Ter coragem não significa não ter medo, Badara, significa agir *apesar* do medo, entende? E foi o que você fez até aqui, não foi?

– Meu p-pai... – murmurou ela, as pálpebras começando a pesar.

– Ei, ei, parceira, nada de dormir. – Jarkenum a segurou pela cabeça.

Por favor, não.

– M-minha carruagem está pronta, Rei de Fogo? – perguntou Badara. – Diga ao Viajan... D-diga ao Viajante que me leve à estrela do meu...

E com o pensamento no pai Badara faleceu.

– "E os sussurros das Bestas alcançarão os corações dos mortais, e os corromperão" – falou Shaetär.

Adapak, Jarkenum e Sirara se voltaram para ela. A uma dúzia de passos da tragédia, parada no centro do teatro, a mau'lin observava, estarrecida, o corpo sem vida de Badara. Em sua mão direita, a lâmina de Rio Vermelho fazia jus ao nome.

– Shaetär... – Adapak ergueu cuidadosamente a mão esquerda, em sinal de paz.

– Azagör se deixou... Ele se deixou seduzir pelo sussurro das Bestas... – Shaetär o ignorou, os olhos amarelos agora encarando o vazio, buscando as palavras certas. – Sim, ele... ele trouxe o fruto podre para a nossa casa... Trouxe o falso profeta para perto da sua *família*... E... e ele pagou o maior dos preços...

– *Você* é responsável por isso, não Azagör ou eu – disse Adapak, se levantando e enxugando as lágrimas do rosto.

A mau'lin olhou para a lâmina maculada com o sangue de Badara. A visão pareceu despertá-la do torpor.

– "E a língua da Besta Branca e da Besta Negra deve ser cortada, ou a sua saliva grudará como piche naqueles que a escutarem, fazendo irmão se voltar contra irmão" – citou ela, erguendo o olhar para o rapaz.

– *Você* fala com a língua da Besta Negra, falso profeta.

Ao lado de Adapak, Sirara apertou firme o cabo de Lukur. Jarkenum pousou a mão sobre o chicote laminado.

Ela vai sangrá-los, filho de Enki' När.

O espadachim disparou na direção da arquibancada do teatro, instigando a mau'lin a persegui-lo. Ele desembainhou as espadas e escalou até o segundo nível antes que Shaetär o alcançasse; rechaçando um a um os golpes às suas pernas, o jovem continuou a subir os degraus até a linha mais alta dos assentos, onde abriu uma distância para que a mau'lin se juntasse a ele.

– Puabi e Aishara sequer estão nesta cidade, não é verdade, falso profeta? – perguntou ela, ofegante. – As suas aberrações aladas levaram nossas irmãs direto para a Prisão de Cristal, é isso?

Em vez de responder, o espadachim lançou um olhar para a arena, onde Jarkenum impedia Sirara de galgar a arquibancada em direção ao conflito.

Quanto tempo eles durariam contra Shaetär caso Adapak tombasse?

Preciso tirá-la daqui.

Adapak retornou a atenção à oponente no instante em que ela desferia um corte lateral no seu pescoço. O jovem se esquivou e a lâmina acertou um dos mastros da mureta que circundava o teatro; desgastada, a comprida haste de madeira se partiu e desabou entre os combatentes, que se afastaram para evitar o acidente. Aproveitando a distração, o espadachim abriu ainda mais a distância entre ele e Shaetär, embainhou as armas, subiu na mureta e olhou para o exterior do teatro: uma dezena de cascos abaixo, a varanda de uma casa vizinha estava ao alcance de um salto.

Vá.

Ele apostou, na dúvida se a estrutura centenária aguentaria seu peso. A resposta foi positiva – ainda que barulhenta – e Adapak amorteceu a queda com um rolamento, atravessando a soleira da varanda e atropelando uma velha poltrona no interior da residência, que se espatifou com o impacto. Levantando-se, ele viu que se encontrava num velho salão de jantar, com cadeiras vazias cercando uma comprida mesa coberta de poeira e detritos. Semidestruídas pela guerra, as paredes davam vista para os terraços vizinhos.

Shaetär aterrissou na varanda com muito mais graça do que Adapak, os grandes olhos treinados localizando-o na escuridão. De armas prontas, ela avançou contra o alvo, que desembainhou as lâminas e recuou até bater o quadril contra a mesa de jantar. Shaetär arriscou uma estocada dupla em seu abdômen e Adapak as prendeu com um cruzar desengonçado de Igi e Sumi, trazendo a oponente para perto.

Ela então cravou os dentes no antebraço direito do rapaz.

Gritando de dor, Adapak soltou Igi da mão esquerda, agarrou a mau'lin pelo pescoço e, com o auxílio do braço preso pela mordida, girou a agressora para trás e a largou ruidosamente sobre a mesa, desprendendo-a de si.

Tossindo, ela rolou na sujeira do móvel e começou a se levantar. Adapak recuperou Igi do solo.

Mate-a, Filho de Anu' Där.

NÃO.

O espadachim disparou em direção aos fundos do salão, onde uma grande abertura na parede o chamava a escapar. De pé, Shaetär o perseguiu de cima da mesa, tropeçando e arruinando a louça que havia servido tantos banquetes à elite de Zabalamu.

Adapak atingiu a beirada do prédio primeiro e saltou para o terraço vizinho, encontrando uma antiga lavanderia. Ele se virou no instante em que Shaetär o alcançou, permitindo a Rio Vermelho que lhe tirasse uma lasca do ombro direito; trincando os dentes, o rapaz bloqueou Vento Branco e recuou contra os varais de bambu, que, fragilizados, se partiram como teias. Quando um conjunto de balaios impediu seu progresso, Adapak girou para o lado e evitou a lâmina comprida da mau'lin, que perfurou com um silvo o vime empoeirado. O espadachim então chutou um dos cestos para o chão em frente à oponente, erguendo uma grossa nuvem de pó e transformando-a numa silhueta cinzenta.

Ouvindo Shaetär amaldiçoá-lo às cegas, Adapak circundou os cestos e encontrou o fim do terraço. À sua frente, erguia-se uma alta torre cilíndrica com um convidativo rombo na parede, poucos cascos abaixo.

O espadachim embainhou as armas e aceitou o convite.

A aterrissagem ecoou através da torre, afugentando o bando de furareias que dormia em seu interior. Adapak cobriu a cabeça quando as aves passaram por ele e escaparam pelo rombo, piando em protesto e alertando Shaetär sobre seu destino.

Vamos.

Como uma metafórica espinha dorsal, uma escada de madeira espiralada percorria todos os andares da torre. Vendo que os degraus inferiores haviam colapsado, o espadachim não viu opção senão começar a subir e escutou os passos de Shaetär assim que alcançou o próximo nível. Deslizando a mão sobre o corrimão empoeirado, Adapak prosseguiu; a cada cômodo conquistado, o luar através das paredes falhas lhe oferecia fragmentos históricos que ele lamentava não ter a oportunidade de remontar.

Após o terceiro lance de escadas, o jovem descobriu uma possível saída do cenário e a investigou: tratava-se de uma longa passarela de pedras, a céu aberto, conectando sua torre à outra arquitetura gêmea. Ofegante, ele tomou o novo acesso e sentiu o ar da noite voltar a esfriar sua pele negra. Saltando as raízes que brotavam dos espaços entre os blocos, Adapak alcançou a metade do caminho e se debruçou sobre o parapeito para se localizar: a passarela cruzava por cima de um antigo canal entre as torres, centenas de cascos abaixo. As águas, que no passado abasteciam a enorme cidade, haviam sido substituídas por uma grossa vegetação invasora, que subira a lateral dos prédios e parecia ter se alastrado também pela parte inferior da passarela.

Na margem seca do canal, Adapak localizou Sirara e Jarkenum gesticulando para ele.

Antes que o espadachim pudesse acenar de volta, no entanto, a voz de Shaetär surgiu à sua esquerda:

– Me enfrente, falso profeta!

O espadachim desembainhou as armas e se virou. Parada no início da passarela estava sua implacável perseguidora, com Vento Branco e Rio Vermelho em mãos. Seu rosto pálido finalmente estampava o pesadelo que Adapak temia em suas noites mal dormidas no kusari.

– Shaetär, eu confesso que não sou S'almu Saruma, mas eu não sou o seu inimigo! – gritou ele, baixando Igi e Sumi. Seu ombro ardia. A mordida no antebraço direito latejava. – Em Isin eu tentei dizer a Azagör que não era o profeta que vocês procuravam! Tentei dizer a vocês também quando acordei no acampamento, mas... mas ninguém me ouviu! E as pessoas continuavam me atacando e... e *morrendo*, Shaetär! O que eu deveria ter feito?!

– O *verdadeiro* profeta nos ensinou que a cura para a ignorância é o questionamento – falou a mau'lin, caminhando na direção do rapaz. – Então eu lhe pergunto... Se você não fala com a língua da Besta Negra, diga-me a *verdade*. Diga-me com *quem* as Esposas de S'almu Saruma se deitaram todo esse tempo?

Ele a encarou.

– Shaetär, o meu nome verdadeiro é Adapak, e eu...

Ikibu.

– E-eu sou...

Ela parou a alguns passos do espadachim, aguardando a resposta. Os Círculos a coloriam como um arco-íris matemático.

Diga a ela, Filho de Anu' När. Diga o que você é.

Saia da minha mente!

– A verdade é que eu... – Adapak inspirou fundo. – A verdade é que eu não sei o que eu sou.

Shaetär saltou para o parapeito e então o usou de plataforma para saltar sobre o rapaz. Cruzando Igi e Sumi, Adapak travou o ataque aéreo, mas cedeu ao peso súbito e tombou no chão com a oponente montada sobre ele.

– Depois que eu arrancar a sua cabeça, voltarei para sangrar os dois asseclas que você invocou – declarou a mau'lin, as lâminas de Vento Branco e Rio Vermelho a menos de um palmo do peito do rapaz.

O chão estalou.

Ambos sentiram, mas não houve tempo para reação; os centenários blocos de pedra onde o casal se apoiava cederam e abriram um rombo que os tragou para o abismo, fazendo-os atravessar a vegetação sob a passarela e despencar em meio à cortina de cipós que pendia da estrutura. O instinto implorou a Adapak que largasse as espadas, mas a voz de Telalec ordenou que ele as segurasse firmes e o aluno obedeceu, pensando se a densa mata que forrava o canal acolchoaria sua queda ou o mataria.

E então algo se enroscou na sua perna.

A queda não foi interrompida com um tranco, mas desacelerada até a parada total. Pendurado de cabeça para baixo, o espadachim olhou para a coxa dolorida e reconheceu, horrorizado, o tipo de cipó que o capturara.

Pela Matriarca. De novo, não.

Seus olhos brancos acompanharam o cabo fibroso até o alto, partindo de uma das enormes bolsas amarelas que pulsavam entre a rica folhagem sob a passarela. Como uma mandíbula, a planta lentamente se abriu em quatro segmentos, revelando o interior viscoso e arroxeado.

E faminto.

Adapak encostou as lâminas de Igi e Sumi no cipó que o segurava.

Espere.

Evitando os outros cipós ao seu redor, Adapak girou o corpo até localizar Shaetär: uma dezena de cascos acima dele, a mau'lin se debatia contra as amarras de outra planta que a tinha capturado pela perna e pelo braço esquerdo. Ela ainda estava em poder de Vento Branco e Rio Vermelho.

– Shaetär! – chamou o espadachim.

Com um espasmo, o rapaz foi puxado alguns cascos para cima. Quando o movimento cessou, ele se reorientou e voltou a localizar a mau'lin.

– Shaetär! – Adapak a chamou novamente. – Use suas espadas para se soltar e eu a pegarei quando você cair na minha direção! Estamos na metade do caminho, juntos podemos...

Ambos foram puxados mais alguns cascos para cima.

– Shaetär, nós n-não temos muito tempo! – insistiu o espadachim, o apertão cada vez mais forte ao redor de sua coxa.

Ele ouviu algo passar com um zunido ao seu lado.

Confuso, Adapak olhou para Shaetär. Ela agora tinha apenas o Vento Branco na mão esquerda.

Ela arremessou a arma.

– Espere, se você tentar me soltar, não vai ter como se libertar depois! – gritou Adapak. – Eu ainda tenho as minhas esp...

Mas, quando os olhos injetados de ódio da mau'lin encontraram os dele, o rapaz se deu conta de quão inocente estava sendo.

– Shaetär, por favor, não faça isso! – implorou ele.

Ela passou a espada para a mão livre.

– Shaetär, não me faça deixá-la aqui! – disse Adapak, voltando a encostar Igi e Sumi no cipó que o mantinha pendurado. – Ninguém mais precisa morrer!

– Quando a sua alma retornar à Prisão de Cristal – a mau'lin começou a falar, erguendo Vento Branco acima da cabeça –, diga às Bestas que a filha de Mashda e Shaetär Urdo o enviou de volta!

Adapak se libertou.

A queda levou menos tempo do que ele achou que levaria; mantendo os membros próximos ao corpo, o rapaz mergulhou na densa vegetação que forrava o canal, furando um par de palmas-do-viajante e atravessando uma sequência de galhos que o maltrataram até o solo lamacento.

Levante-se.

Com uma careta, Adapak se sentou, fazendo uma rápida avaliação dos danos da queda. Nenhum osso parecia quebrado, apesar da dor nas pernas e costelas. Arranhões. As enormes folhas de palmas-do-viajante provavelmente o tinham salvado.

Salvo por plantas. Irônico, refletiu ele, antes que outro pensamento lhe voltasse à mente:

Shaetär.

Adapak olhou para cima, mas a vegetação era fechada demais. O rapaz imaginou o horror sob a passarela se abrindo, seu interior arroxeado salivando de antecipação antes de engolir a mau'lin. Ela lutaria até o fim, pensou o espadachim. No escuro, enquanto tivesse ar.

Dali de baixo, Adapak a ouviria gritar?

Ainda posso salvá-la, pensou ele, descobrindo-se revoltado com o próprio altruísmo.

Ela o mataria, filho de Anu' När, sussurrou a voz de Telalec em sua consciência.

Não, Adapak lutou contra o fantasma do mestre.

Ela o mataria. E depois os humanos.

Adapak sabia disso. Mas sabia também que era incapaz de deixá-la morrer daquela maneira.

Posso convencê-la.

Da mesma forma que seu pai convenceu as Senhoras de Kurgala, filho de Enki' När?

O espadachim tateou na escuridão em busca das armas. Achando-as, ele se esforçou para ficar de pé e tentou se orientar em busca da margem do canal. Sem sucesso, escolheu uma direção e começou a abrir a folhagem.

– Sirara! – chamou ele. Os humanos certamente o tinham visto despencar.

Sem resposta, Adapak insistiu na direção que havia tomado. Quanto tempo levaria para sair daquele labirinto, subir novamente a torre e acessar a passarela? Talvez, com o chicote de Jarkenum, ele pudesse se pendurar através do rombo e alcançar a planta que engolira Shaetär. Mesmo sem a força de Badara, talvez Sirara e Jarkenum fossem capazes de segurá-lo.

Ela assassinou Badara, filho de Enki' När.

Encontrando uma parede, Adapak embainhou as espadas e começou a escalar os galhos e raízes que a cobriam. Estava exausto. Olhando para o alto, ele via o luar se esgueirando entre as folhas, convidando-o à superfície. *Quase lá*, pensou, as mãos suadas escorregando nas vinhas.

Adapak se apoiou na beirada e subiu.

Uma tribo caimani o aguardava na margem do canal.

As mães sem forma

Eu já fui inocente como você.
Sargona, em *Tamtul e Magano e o navio sem nome.*

Dos arquivos da Ordem dos Zeladores
A visão da sacerdotisa, pela escrivã Örma Örmo

Introdução

A visão da sacerdotisa consiste num manuscrito confiscado pela Ordem durante uma visita oficial ao Templo Solitário, ao norte gelado de Sipparu, no ciclo 493 E.M. Especula-se que o material tenha sido escrito pela feiticeira *Asara*, em pessoa, ainda na juventude, momentos após tocar o olho-relíquia do mellat que ela e sua colega haviam encontrado desfalecido sob o pilar da aldeia (consultar o livro *A Ordem dos Zeladores e a feitiçaria*, capítulo oito: "Asara, a Observadora", pela escrivã Utora Lashë). As supostas visões resultantes dessa violação teriam sido responsáveis por corromper a alma inocente da sacerdotisa, instigando-a a roubar a joia para si e a fugir do templo para se dedicar à feitiçaria nos ciclos seguintes.

Autenticidade

Escrito no verso de um dos pergaminhos de estudo que Asara compartilhava com as colegas, o manuscrito original foi descoberto pelos sacerdotes durante uma revista nos dormitórios do templo, na manhã seguinte ao desaparecimento da jovem e do olho-relíquia do mellat. Sua autenticidade ainda é motivo de debate entre os altos membros da Ordem; caso verídico, corrobora alguns dos relatos acerca do misterioso histórico da sacerdotisa/feiticeira e a origem de uma das relíquias mais infames da história moderna de Kurgala, o chamado "Olho de Asara".

O mellat violado

Lamentavelmente, o cadáver do guardião sagrado não se encontrava mais em poder do templo na data da visita oficial da Ordem. Os sacerdotes alegam que, nos dias seguintes ao crime, foi organizada uma pequena comitiva para retornar o corpo até a Casa da Lança, de onde acreditavam ser a sua origem. O destino, contudo, conspirou para que as carroças fossem interceptadas por bandidos e o mellat, levado pelos malfeitores.

As especulações acerca da peculiar natureza do mellat variam, considerando que se baseiam nas descrições dos poucos sacerdotes presentes na data do ocorrido (ou acessíveis até a data deste arquivo). Não há registros de mellat que tenham se fundido a relíquias da maneira como esse se apresentava (um dos sacerdotes descreveu pelo menos seis joias fixadas em partes distintas do corpo). Uma das teorias mais aceitas propõe que o ser se tratava do experimento de um ou mais feiticeiros. Teriam seus criadores se arrependido e o abandonado sob o pilar como um pedido de perdão aos Quatro? Teria o guardião escapado dos seus captores, sendo ferido mortalmente no processo e desabado no pilar?

Os mais ousados, entretanto, arriscam opinar que o misterioso ser na realidade era o *Primeiro Guardião* (ver arquivos da Ordem "O Primeiro Guardião"). Além de extremamente perturbadora, a controversa teoria também coloca o infame "Olho de Asara" numa categoria singular entre as relíquias Dingirï e torna sua suposta destruição no ciclo 529 E.M. ainda mais trágica (ver arquivos da Ordem "Puzur"; e "A criação do Fosso").

A reprodução

É importante frisar que o manuscrito original aparenta ter sido escrito às pressas por um indivíduo em estado de perturbação mental, utilizando um pedaço de carvão recolhido da lareira do dormitório. A Ordem fez o melhor para traduzir o texto na reprodução abaixo, e certas liberdades foram tomadas no esforço de se obter uma compreensão mínima do conteúdo.

Segue abaixo, portanto, a reprodução do manuscrito intitulado *A visão da sacerdotisa*:

~

O que eu soube, e fui, por tanto e pouco tempo, se esvai de mim a cada instante. A cada palavra que escrevo aqui em agonia. PRECISO SER RÁPIDA.

Eu o toquei. Eu o toquei. O OLHO. Eu o toquei. Eu o toquei.

Catapultada através da extensão de luz eu enxerguei as paredes. As paredes do túnel de mentiras. Fechei meus olhos de pavor, mas continuei a enxergar através das pálpebras. Eu enlouqueci. EU ENLOUQUECI? Cores inexistentes tinham rostos e eu os compreendi perfeitamente. IMEDIATAMENTE. Tinham nomes. Nomes.

NOMES. EU SEI OS NOMES.

E então eu cheguei aonde já havia estado antes, mas pela primeira vez. O véu negro. O véu negro e absoluto.

O VÉU NEGRO.

Eu estava morrendo? O mundo havia morrido. Sim. A verdade de todo o escuro, fora e independente de tempo, em todas as direções. Para o sempre. E NÃO HAVIA MAIS EU. Não mais. O terror de saber que tudo que já pensei, senti ou recordo havia cessado de existir. NADA É REAL NO VÉU. Junto ao terror, eu senti o deleite da ironia ao reconhecer que sempre foi assim.

SOU O TRECHO DE UM PENSAMENTO ESQUECIDO.

Quando finalmente me movi para além do eu, todo o medo se esvaiu de mim. E eu as vi. As mães sem forma.

Duas mães. DUAS MÃES.

Elas falaram comigo e eu compreendi tudo, sem palavras. SEM PA-LAVRAS. E elas me pediram para construir. CONSTRUIR AS CORES. No interior da redoma, o amor absoluto é prisioneiro. Prisioneiro da realidade que Eles criaram.

Eles construíram a nossa realidade. ELE. ELE. ELE. ELE.

A consciência mortal era parte de um todo. ANTES. O todo. O UM QUE ELES JÁ FORAM e agora não são mais. Mas querem ser. Eles podem ser uma vez mais? ELES DEVEM SER UMA VEZ MAIS?

Experimentamos a nós mesmos através de pensamentos e sentimentos, separados desta totalidade. O AQUI É O SONHO DA CONSCIÊN-CIA. Este sonho é uma prisão para a consciência mortal, nos restringindo aos desejos medíocres dos nossos veículos de carne.

A consciência mortal foi limitada. ELES NOS LIMITARAM.

Eles construíram a nossa realidade. ELE. ELE. ELE. ELE.

O QUE AS MÃES CRIARAM, OS PAIS DESTRUÍRAM.

E então eu retornei. Retornei ao aqui e ao EU, grata de que exista algo, pois eu testemunhei como era o nada. E todas as respostas me escapam agora, como areia escorrendo pelos dedos. Não posso segurar. NÃO CONSIGO.

O OLHO. Eu o toquei. Eu o toquei.

Preciso ver de novo. PRECISO TOCÁ-LO.

O Guardião Cego

E o Mellat finalmente se ergueu, pois agora estava completo. Com seu Olho ele encontrou cada mortal de Kurgala, e com seu Coração sentiu o medo que corrompia suas almas. E com sua Mente ele compreendeu o que deveria ser feito.

Quarta Tábua Dingirï.

ADAPAK SE ergueu cauteloso da margem do canal de Zabalamu.

Os Círculos contavam cerca de trinta caimani aglomerados à sua frente, empunhando tochas e lhe apontando lanças e espadas rudimentares de osso. Intrigados, os seres curvados piscavam as membranas duplas dos olhos ao estudar o espadachim de carvão. As membranas no topo de suas cabeças oscilavam como velas de navio sob a brisa fria da noite, adornadas com penas de pássaros e brincos confeccionados a partir dos dentes de predadores do deserto e outros caimani. Suas escamas multicoloridas dividiam espaço com pinturas tribais, feitas com uma lama branca, representando o sol e outros símbolos religiosos.

– Adapak... – chamou a voz de Sirara.

O jovem a localizou em meio às criaturas, iluminada pelas tochas e rendida ao lado de Jarkenum. Eles ainda portavam as armas na cintura e não pareciam feridos.

Adapak pairou as mãos sobre os cabos de Igi e Sumi.

Os caimani gritaram palavras no próprio idioma e brandiram as armas. Alguns apontaram as lâminas para os dois reféns.

Adapak afastou as mãos das espadas.

– Esses escamosos nos emboscaram enquanto assistíamos a você e sua "Esposa" brigando lá em cima, parceiro – falou Jarkenum.

Shaetär. Pela Matriarca.

Adapak olhou para a passarela, centenas de cascos acima do canal. Não havia sinal da mau'lin nos cipós. Pendendo em meio à vegetação sob a estrutura, todas as grandes bolsas amarelas pareciam fechadas. Era impossível saber qual delas havia engolido a mau'lin.

Quanto tempo ela resistiria?

Adapak voltou a atenção à situação no solo. Os caimani o mantinham sob a mira das armas e das tochas, as narinas das papadas abrindo e fechando com o característico chiado respiratório. Eles permaneciam aglomerados, e a enciclopédia na memória do rapaz o lembrou de que o faziam para tentar manter o calor dos corpos de sangue frio, vulneráveis contra a noite no deserto. O espadachim se lembrou de quando enfrentara a espécie antes, emboscado com Sirara no interior da loja do feiticeiro Ubara, na ilha de Caspama. Na ocasião, entretanto, as criaturas se encontravam em menor número e fora de si, limitadas à lavagem mental a que Telalec as havia submetido.

Exausto e ferido após o confronto com Shaetär, Adapak considerou quanto tempo resistiria antes que fosse sobrepujado pelos oponentes. Sirara e Jarkenum ainda estavam armados, mas não seriam páreo contra um grupo daquele tamanho.

– O que vocês querem? – O rapaz optou por perguntar, falando na Língua Antiga.

Os seres se entreolharam.

– An'aguera! – gritou um deles, chacoalhando o adorno de penas que enfeitava a vela em sua cabeça.

– Gäduna dü Dingirï!! – retrucou outro.

Houve então o que para o espadachim soou como uma mistura de apoio e protesto às palavras proferidas.

– O que está havendo? – perguntou Sirara, a voz perdida em meio à comoção.

– Eu... não sei – respondeu o espadachim. – Eu não falo o idioma deles.

– Como não?! – indagou a capitã.

– Eu não falo *todos* os idiomas de Kurgala, Sirara – disse Adapak, irritado.

– Eles estão decidindo se você é um espírito *bom* ou um espírito *mau* – revelou Jarkenum. Sob a luz das tochas, sua armadura havia se tornado alaranjada como o pôr do sol.

Sirara olhou para o colega.

– Como você sabe disso? – perguntou ela.

– Meus pais e eu convivíamos com muitos caimani no circo. – O humano deu de ombros. – Você acaba aprendendo alguma coisa.

– Então diga a eles que eu não sou nenhum *espírito mau* e que nós viemos até aqui em busca de Puabi e Aishara! – pediu Adapak. – Espere, diga a eles que Shaetär ainda está presa dentro de alguma daquelas plantas lá no alto e que...

– Espere aí, espere aí – respondeu Jarkenum. – Eu não sei como falar tudo isso, parceiro!

– Por que não? – questionou Adapak.

– Eu não disse que "falo" o idioma dos escamosos, eu só entendo algumas palavras!

– Então diga *algo*, antes que seja tarde demais – pediu Sirara.

– Bosta... – praguejou Jarkenum, pigarreando antes de apontar para Adapak e falar em voz alta. – Ãh... Ele *gaduna*!

Os caimani se calaram e voltaram a atenção para o humano.

– Ãh, nós... – Ele gesticulou de forma teatral para Sirara e depois para si mesmo. – Nós somos *adara... Adaratë*, entendem? Gente boa!

Um dos maiores caimani da tribo se destacou da aglomeração e inflou a enorme papada amarela:

– G'andirä mellata! – disse o ser imponente, balançando as velas da cabeça. Seu braço esquerdo tinha a coloração distinta do resto do corpo, as escamas muito menos saturadas, indicando que o membro havia sido perdido e substituído graças à biologia da espécie. Adapak não pôde deixar de se identificar.

— Iadak'ar dü mellata? — indagou outra criatura.

— G'andirä mellata!! — repetiu o grande caimani, começando a ganhar o apoio dos demais.

— O que está havendo, o que eles estão dizendo? — perguntou Adapak em meio ao coro.

— Eu... não sei direito, parceiro — respondeu Jarkenum.

— Jark?... — falou Sirara, apreensiva.

— O guardião... dos *guandirianos*? — O homem tentou traduzir com uma careta. — Não, não é isso...

O caimani de braço descolorido apontou a lança de osso para os dois reféns humanos, para Adapak e então para o norte da cidade.

— G'andirä mellata. — O grande ser sinalizou para que eles começassem a andar.

— O Guardião Cego! — disse Jarkenum, satisfeito como se tivesse resolvido um enigma. — Eles vão nos levar até o Guardião Cego, é isso.

— E quem é esse? — indagou Sirara.

— Não tenho ideia, Si, mas é melhor obedecermos — falou o humano, iniciando o caminhar.

— Esperem, Shaetär ainda pode estar viva lá em cima! — O espadachim apontou para as plantas sob a passarela.

— Adapak... — A capitã o chamou.

— Sirara, eu... Eu não posso...

A mulher mirou seus olhos brancos.

— Algumas pessoas têm cicatrizes demais, espadachim — disse ela.

SOB A luz das tochas inquietas dos caimani, o trio seguiu escoltado, em silêncio, para o norte de Zabalamu, apreensivo quanto ao destino que os aguardava. Assombrado pelo conceito de Shaetär sendo digerida viva pelo vegetal, Adapak pensou em Badara, falecida junto às mochilas no teatro, como se o crime da mau'lin, de alguma forma, pudesse tranquilizar a consciência do rapaz por tê-la abandonado. Ele visualizou a sua mão negra decepada no recipiente de vidro, oculta numa das bolsas de Badara; o símbolo macabro de um culto destinado a perecer junto à filha de um de seus líderes.

Alguns passos atrás do pensativo espadachim, Sirara e Jarkenum caminhavam lado a lado.

– Quer dizer então que você e o sujeito de carvão ali?... – sussurrou o homem para a capitã.

Sirara franziu o cenho.

– Eu... só quero entender – insistiu Jarkenum, encolhendo as ombreiras da armadura. – Vocês são tipo um *casal*, é isso?

– Jark, isso não é hora – retrucou ela.

Aos poucos, uma estranha estrutura começou a se revelar entre os escombros da antiga cidade; tratava-se de um domo amarelo de proporções gigantescas, cujo topo parecia atingir mais da metade da altura do pilar por onde Sirara e Jarkenum haviam chegado. A princípio, Adapak considerou a possibilidade de estar diante de algum tipo de estádio onde os mortais praticavam eventos esportivos, como aqueles descritos nas aventuras literárias de Tamtul e Magano; sua bizarra aparência, entretanto, o destacava da arquitetura de Zabalamu de tal forma que o jovem descartou a possibilidade.

– O que é aquela coisa? – perguntou Jarkenum, boquiaberto. O luar delineava a curva impossivelmente perfeita da estrutura contra o céu escuro do deserto.

– Não tenho ideia – falou Sirara. – Mas aposto que é lá dentro que vamos encontrar o tal Guardião Cego.

Conforme o grupo se aproximou da estranha cúpula, Adapak teve então certeza de que ela não fazia parte da cidade original, uma vez que o terreno e as demais construções vizinhas pareciam destruídas; não pelo tempo nem pela guerra, mas sim *afastadas* como se para dar lugar a algo que tivesse brotado do solo.

– Adapak, está vendo aquelas coisas? – Sirara apontou para o céu escuro.

Sobrevoando o domo amarelo estavam três silhuetas aladas que o espadachim logo reconheceu.

– São os mellat que nos atacaram no acampamento – respondeu ele. – Os que levaram Puabi e Aishara.

Aos brados, a tribo conduziu os prisioneiros através das ruínas, até finalmente alcançarem a lateral do domo. Acuando o trio contra a parede amarela, os caimani passaram a emitir, em conjunto, um ronco baixo e grave. O maior deles tomou a dianteira uma vez mais, entregou a tocha a um colega, se agachou e começou a bater com as mãos no solo de forma rítmica, como se tocasse um tambor. Outros o imitaram.

– Jark, me diga o que está acontecendo – disse Sirara, controlando-se para não sacar Lukur da bainha.

– Bosta, eu não sei! – retrucou o homem. – Já falei que não sou especialista nesses desgraçados...

Adapak recuou até a parede do domo e se virou para examiná-la.

– É como... É como se fosse feita de... – O espadachim tocou a superfície áspera com os dedos.

Como num delicado castelo de areia, parte da parede se desfez com o toque, transformando-se numa abertura hexagonal diante dos olhos assustados do trio e seus captores. A tribo interrompeu o ritual e apontou as lanças contra Adapak, mas o líder ergueu o braço descolorido e os ânimos se acalmaram.

– Gäduna ca g'andirä mellata – ordenou o caimani.

As armas foram lentamente abaixadas.

– P-pelos Quatro, Adapak, o que você fez? – indagou Sirara.

O rapaz não respondeu de imediato, esquadrinhando o portal e encarando a passagem escura à frente. Um sorriso surgiu no canto de seus lábios.

– Venham. – O espadachim deu um passo para o interior do domo.

– Ele está dando as cartas agora? – Jarkenum lançou um olhar para Sirara e então outro para o líder da tribo.

– Gäduna g'andirä mellata... – O caimani sinalizou para que eles adentrassem a passagem.

A capitã e o homem de armadura obedeceram, ainda que relutantes. O grande caimani os seguiu e ordenou para que os semelhantes viessem atrás, mas alguns se recusaram, visivelmente temerosos. Com um silvo suave, a abertura enfim se fechou com pouco menos da metade da tribo do lado de fora.

Agora liderando a peculiar comitiva, o espadachim avançou por um longo túnel hexagonal, cuja textura das paredes aos poucos migrou da areia amarelada para um vidro esmeralda perfeitamente liso. O chão emitia uma leve luminescência que, aliada às tochas, clareava o caminho retilíneo. Os caimani roncavam e repetiam rezas apreensivas, as respirações chiadas cada vez mais aceleradas, ecoando no ambiente claustrofóbico. Adapak olhou por cima do ombro e notou que Sirara segurava a mão de Jarkenum, seus rostos humanos apavorados sob o bruxulear das luzes.

O final do túnel se abriu para o interior da cúpula, uma câmara colossal formada por cristais de todos os tamanhos, muitos em constante movimento – alguns alternando de forma e se conectando entre si, outros pulsando como pequeninos corações verdes, pintando o cenário surreal com um fantasmagórico tom esmeralda. Partindo da passagem de onde o grupo viera, uma larga ponte seguia em linha reta sobre o mar de cristais irregulares até o centro da câmara; ali, um invertido pilar Dingirï descia do teto do domo até terminar com a base estrelada a algumas dezenas de cascos do solo.

Diretamente sob a gigantesca relíquia, acomodada em algum tipo de assento, uma silhueta alta e longilínea parecia observar os recém-chegados.

– O que... o que é aquela coisa? – indagou Jarkenum, interrompendo o caminhar ao lado de Sirara e Adapak. Logo atrás deles, parados na saída do túnel, os caimani se prostraram em reverência à entidade.

– Pelos Quatro... – murmurou Sirara. – Adapak, este lugar se parece com...

– Sim, nós estamos dentro de algum tipo de Casa Dingirï – respondeu ele.

– Como assim "algum tipo"? – perguntou a mulher.

– Eu não sei, tem algo de errado com esta Casa – disse o rapaz. – Parece... não sei, incompleta.

– Vocês dois piraram? – Jarkenum torceu o rosto. – Não pode ser, isto é só uma... uma *caverna*? Tem que ser...

– Acredite em mim, estamos dentro de uma Casa Dingirï – reforçou Adapak. – Eu só não sei se alguém nos deixou entrar ou se ela se abriu para mim porque sou um *Convidado*.

– Como assim um Convidado? – indagou o humano.

– Alguém que os Dingirï permitem entrar em Suas Casas – respondeu a capitã.

– E por que os Dingirï o deixariam entrar nas Casas deles? – perguntou Jarkenum a ela, apontando para Adapak.

Antes que Sirara pudesse responder, o espadachim prosseguiu em direção ao centro da câmara. Jarkenum segurou a mulher pelo braço antes que ela o seguisse.

– Si, espere um pouco, o que estamos fazendo? – sussurrou o homem de armadura. – Resgatar o seu "amigo de carvão" de um culto suicida eu até consigo entender, mas agora estamos violando Casas de deuses também?!

– Jark, eu...

– Si, olhe só para aquilo. – Jarkenum apontou para a entidade no trono ao centro da câmara. – Caso realmente estejamos na Casa de um Dingirï e aquele sujeito ali seja Um dos Quatro *mandachuvas*, acha que ele vai ficar feliz com a gente entrando assim? Veja, os escamosos estão distraídos. – Ele apontou então para os caimani, curvados em adoração. – Eu e você podemos passar correndo pelos desgraçados e voltar pelo túnel...

A capitã lançou um olhar para Adapak, que seguia confiante pela passarela.

– Si, na melhor das hipóteses, o que a faz pensar que um deus ia sequer falar conosco? – insistiu Jarkenum.

– Jark, eu tenho a impressão de que, quem quer que seja o dono deste lugar, vai querer conversar com o meu *amigo de carvão* – disse ela com um meio-sorriso. – Vamos.

Diretamente sob a base estrelada do gigantesco pilar Dingirï, sentado num trono formado a partir dos cristais do solo, um estranho mellat aguardava, imóvel, o trio se aproximar. Com a pele branca como o mais puro osso de anbärr, ele era maior do que qualquer outro guardião que Adapak já havia encontrado, alcançando facilmente o dobro da altura do rapaz ou de seus companheiros humanos. Uma fenda vazia partia do alto de sua testa até o topo da enorme cabeça oval, como se algo lhe estivesse faltando ali. Logo abaixo, em vez de um par de grandes olhos ovalados, o ser apresentava uma única cavidade, vazia e redonda, no centro do rosto. Fazendo contraste com as aberturas do crânio, a base do longo pescoço exibia uma pulsante joia triangular esmeralda, assim como outra posicionada ao centro do peito magro. Duas outras relíquias brilhavam intensamente nas palmas esquerda e direita da criatura.

– Certo, eu vou arriscar dizer que este sujeito aí talvez seja o tal *Guardião Cego* – falou Jarkenum, parando com Adapak e Sirara a alguns passos da criatura sentada.

O mellat, que até então permanecera estático, se ergueu do trono esmeralda e o móvel se desfez, os milhares de cristais se reorganizando e retornando ao solo da mesma maneira como a antiga Casa de Adapak e Enki' När costumava fazer. Apreensivos, Jarkenum e Sirara recuaram, mas o espadachim se manteve firme.

– SEMENTE DAS ESTRELAS, VENTRE DE CRISTAL – disse o Guardião, encarando Adapak com a cavidade ocular. – CONVIDADO, A CASA LHE PERMITE ENTRAR.

Sirara e Jarkenum levaram as mãos à cabeça, assustados; eles não tinham certeza se as palavras haviam chegado através de seus ouvidos ou simplesmente surgido dentro de suas mentes.

Adapak, por sua vez, foi tomado por uma avassaladora melancolia; o mellat soava perturbadoramente como seu pai.

– M-meu nome é *Adapak*. – Ele se apresentou. – Quem é você?

– ESTE É MELLAT – respondeu o Guardião, sua voz ecoando como se uma multidão falasse ao mesmo tempo, em tons diferentes.

– Dá para ver que você é um mellat, parceiro – falou Jarkenum, esfregando as têmporas. – O que queremos saber é por que você é *esquisitão* assim.

– MELLAT É TODOS OS MELLAT E TODOS OS MELLAT SÃO O MELLAT – respondeu o ser. – ESTE É MELLAT, E COM MEU OLHO ENXERGO ALÉM DO ALCANCE. ESTE É MELLAT, E COM MINHAS MÃOS FAÇO E DESFAÇO. ESTE É MELLAT, E COM MINHA VOZ SOU OUVIDO POR TODOS. ESTE É MELLAT,

E COM MEU CORAÇÃO SINTO A ALMA DE CADA MORTAL. ESTE É MELLAT, E COM MINHA MENTE REPRESENTO OS DIN-GIRÏ EM EQUILÍBRIO.

– Isso não está indo a lugar algum – disse Jarkenum.

– Esperem... – pediu Adapak.

Pela Matriarca, este é...

– Este não é "um" mellat – falou o rapaz. – Este é "o" Mellat. Ele quis dizer que é o *primeiro*.

– Como assim "o primeiro"? – perguntou Jarkenum.

– O Primeiro Guardião, feito pelos Quatro Que São Um na era Dingirï – explicou o espadachim, admirando o ser como um artista apreciando uma rara estátua. – O Mellat que deu origem a todos os outros mellat...

O rapaz terminou a frase num murmúrio, distraído pela maré de questionamentos que inundava sua mente.

Pergunte a ele, Ikibu. Ele saberá.

– Mas... eu ouvi dizer que ele estava desaparecido. – Sirara trouxe Adapak de volta à realidade.

– NÃO "DESAPARECIDO". *ADORMECIDO* – disse o Guardião.

– Por que você estava adormecido? – perguntou Adapak.

O ser moveu a cabeça para o alto, como se analisasse a base estrelada do pilar, e falou:

– DINGIRÏ FECHADOS EM SUAS CASAS, MELLAT GUARDA CASAS. MELLAT GUARDA KURGALA. CICLOS. MELLAT ENXERGA AMEAÇA A KURGALA. MELLAT CONFRONTA A AMEAÇA. MÚTUA DESTRUIÇÃO. MELLAT DORME PARA SE RECUPERAR.

O Mellat fez uma pausa para tocar a fenda no alto da cabeça.

– MELLAT SEM MENTE, LEMBRANÇAS INCOMPLETAS – continuou ele. – MELLAT ADORMECIDO É ENCONTRADO POR DUAS MORTAIS. UMA MORTAL TOCA O OLHO DO MELLAT E ENXERGA CENTELHA DO CONHECIMENTO DINGIRÏ. MORTAL REMOVE O OLHO DO MELLAT PARA SI.

Asara?

– OUTROS MORTAIS TRANSPORTAM MELLAT ADORMECIDO PARA LOCAL DIFERENTE – prosseguiu o guardião. – MORTAIS FEREM MORTAIS. A MÃO DO MELLAT É REMOVIDA POR MORTAL. MELLAT ADORMECIDO É LEVADO PARA OUTRO LOCAL. CICLOS. O CORAÇÃO DO MELLAT ADORMECIDO É REMOVIDO. CICLOS. A MENTE DO MELLAT ADORMECIDO É REMOVIDA. A VOZ DO MELLAT ADORMECIDO É REMOVIDA. A MÃO DO MELLAT É REMOVIDA. CICLOS. MELLAT INCOMPLETO É DESPERTADO POR REFLEXOS DO MELLAT.

– Soa como uma ressaca e tanto – falou Jarkenum.

– MELLAT RETORNA À CASA DO MELLAT EM ENINNÜ PARA CONSULTAR DINGIRÏ. MELLAT INCAPAZ DE ENTRAR CASA EM ENINNÜ. MELLAT INCAPAZ DE CONSULTAR DINGIRÏ.

– Por que você não conseguiu entrar na sua própria Casa? – perguntou Adapak.

O Guardião tocou mais uma vez a fenda na cabeça.

– MELLAT SEM MENTE INCAPAZ DE ADENTRAR CASA EM ENINNÜ – explicou a entidade.

– Mais alguém está confuso ou apenas eu? – indagou Jarkenum. – Essa quantidade de *vozes* na minha cabeça não ajuda...

– Centenas de ciclos atrás, o Mellat enfrentou algum tipo de... "ameaça" a Kurgala e se *feriu* – falou Adapak, mantendo a atenção no ser esguio. – Enquanto ele dormia para se recuperar, eu entendi que ao longo do tempo seu corpo foi *saqueado*.

– "Saqueado?" – perguntou o humano, assoprando os cabelos da frente do rosto.

– Cada joia daquela é uma relíquia feita pelos Dingirï especificamente para o Primeiro Guardião. – O espadachim começou a apontar para as diferentes partes do ser. – Os buracos onde deviam estar o Olho e a Mente, no alto da cabeça. A Voz na base do pescoço, o Coração no peito, as Mãos... Quando finalmente acordou, o Mellat tentou retornar à sua Casa em Eninnü, ou a Ilha de *Caspama*, como os mortais a chamam, para entrar em contato com os Quatro Que São Um...

– ... Mas não conseguiu entrar lá porque estava sem a sua Mente – completou Sirara.

– CORRETO – disse o ser. – MELLAT ENTÃO INICIA BUSCA POR *MENTE, OLHO, VOZ, MÃOS, MENTE, CORAÇÃO.*

O Guardião tocou a relíquia no peito magro.

– APÓS CICLOS DE BUSCA, MELLAT RECUPERA MÃOS E CORAÇÃO – falou o ser. – MELLAT USA CORAÇÃO PARA *SENTIR* KURGALA. KURGALA FERIDA. CORREÇÃO É NECESSÁRIA. CORREÇÃO REQUER FERRAMENTA. FERRAMENTA REQUER CASA. ENINNÜ INACESSÍVEL. MELLAT USA MÃOS PARA ERGUER NOVA CASA NO DESERTO. MELLAT INICIA CONSTRUÇÃO DA FERRAMENTA. VOZ É NECESSÁRIA PARA COMPLETAR CASA E FERRAMENTA. BUSCA PROSSEGUE.

– E o que tudo isso tem a ver com Puabi e Aishara? – perguntou Adapak ao Guardião.

– MELLAT DESCONHECE *PUABI-AISHARA* – respondeu ele.

– A ïnannariana e a humana que você mandou os seus mellat alados sequestrarem do acampamento – explicou o espadachim. – Lá fora eu avistei as suas criaturas sobrevoando este... esta *Casa*. As mesmas criaturas que nos atacaram e levaram nossas amigas.

– M'ARGIDDÄ, PETAT GISNÜ S'ALMATA KAKADI – disse a entidade.

Com o proferir das palavras, o solo da passarela se estendeu para a direita do trio, formando uma nova área de acesso; ali, como uma bolha inflando na superfície de um lago pantanoso, os cristais formaram um domo semitransparente que, ao se abrir, revelou duas figuras adormecidas em seu interior.

– Aishara! Puabi! – chamou Adapak, correndo até o leito esmeralda.

Imersas num sono profundo, ambas as jovens pareciam saudáveis, ainda que um pouco mais magras do que o espadachim se lembrava. A humana de pele escura ainda vestia o traje de seda de quando fora sequestrada, porém tinha o rosto descoberto pela túnica que costumava usar no acampamento, revelando o rosto delicado que sua fé ordenava ocultar.

Puabi, por sua vez, também vestia as roupas habituais sobre a pele da cor do mar. A relíquia que outrora figurava em seu peito, entretanto, não se encontrava mais ali; envolta pela intrincada tatuagem branca havia apenas uma meia cavidade, cicatrizada.

– O que você fez com elas? – indagou Adapak, debruçado sobre as jovens.

– MELLAT SENTE VOZ PRÓXIMA DESTA CASA, PRÓXIMA DESERTO – falou o ser. – MELLAT FAZ REFLEXOS PARA BUSCAR VOZ. VOZ DO MELLAT PRESA À CARNE DE UMA MORTAL. IMPREVISTO. REFLEXOS DO MELLAT TRAZEM MORTAL PARA ESTA CASA. MORTAL TRAZ OUTRA MORTAL. IMPREVISTO. MORTAIS CHEGAM FRACAS. A CASA AS RECUPERA. MORTAIS SAUDÁVEIS. MELLAT REMOVE VOZ PRESA À MORTAL.

Adapak olhou para o nicho no peito de Puabi.

– Todo esse tempo... a relíquia dela era a Voz perdida do Primeiro Guardião – concluiu ele.

Cautelosos, Jarkenum e Sirara se juntaram ao rapaz.

– Por que elas estão dormindo? – indagou a capitã.

– APÓS REMOÇÃO DA VOZ, MORTAIS PERTURBADAS. MELLAT USA VOZ PARA ADORMECER MORTAIS.

– Por que não as deixou ir? – perguntou Sirara.

– FORA DA CASA AS MORTAIS EXPIRARIAM. MELLAT MANTÉM MORTAIS SEGURAS. MELLAT NÃO FERE MORTAIS.

– Não fere mortais? – disse Adapak. – Você atacou o acampamento sobre o kusari! Pessoas morreram!

– INCORRETO – respondeu a entidade. – REFLEXOS DO MELLAT FORAM ENVIADOS PARA BUSCAR A VOZ. MORTAIS ATACARAM REFLEXOS DO MELLAT. MORTAIS SE COLOCARAM EM PERIGO. REFLEXOS DO MELLAT NÃO FERIRAM MORTAIS.

– Seus... "reflexos" não pareciam estar evitando me ferir – retrucou Adapak.

– MELLAT NÃO PRECISA PRESERVAR IKIBU – falou o Guardião. – IKIBU MONTADO. COMO MELLAT.

Adapak sentiu o peito gelar ao ouvir a palavra.

Agora crê em mim, Filho de Anü' När?

Sirara notou o conflito do rapaz, mas foi Jarkenum quem aproveitou a hesitação:

– Ei, hã... senhor Guardião Cego – disse o humano. – Estou entendendo então que nós podemos sair daqui e levar essas duas dorminhocas conosco?

O ser girou o crânio oval na direção do humano.

– COM VOZ DO MELLAT RECUPERADA, MORTAIS DESNECESSÁRIAS – respondeu. – MELLAT RETOMA CONSTRUÇÃO DA FERRAMENTA.

Jarkenum lançou um olhar na direção dos caimani ao longe, prostrados próximos à saída do túnel. Eles emitiam, em conjunto, um ronco baixo enquanto balançavam os corpos de um lado para outro, como se imersos num transe. O homem então se voltou para Sirara.

– Si, aquela coisa ali em cima do Guardião é um pilar Dingirï, não é? – Ele apontou para a estrutura. – Está de cabeça para baixo, mas é um pilar, certo? Isso significa que podemos usar as espadas de vocês para viajarmos para longe daqui.

A capitã voltou a atenção para Adapak. Ainda perturbado pelos pensamentos, o jovem confirmou com um menear da cabeça.

– Então o que estamos esperando? – falou o homem, se debruçando sobre o leito de cristal e começando a erguer Aishara.

– Espere. – O espadachim ergueu a mão cinzenta.

– Parceiro... eu sugiro pegarmos as suas Esposas e cairmos fora daqui – disse Jarkenum, segurando a menina adormecida no colo. – O que você me diz, hein? Todo mundo sai ganhando.

Pergunte ao Guardião, Ikibu. Pergunte se Telalec disse a verdade. Ele saberá.

NÃO.

– Mellat – chamou o espadachim, afastando da mente a voz do antigo mestre. – Você disse que quando recuperou seu Coração o usou para *sentir* Kurgala e que sentiu que Kurgala estava "ferida". Você disse que uma *correção* era necessária...

– SIM.

– Pode me explicar mais sobre essa correção? – pediu o rapaz.

– QUANDO RECUPERA CORAÇÃO, MELLAT USA CORAÇÃO PARA SENTIR KURGALA, SENTIR MORTAIS – respondeu o Guardião, tocando a relíquia. – MORTAIS SEM DINGIRÏ POR CENTENAS DE CICLOS. SEM MELLAT. SOZINHOS NA ESCURIDÃO. NA IGNORÂNCIA. MORTAIS SENTEM *MEDO*. MORTAIS SENTEM ÓDIO. MORTAIS FEREM MORTAIS. MORTAIS DESEJAM VIOLAR CASAS DINGIRÏ EM BUSCA DE RESPOSTAS. VIOLAR CASAS DINGIRÏ É VIOLAR KURGALA. INACEITÁVEL.

– Acho que ele está se referindo à guerra pelo controle da Casa do Artesão – falou Sirara.

Frustrado, Jarkenum voltou a deitar Aishara no leito de cristal.

– MELLAT SENTE O QUE DEVE SER FEITO – prosseguiu a entidade. – ÓDIO DEVE SER EXTINTO. MEDO DEVE SER EXTINTO. IGNORÂNCIA É RAIZ DO MEDO. IGNORÂNCIA E FÉ; *TERROR*. IGNORÂNCIA E PODER; *TIRANIA*. IGNORÂNCIA E LIBERDADE; *CAOS*. IGNORÂNCIA E POBREZA; *VIOLÊNCIA*. IGNORÂNCIA DEVE SER EXTINTA. FERRAMENTA EXTINGUIRÁ IGNORÂNCIA.

– E que ferramenta é essa? – perguntou Sirara.

Adapak e os humanos sentiram algo vibrar às suas costas. Quando se viraram, testemunharam o meio da passarela se reconfigurar para uma arena hexagonal, de onde brotaram seis grandes estruturas de cristal que Adapak logo reconheceu.

– Os *arcos* – disse ele.

– "Mellat", "arcos"... Vocês realmente não têm criatividade com os nomes neste lugar – falou Jarkenum.

Diferente do construto que o rapaz se acostumara a usar com o pai, entretanto, esse havia manifestado extensões adicionais que partiam do topo de cada um dos seis arcos, se uniam em forma de pirâmide sobre a arena e então projetavam uma única extensão que seguia pelo alto da passarela até quase se conectar com o pilar Dingirï acima do Mellat.

– Alguém pode me explicar o que é essa coisa? – pediu Jarkenum.

Vias de conhecimento.

– É a forma como a Casa... *passa* o conhecimento de uma pessoa para outra – respondeu o espadachim, caminhando até os arcos. Próximos ao túnel, os caimani retomavam as orações após terem sido surpreendidos pelo surgimento da estrutura. – Só não entendo por que estão quase ligados ao pilar Dingirï...

– POR CICLOS, FERRAMENTA-ARCOS ESTEVE INCOMPLETA – começou o Mellat. – COM VOZ RECUPERADA, MELLAT RETOMA CONSTRUÇÃO. CONECTADA AO PILAR, FERRAMENTA-ARCOS EXECUTARÁ A CORREÇÃO. CONHECIMENTO DO MELLAT SERÁ TRANSMITIDO PARA TODOS OS MORTAIS DE KURGALA. IGNORÂNCIA SERÁ EXTINTA.

Adapak franziu a testa.

– Mellat... – O jovem de olhos brancos começou a falar, se virando para a entidade. – O que você quer dizer com "conhecimento do Mellat será transmitido para todos os mortais de Kurgala"? *Qual* conhecimento do Mellat?

– TODO O CONHECIMENTO DO MELLAT – informou o Guardião.

Pela Matriarca.

– Mellat, você... você precisa me ouvir – falou Adapak, cuidadoso. – Você precisa pensar no que está prestes a fazer...

– PENSAR INCORRETO – disse o Guardião, tocando a joia do peito. – *SENTIR*.

– Eu entendi direito? – Jarkenum se voltou para a capitã. – O cegueta ali quer tornar o mundo mais *culto*, é isso?

– Adapak?... – chamou-o Sirara.

O rapaz, contudo, não respondeu. Na memória ele retornara à Casa do Artesão com Sirara, testemunhando o antigo mestre ushariani se contorcer em espasmos sobre o solo de cristal, a careta de agonia enquanto a mente tentava lidar com a vida que o espadachim havia lhe transmitido através dos arcos.

– Mellat, por favor, me escute – insistiu Adapak. – A mente mortal é incapaz de tolerar essa quantidade de conhecimento de uma só vez!

Ao lado do leito das jovens, Sirara e Jarkenum se entreolharam.

– INCORRETO, FERRAMENTA-ARCOS FEITA PARA ESSE PROPÓSITO – declarou o ser.

– Não! – protestou o rapaz. – Quer dizer, *sim*, ela foi feita para isso, mas não para usar dessa forma!

– IGNORÂNCIA DOS MORTAIS DEVE SER EXTINTA. MEDO EXTINTO. TERROR. TIRANIA. CAOS. VIOLÊNCIA. EXTINTOS.

– Não, você... Você não *entende* – disse Adapak. – Você não está pens...

– IGNORÂNCIA E FÉ; *TERROR* – interrompeu-o o Guardião. – IGNORÂNCIA E PODER; *TIRANIA*. IGNORÂNCIA E LIBERDADE; *CAOS*. IGNORÂNCIA DEVE SER EXTINTA.

– Você não vai curá-los da ignorância, você vai *matá-los!* – exclamou Adapak. – Da mesma forma que a falta da sua Mente não lhe deixa entrar em contato com os Dingirï, também não lhe permite raciocinar que o verdadeiro resultado dessa sua correção vai ser catastrófico!

– FERRAMENTA-ARCOS EXTINGUIRÁ IGNORÂNCIA – repetiu o ser, apático.

– Ótimo, agora eu estou confuso *e* apavorado – falou Jarkenum.

– Adapak, isso é verdade? – Sirara caminhou até ele. O rapaz, contudo, avaliava preocupado a extensão que em breve conectaria os arcos ao pilar Dingirï. A mulher o segurou pelo braço. – Adapak!

– Eu... – Ainda tentando colocar os pensamentos em ordem, o espadachim se voltou para a capitã. – Sim, é verdade, mas eu não estou conseguindo fazer o Mellat entender. Ele... Sem a Mente, ele... Ele está *confuso*, eu...

– Espere aí, parceiro, espere um pouco – disse Jarkenum. – Como é que o Mellat vai transmitir o conhecimento dele para o mundo se ele está sem a própria *Mente*?

– A relíquia que chamamos de *Mente* não é literalmente a "mente" dele, não é como se o cérebro dele estivesse *faltando* – esclareceu Adapak. – A Mente é *parte* do conhecimento do Primeiro Guardião, em particular a parte diretamente ligada aos Dingirï.

– Então dentro da cabeça dele ainda tem bastante coisa – resumiu Sirara.

– Certo, pessoal, nós temos que ir embora *agora* – falou Jarkenum, se debruçando sobre Puabi e Aishara. – Usem essas suas espadas para nos levar o mais longe possível deste lugar...

– Não adianta! – exclamou Adapak para o homem de armadura. – Está vendo aquela extensão partindo do alto dos arcos, ali em cima? Quando aquilo finalmente se ligar ao pilar, esses arcos poderão transmitir o conhecimento do Mellat através de todos os outros pilares de Kurgala, alcançando *todas as pessoas do mundo*! Não importa para onde a gente fuja!

– TODO O MEDO SERÁ EXTINTO.

– Guardião, você precisa escutá-lo! – disse Sirara para o Mellat.

O ser se voltou para a humana, a cavidade ocular vazia encarando-a como um abismo.

– MELLAT SENTE SEU MEDO, MORTAL. – A entidade tocou a joia no peito. – *ELES ME RESPEITARÃO SE ENXERGAREM MINHA FRAGILIDADE?*

Ouvindo a própria voz misturada às outras que ecoavam em sua mente, Sirara estremeceu.

– O q-que... o que você... – Ela tentou falar.

– Ei, deixe-a em paz – disse Jarkenum.

– *O FILHO DE UM DEUS É CAPAZ DE AMAR UMA MULHER MORTAL?*

Jarkenum deu um passo à frente do casal.

– Ei, ei, cegueta, você perdeu os ouvidos também?! – gritou ele para o Mellat. – Eu disse para deixá-la em paz!

– MELLAT SENTE O SEU MEDO, MORTAL. – O ser se voltou para o homem. – *QUEM SOU EU QUANDO NÃO ME RECONHEÇO MAIS NOS OLHOS DELA?*

Jarkenum engoliu em seco.

– Os... os m-miolos desse sujeito claramente estão fazendo falta – falou ele.

– COMPREENDA, IKIBU. – O Mellat deu meia-volta e começou a retornar para debaixo do pilar, seu trono de cristal se reconstruindo a partir do solo. – NA IGNORÂNCIA, MORTAIS SENTEM MEDO. MEDO CORROMPE MORTAIS. ÓDIO. MORTAIS ABREM CASAS DINGIRÏ. INACEITÁVEL. MELLAT LHES DÁ RESPOSTAS. MEDO EXTINTO.

Adapak o aguardou se sentar no assento esmeralda antes de falar:

– Mellat, eu preciso que você interrompa imediatamente a construção desses arcos, ou... – O espadachim hesitou. – Ou eu serei forçado a *impedir* você.

– INTERRUPÇÃO INACEITÁVEL – declarou o Guardião Cego.

Uma abertura se fez no teto, permitindo aos três mellat que sobrevoavam a Casa que adentrassem a câmara. Alarmados, Adapak, Sirara, Jarkenum e os caimani observaram os seres magros planarem numa espiral descendente até pousarem em frente ao trono do Guardião Cego. Apoiando-se nos membros alados, eles giraram os crânios em forma de leme e varreram o cenário com os grandes olhos brancos que haviam apavorado o espadachim no acampamento sobre o kusari. Vendo-as pela primeira vez próximas ao criador, o jovem não pôde deixar de se orgulhar de ter apostado que as estranhas criaturas eram guardiões cuja anatomia havia sido adaptada para um objetivo específico.

– Pelos Quatro, eu não quero nem saber o *nome* dessas coisas – disse Jarkenum.

– PARTAM DESTA CASA – ordenou o Guardião Cego. Os mellat alados começaram um lento avançar na direção do espadachim e dos humanos, que se viram forçados a recuar pela passarela.

– Adapak?... – Sirara tocou o cabo de Lukur na bainha.

– Ãh... amigos? – chamou-os Jarkenum. – Eu não quero mijar no vinho da festa, mas acho que se nós começarmos uma briga com o dono desta Casa os escamosos ali atrás não vão ficar nada contentes...

Adapak espiou por sobre o ombro. Próximo ao túnel no início da passarela, a tribo havia interrompido as orações ao notar a tensão instaurada com a chegada dos mellat alados. Alguns dos caimani pareciam querer se aproximar, mas o grande líder ergueu sua tocha com o braço descolorido e gritou algo que pareceu desencorajá-los.

– É isso... – sussurrou o espadachim.

Intrigados, Sirara e Jarkenum se entreolharam.

– Precisamos daquelas *tochas* – explicou o jovem. – Os mellat são vulneráveis ao fogo... *Todos* os mellat são vulneráveis ao fogo.

– Ei, ei, espere um pouco aí, parceiro – pediu o humano. – Se eu entendi direito, o Guardião Cego ali é tipo um *deus*. Vocês têm certeza de que...

– Deuses também sangram, Jarkenum – falou Adapak, continuando o lento recuar pela passarela. – No mínimo podemos enfraquecê-lo e arrancar a sua *Voz*. Sem a relíquia ele não vai conseguir terminar a ligação dos arcos com o pilar.

– Eu não acho que os escamosos vão nos entregar as tochas *na boa* – disse o homem de armadura, avaliando a tribo cada vez mais agitada.

– Eu lido com os caimani enquanto vocês dois mantêm as criaturas aladas ocupadas. – O espadachim pairou as mãos sobre os cabos de Igi e Sumi. – Se o Primeiro Guardião falou a verdade, os mellat não podem ferir vocês, apenas imobilizá-los.

– Adapak, espere – pediu Sirara. – Você não vai ser capaz de vencer sozinho todos aqueles caimani!

Parado com os humanos na entrada da área formada pelos seis arcos, o jovem de pele negra alternou o olhar angustiado entre os mellat à sua frente e a tribo na retaguarda.

A Casa proverá uma solução.

Adapak agarrou a mão da capitã.

– O que você?... – ela tentou perguntar, sendo conduzida pelo rapaz até o centro do hexágono que os arcos formavam.

– Confie em mim, Sirara – falou ele, encarando-a com os olhos brancos. – São como *livros*, só que mais *rápidos*.

A mulher entreabriu os lábios, mas antes que pudesse dizer algo o espadachim pronunciou na Língua Antiga:

– M'argiddä anat harani sal Sirara alaktasa la t'arat.

Uma forte vibração envolveu a humana, dominando-lhe completamente os sentidos. Seu corpo tornou-se nada e sua mente oscilou no vazio, desprovida de todas as defesas. E então a mulher teve a consciência estirada através do tempo, experimentando fragmentos de outra vida em apenas um instante.

E quando a vibração desapareceu o mundo voltou a ter som e luz, e seu corpo voltou a sentir, Sirara Nanshe ajoelhou sobre o solo da Casa. E vomitou.

Jarkenum adentrou os arcos e correu até a mulher, mas foi impedido pelo espadachim.

– O que você fez com ela, seu louco?! – O homem de armadura se desvencilhou das mãos do rapaz e ajudou Sirara a se levantar.

– P-pelos Quatro... – gaguejou ela, limpando a boca e recobrando o equilíbrio. Seu corpo tremia.

Os três mellat adentraram a arena dos arcos. Jarkenum sacou o chicote laminado e o estalou no solo, mas os seres não pareceram afetados pelo alerta. O ato, no entanto, foi o estopim para que os caimani finalmente decidissem avançar pela passarela na direção dos humanos e do espadachim.

– Jarkenum, cuide dos mellat! – gritou o rapaz. – Eu e Sirara cuidaremos dos caimani!

– Você está maluco, parceiro? – reagiu o homem. – Ela não...

– Você precisa confiar em mim! – insistiu o rapaz. – Não temos tempo!

– Adapak, o que está acontecendo?! – perguntou a mulher, encarando a tribo cada vez mais próxima. – O-o que eu estou... O que eu estou vendo?

Adapak tirou a espada Lukur da bainha de Sirara e a colocou em sua mão direita. Instintivamente, ela apertou os dedos contra o cabo de couro.

– Ouça os Círculos, Sirara – falou ele.

E então a mulher compreendeu.

Com a expressão de terror aos poucos se transformando em fascínio, Sirara enxergou os Círculos Tibaul colorirem cada caimani que avançava em sua direção. Girando e recalculando, os símbolos sussurravam as respostas que sua mente insistia em dizer que ela sempre soubera, mas que a mulher sabia nunca ter aprendido – não naquela vida.

Desembainhando Igi e Sumi, Adapak tomou a dianteira e inaugurou o massacre, sangrando os primeiros que ousaram tentar atingi-lo com lanças e tochas. Uma roda de caimani logo se formou ao seu redor, girando como um tornado de folhas mortas, aos poucos se amontoando aos pés de uma árvore. Sirara já havia visto o espadachim em ação antes, mas agora ela era capaz de vislumbrar o incrível mapa dos seus movimentos desenhados no ar, desaparecendo como fumaça após cada execução perfeita.

Sentado em seu trono de cristal no centro da Casa, o impassível Guardião Cego observava o conflito.

Uma parte da tribo focou em Sirara, liderados pelo caimani de braço descolorido. Com o coração martelando seus ouvidos, a mulher armou a defesa enquanto oito criaturas a cercavam, as papadas inflando e desinflando de antecipação.

Comece, ela ouviu a voz em sua mente.

O líder avançou. A capitã bloqueou a lança e se esquivou da tocha, a chama por pouco não chamuscando seus cabelos curtos. Em vez de um contra-ataque, os Círculos ordenaram que ela girasse, bloqueasse o ataque do caimani à sua retaguarda e emendasse uma estocada mortal no rosto de um terceiro inimigo que se aproximava, abrindo uma brecha para que escapasse do cerco e rearmasse a defesa contra o fluxo de inimigos; Sirara então obedeceu aos movimentos que os Círculos lhe sugeriram, cortando, perfurando e mutilando quatro deles como uma aluna dedicada.

Ofegante, ela recuou até um dos seis grandes arcos, vendo os dois inimigos restantes discutirem com o líder e abandonarem a batalha. Hesitante diante da refém humana que agora mal reconhecia, o caimani de braço colorido se aproximou com cautela, os cálculos de Tibaul desenhando seu corpo musculoso.

Ansiosa em terminar o combate, porém, Sirara ignorou a sugestão dos Círculos e decidiu colocar o arco entre ela e o oponente; a criatura então ameaçou queimá-la pela direita e, quando a mulher se moveu para o lado oposto, usou a lança para lhe desferir um corte na lateral do quadril.

Sirara cambaleou para trás, vendo o algoz dar a volta no arco e investir com a lança. Com uma das mãos sobre o machucado, ela rejeitou mais uma vez os Círculos e optou por se esquivar do ataque, permitindo ao oponente que se aproximasse o suficiente para que ela lhe amputasse com sucesso o antebraço descolorido; a criatura, entretanto, ignorou o ferimento e abocanhou o ombro da humana com a mandíbula projetada. Gritando, Sirara passou Lukur para a outra mão e enfiou sua lâmina na papada da criatura. O caimani desprendeu os dentes da carne da mulher e tombou para o lado, largando a tocha e segurando a garganta aberta.

Sirara limpou a lâmina de Lukur com a palma da mão trêmula, aterrorizada com a familiaridade de mais um costume que nunca havia executado antes.

A dezenas de passos dali, Jarkenum girava furiosamente o chicote laminado acima da cabeça, mantendo o trio de mellat afastado. O ser do meio decidiu erguer o braço não alado e tentar segurar o açoite, que se enrolou ao redor dos seus dedos magros e os decepou quando o homem puxou a arma de volta. Jarkenum então embalou o movimento e chicoteou a cabeça do oponente amputado, explodindo-a como uma fruta que despencara do galho.

Aproveitando a aparente baixa da guarda, os dois outros mellat avançaram. Com a mão livre, Jarkenum sacou uma das facas do cinto e a arremessou contra o ser à sua esquerda, fincando-a num dos olhos e desorientando-o. O homem retornou a atenção ao mellat à direita quando este o alcançou e o segurou pelo braço do chicote; Jarkenum tirou outra faca do cinto e trespassou o pulso da criatura, girando a lâmina até que a mão arruinada o soltasse. Livre, Jarkenum recuou, girou e contra-atacou, retalhando as asas que a criatura ergueu para se defender. Mantendo a arma laminada em movimento, o humano formou um escudo ao redor de si a tempo de evitar que o mellat de olho ferido o emboscasse pela retaguarda; o ser recebeu um corte vertical no torso e cambaleou para trás, permitindo que Jarkenum abrisse distância entre ele e o mellat de asas destruídas e refizesse a guarda.

– E meu pai me dizia para eu frequentar mais os templos – falou o homem, arfante.

Jarkenum falseou uma investida contra o ser de asas feridas; quando este as ergueu novamente em defesa, o homem recolheu o chicote antes que as atingisse, girou, agachou e laçou o inimigo pelo tornozelo. Em seguida Jarkenum se levantou, segurou o cabo da arma com ambas as mãos e puxou com toda a força que tinha, entortando o membro o bastante para que o mellat perdesse o apoio e fosse ao chão.

Ainda com a faca cravada num dos olhos, a criatura de torso ferido avançou. Jarkenum tentou soltar com um puxão o chicote do inimigo tombado, mas, sem sucesso, largou a arma e sacou duas facas do cinto; quando a criatura se aproximou com os braços prestes a agarrá-lo, ele lhe cortou os pulsos com as lâminas finas num movimento preciso. Com as mãos inutilizadas, o mellat então usou os longos membros superiores para abraçá-lo.

– Me solte, sua coisa horrorosa! – gritou o humano, se debatendo contra o torso ferido da criatura. Com ambos os braços voltados para o alto, Jarkenum tateou às cegas até encontrar a faca cravada no olho da criatura. Ele envolveu o cabo com os dedos suados e empurrou a lâmina o mais fundo que pôde.

O abraço do mellat afrouxou e o ser tombou para a frente, levando consigo o homem de armadura para o solo. Preso sob o corpo que convulsionava, Jarkenum ouviu o último mellat vivo mancando na sua direção e tentou desesperadamente alcançar o cinto das facas. Ele então escutou outros passos se misturarem aos da criatura. Um farfalhar afobado de asas. Jarkenum notou um reflexo alaranjado no piso.

– Jark! – gritou Sirara, surgindo em seu campo de visão. A mulher carregava uma tocha, iluminando o rosto assustado e salpicado de sangue caimani. Embainhando Lukur, ela ajudou o amigo a empurrar o cadáver para o lado. – Você está bem?

O homem se levantou e viu que o mellat manco, ainda com o chicote preso à perna, lutava contra as chamas que consumiam sua asa direita. Próximo ao ser, Adapak também empunhava outra tocha roubada dos caimani.

– Vejo que o plano do menino de carvão funcionou – disse Jarkenum, afastando os cabelos do rosto suado. No centro dos arcos, ele estimou uma dúzia de corpos caimani espalhados sobre o solo escarlate, alguns ainda se movendo em agonia. Além da estrutura de cristal, o restante da tribo fugia pela passarela de volta ao túnel por onde haviam chegado na câmara.

– Você está machucado, Jark? – A capitã repetiu a pergunta.

– Não, eu estou bem, Si – respondeu ele. – Espere, isso no seu ombro é uma *mordida*?

– O desgraçado me acertou aqui também. – Ela mostrou o corte no quadril.

O casal teve a atenção roubada pelo espadachim, que trespassou o crânio do mellat em chamas. Ele então desprendeu o açoite de Jarkenum da perna da criatura e, deixando-a convulsionar no solo, correu até os humanos.

– Você está bem? – Adapak devolveu a arma a Jarkenum.

– Por que todo mundo me pergunta isso? Eu sou o único aqui usando uma *armadura*, já repararam? – retrucou o homem.

O trio se voltou ao centro da cúpula. Sentado no trono de cristal, o Primeiro Guardião permanecia inabalado pelo combate que acabara de testemunhar. Cascos acima da sua cabeça, a base estrelada do pilar Dingirï era como a coroa gigantesca de um imperador caricato.

– Adapak, por que... Por que eu não vejo os Círculos sobre o Guardião Cego? – perguntou a capitã, apertando os olhos como se algo estivesse errado com sua visão.

– Não existem Círculos contra os mellat – revelou o espadachim, entregando em seguida sua tocha para Jarkenum. – Lembrem-se, ele não pode matar vocês dois, mas pode tentar imobilizá-los de alguma forma, portanto fiquem atentos. Enquanto vocês o ameaçam com o fogo, eu vou tentar dar a volta por trás dele e arrancar sua Voz...

– Então não é para queimarmos o caolho? – indagou Jarkenum.

– Eu... honestamente espero que não precisemos fazer isso – disse o jovem.

– Adapak, espere – pediu Sirara. – O Guardião realmente falou que não pode nos ferir, mas deixou claro que isso não se aplica a *você*.

– Sirara, se nós não o impedirmos...

– Eu sei, eu sei, é só... – Ela hesitou e o segurou pela mão.

Jarkenum deu um passo à frente:

– Olha, vocês dois vão ter bastante tempo depois que salvarmos esta porcaria de mundo, venham – declarou o homem, seguindo na direção do Mellat.

Os três caminharam até a altura do leito de Puabi e Aishara, onde Adapak fez sinal para que esperassem.

– Mellat! – chamou o espadachim. – Pela última vez, você...

Antes que o rapaz completasse o pedido, entretanto, o Guardião Cego se ergueu do trono.

– Preparem-se... – O espadachim desembainhou as armas.

O Mellat tocou a relíquia na base do pescoço.

– REPOUSEM – disse o ser.

Sirara e Jarkenum deixaram as tochas caírem no solo.

Como se vencidos por um sono avassalador e repentino, os humanos usaram as últimas forças que tinham para deitarem-se desajeitadamente no chão da câmara antes que a consciência os abandonasse. Adapak, por sua vez, foi tomado por uma poderosa sensação de tranquilidade, apesar da perturbadora visão dos companheiros tombados.

– O que... O que você fez com eles? – perguntou o jovem de pele negra, recuando alguns passos. De espadas erguidas, ele piscava e balançava a cabeça para tentar se livrar do estranho efeito, sem sucesso.

– MORTAIS REPOUSARÃO – falou o Mellat enquanto o assento de cristal se desfazia às suas costas.

Adapak embainhou a espada Sumi e recuperou uma das tochas do solo, onde os humanos agora dormiam tão profundamente quanto Puabi e Aishara.

– Por que você me deixou acordado?

– IMPREVISTO. A VOZ DO MELLAT SOMENTE É OBEDECIDA POR MORTAIS. IKIBU DIFERENTE.

Pergunte.

Não.

– Eu não posso permitir que você siga com o seu plano, Guardião – disse Adapak. O calor da chama esquentava seu rosto já suado. – Eu não quero, mas, se precisar, vou destruí-lo.

– O ÓDIO TAMBÉM CORROMPE IKIBU – afirmou o ser. – COMO MORTAIS, IKIBU CEGO PELO MEDO.

– Não, você não entende, você...

– COMO VOZ DO MELLAT, CORAÇÃO DO MELLAT INCAPAZ DE TOCAR IKIBU. DIGA AO MELLAT O QUE CORAÇÃO DE IKIBU TEME.

Pergunte a ele, filho de Anü' När. Pergunte se Telalec mentiu.

Pela primeira vez em muito tempo, Adapak notou que não sentia o peito apertar ao ouvir o antigo mestre em sua mente.

Ele baixou a espada e a tocha.

– É verdade que... eu sou a união de todos os mortais de Kurgala? – questionou o rapaz.

– SIM.

Ikibu.

Adapak achou que a confirmação lhe agravaria a angústia que ele carregava dentro de si desde quando ouvira as palavras de Telalec. Tudo que foi capaz de sentir, no entanto, foi *paz*, e o jovem não teve certeza se aquilo era influência da Voz do Guardião Cego ou se um alívio genuíno.

– Mas então... Se eu sou a união de todos os mortais, por que a sua Voz não funciona comigo da mesma maneira que com eles? – Ele apontou para Sirara e Jarkenum, adormecidos no chão.

– IKIBU TODOS OS MORTAIS, MAS IKIBU TAMBÉM TODOS OS DINGIRÏ – disse o Mellat.

Você é parte dos Quatro como nenhum outro de Kurgala o é, o espadachim se lembrou das palavras do pai.

– Mellat, o que eu sou, exatamente? – perguntou o jovem.

– IKIBU É RESULTADO DA BUSCA DOS DINGIRÏ.

– Sim, mas... busca pelo quê?

– PELO UM.

– O *Um*?

– O UM QUE UM DIA FOI QUATRO. – O Guardião Cego inclinou a cabeça para cima, como se pudesse admirar o topo da câmara. – OS QUATRO SE ESQUECERAM. KURGALA EXPERIMENTO PARA LEMBRÁ-LOS. IKIBU, RESULTADO.

Adapak deu um passo à frente.

– Eu... não compreendo. O que é o *Um*?

O ser levou as mãos ao topo da cabeça.

– SEM MENTE, CONHECIMENTO DO MELLAT INCOMPLETO – falou ele, tocando o vão onde a relíquia deveria estar encaixada.

Não.

– E-espere, tente se lembrar, por favor – insistiu o jovem.

– SEM MENTE, CONHECIMENTO DO MELLAT INCOMPLE-
TO – repetiu o guardião.

– Se os outros Dingirï souberem da minha existência... souberem
do *resultado*... é verdade que eles partiriam de Kurgala e o mundo seria
destruído por Tiamatu e Abzuku?

– MELLAT INCOMPLETO.

Adapak olhou para a fenda no alto da testa do Mellat. Como um
poço vazio frente a um andarilho do deserto, o vão parecia debochar da
sua sede por respostas.

– SEM MENTE, MELLAT INCAPAZ DE EXTINGUIR MEDO
DE IKIBU – disse o ser. – PORÉM, MELLAT CAPAZ DE EXTIN-
GUIR MEDO DOS MORTAIS QUANDO FERRAMENTA-ARCOS
COMPLETA.

Resgatado ao dilema presente, Adapak apertou o cabo da espada
na mão esquerda. Na mão cinzenta, a tocha ameaçava se apagar a qualquer instante. Ele olhou para as mãos do Guardião, as relíquias brilhan-
do como um par de sóis esmeralda.

– Mellat, eu sou capaz de destruí-lo? – perguntou o jovem.

– IMPROVÁVEL – respondeu prontamente o Guardião.

O espadachim lançou um olhar para o leito de cristal de Puabi e
Aishara e depois para o solo onde Sirara e Jarkenum dormiam.

Ele então embainhou a arma.

– Mellat, eu tenho uma *proposta* para você – falou Adapak, descartando a tocha para o lado.

Epílogo

DEBRUÇADA NA balaustrada do navio, uma pensativa Puabi encarava o mar, a brisa soprando contra sua pele da cor das águas. Ao final da tarde, o sol abrilhantava a crista das ondas que faziam a embarcação oscilar no atracadouro da cidade portuária de Narba, na costa noroeste do continente do Viajante.

Sentada em cima de uma mala ao lado da flor-da-lua, a jovem Aishara observava a atividade no convés, o rosto e os cabelos curtos livres do véu que outrora os escondiam. Em meio aos marujos ocupados com o desembarque da carga e a manutenção das velas, a menina notou uma figura encapuzada se aproximando. Ela se levantou e cutucou a amiga.

– Imperador Saruma. – Puabi o saudou.

– Como vocês duas estão? – perguntou Adapak, o rosto oculto sob a sombra do capuz. Ele trazia um livro numa das mãos.

– Ainda nos acostumando à realidade que encontramos ao despertar. – A ïnannariana tocou a cicatriz do próprio peito, onde a relíquia costumava estar.

– Eu... sei o que vocês estão sentindo – afirmou o rapaz. – Sei bem como é ter o mundo virado de ponta-cabeça.

Puabi segurou a mão cinzenta do espadachim.

– Felizmente, nossa fé no senhor se manteve firme, S'almu Saruma. Caso contrário, nós duas não estaríamos aqui – disse a flor-da-lua.

– Eu... Eu só gostaria que Shaetär e Badara pudessem estar aqui também – lamentou Adapak.

Aishara puxou o vestido de Puabi, chamando a sua atenção. A menina então levou as costas da mão à testa e abriu os dedos, apontando em seguida para o alto.

Abrindo um sorriso, Puabi respondeu:

– Sim, criança, nossas irmãs brilharão intensas nos céus. Não há glória maior do que se sacrificar para proteger o Imperador Negro.

Adapak engoliu em seco.

– Bom... Aishara, eu quero que você fique com isso. – O espadachim entregou-lhe o livro que trouxera.

Acanhada, ela aceitou o presente. Na capa, uma ilustração em preto e branco retratava dois humanos musculosos presos no interior de uma ampulheta gigante, que por sua vez se encontrava meio enterrada nas areias de um deserto. O título, *Tamtul e Magano contra a ampulheta da Rainha-Estátua*, fez com que os olhos da menina brilhassem.

– Lamento que os seus livros tenham ficado no acampamento – disse Adapak. – Espero que este exemplar seja o primeiro de uma nova coleção. Eu sei que é um dos seus favoritos.

Aishara agradeceu com uma expressão de genuína felicidade.

– Certamente ajudará a passar o tempo da nossa viagem – falou Puabi, vendo a menina folhear a obra.

– Gostaria de poder levá-las até lá, mas... – Adapak começou a dizer.

– Nos trazer até aqui foi mais do que o suficiente, Imperador Saruma – respondeu Puabi. – Minha mãe nos receberá em Moloz, onde nos reuniremos com os sobreviventes do acampamento. Contarei a todos sobre a nossa... *desventura*. E, mais importante, passarei sua Nova Palavra à frente, meu Senhor.

– E depois vocês seguirão para o templo de sua mãe, certo? – indagou Adapak.

– Sim, meu Senhor – confirmou a ïnannariana. – Aishara me confessou o desejo de se dedicar ao sacerdócio, e o Templo dos Guardiões Antigos a receberá bem. Lá, aguardaremos seu retorno.

– Estão prontas? – perguntou a voz masculina atrás de Adapak.

O rapaz se virou, descobrindo Jarkenum se aproximando com Sirara. O humano de cabelos compridos carregava uma pequena bolsa pendurada na ombreira da armadura.

– Creio que sim, senhor Jarkenum. – A flor-da-lua sinalizou para que Aishara a ajudasse a erguer a bagagem do chão.

– Ah, não, o Jark faz questão de levar a mala de vocês até o outro navio, não é verdade? – disse Sirara, esbarrando no amigo.

– Ah, sim... – respondeu o homem, emburrado. – Podem ir descendo e me esperem ao final da rampa. Ainda temos algum tempo antes que o outro navio comece a embarcar.

Aishara abraçou Adapak. Pego de surpresa, ele retribuiu o abraço.

– Você viu coisas na sua juventude que a maioria das mortais nunca verá numa vida inteira – falou o rapaz. – Se realmente decidir se tornar uma sacerdotisa, aqueles que visitarem o seu templo serão privilegiados pela sua sabedoria.

Enxugando o rosto, a menina então se despediu de Sirara e seguiu para a rampa de descida da embarcação.

Puabi segurou mais uma vez a mão cinzenta do espadachim.

– O senhor uma vez disse: "Quando os Quatro amam um mortal, Eles o testam. E, como a mais branca das lâminas de anbärr, nossa pureza só é revelada após termos nossa carne arrancada." Espero que nossa provação tenha revelado a pureza da nossa fé, meu Senhor.

– Certamente – falou Adapak. – Faça boa viagem, Puabi.

Com um último sorriso, a ïnannariana se despediu da capitã e seguiu de encontro a Aishara ao início da rampa.

– Que maluquice, hein? – sussurrou Jarkenum ao vê-las desembarcando do navio.

– Jark! – Sirara o empurrou.

– Ei, só estou brincando. – O homem apoiou sua bolsa ao lado da mala.

– Quando foi que Aishara parou de cobrir o rosto? – indagou a capitã.

– Eu vinha conversando com ela sobre isso nos três últimos dias – contou Adapak. – Hoje de manhã ela apareceu sem o véu.

– O que você disse a ela? – perguntou Jarkenum.

– Só a verdade – respondeu Adapak. – Que nenhum deus jamais vai puni-la por mostrar o rosto ou qualquer parte do corpo. Disse o mesmo sobre seu voto de silêncio, mas...

– Essas coisas levam tempo. – A capitã se apoiou na balaustrada.

– Por que não contou toda a verdade então, parceiro? – questionou o humano. – Notei que elas ainda o estão tratando como o tal "messias".

– Sim, eu... – O espadachim inspirou fundo. – Eu achei que elas já haviam sofrido traumas demais. Tive medo de contar e...

– Elas reagirem como Shaetär – completou Sirara.

– O que você disse a elas, então? – perguntou Jarkenum.

– Bom, eu mantive que sou S'almu Saruma e que realmente não sabia quem as havia sequestrado até encontrarmos o Mellat – contou Adapak.

– E sobre o que aconteceu na Casa do Guardião Cego? – indagou Sirara.

– Eu confirmei que o Mellat as sequestrou para recuperar a Voz que estava no peito de Puabi e que Aishara foi levada junto por engano – explicou o rapaz. – Mas disse que, quando chegamos lá, o Mellat ordenou que eu, S'almu Saruma, partisse sozinho numa missão através dos quatro continentes de Kurgala em busca da única arma capaz de abrir a Prisão de Cristal, a lendária *Lança de Nergala*.

Os humanos ergueram as sobrancelhas.

– Eu inventei tudo isso, é claro – falou o espadachim. – Quer dizer, adaptei um pouco da história de *Tamtul e Magano contra a Ameaça de Rumbaba*.

– E quanto ao destino das suas outras "Esposas"? – Quis saber Jarkenum.

– Eu disse a elas que Badara e Shaetär morreram heroicamente, distraindo a mão-morta nos portões de Zabalamu para que eu pudesse entrar na cidade – revelou Adapak.

– E o que impede esses loucos de virem atrás de você de novo? – perguntou Sirara.

– Eu ordenei a Puabi que passe adiante a "nova" palavra de S'almu Saruma, que... bom, essencialmente diz que parem de se matar e esperem o meu sinal daqui a muitos ciclos, quando eu finalmente estiver com a Lança de Nergala – respondeu Adapak.

– Olha, parceiro – falou Jarkenum, recuperando sua bolsa do chão –, pelo menos agora eu vou ter algum assunto para conversar com as suas "ex-Esposas" na viagem.

– Obrigado mais uma vez por acompanhá-las até Moloz – falou o espadachim.

– Jark, tem mesmo certeza de que não quer ficar conosco? – perguntou Sirara.

O homem esboçou um sorriso tímido.

– Sabe, o seu tio uma vez me disse: "Jark, um homem de armadura num navio é como uma âncora sem corda" – disse ele. – E vocês não precisam disso, Si.

– Obrigado por tudo, amigo – agradeceu Adapak, se desencostando da balaustrada e estendendo a mão para o humano. Quando este o cumprimentou de volta, o rapaz então emendou: – Jarkenum, no ciclo passado, quando eu e você escapamos daquela prisão em Urpur, eu disse algo a você que...

– Não, você tinha razão, parceiro. – O homem o interrompeu.

– Eu... tinha razão?

– Sim, você tinha razão quando disse que eu tinha uma vida muito triste – falou Jarkenum.

Pego de surpresa, Adapak não soube o que responder. O humano prosseguiu, pensativo:

– Talvez... Talvez o Guardião Cego não seja o único que tenha perdido partes de si mesmo ao longo do tempo – disse ele. – Achei que eu pudesse reencontrar as minhas aqui, mas...

Jarkenum lançou um olhar para Sirara e então o desviou para o mar.

– Talvez estejam em outro lugar – concluiu ele.

Desconfortável, Sirara emendou:

– Sabe, ainda é muito estranho pensar que vocês dois já haviam se conhecido antes em Urpur – comentou ela, apontando sem jeito para o humano e o espadachim.

Jarkenum deu de ombros.

– Si, agora que sei de onde o nosso amigo aqui veio, eu já não sei se acredito mais em... *coincidências* – disse ele, extraindo um sorriso do casal. – E, já que estamos falando daquela noite em Urpur, parceiro, não sei se você se recorda disso, mas naquela ocasião eu disse que você me lembrava alguém.

– Eu... me lembro, sim – respondeu Adapak.

– Esse alguém era o meu pai – prosseguiu Jarkenum, erguendo a mala de Puabi e Aishara. – Meu pai era um homem muito... *bom*, sabe? Bom *demais*, infelizmente. Bom o bastante para tentar ajudar algumas pessoas perigosas... e bom o bastante para ser enganado por elas também.

Jarkenum afastou os longos cabelos da frente do rosto.

– Eu só espero que o *acordo* que você fez para nos tirar daquele deserto não tenha sido um exemplo disso, parceiro – concluiu ele.

– Eu... também espero que não – falou o espadachim.

– Venha, eu o acompanho até a descida – disse Sirara para o homem.

Recostando na balaustrada, Adapak os observou cruzarem o movimentado convés até a rampa do navio no lado oposto, onde pararam para conversar. Nos pequenos intervalos no trânsito de marujos e carga, tudo que o espadachim pôde fazer foi enxergar trechos de um desconfortável diálogo de despedida entre dois mortais com um passado doloroso, insinuando a fragilidade de uma Sirara que ele não estava acostumado a ver.

Mortais.

Incerto do que sentir, o espadachim desviou o olhar para o lado até notar que a capitã retornava ao seu encontro. Quando ela estava na metade da distância, contudo, Jarkenum a chamou:

– Ei, Si! Não se esqueça de contar ao garoto de carvão sobre o tempo no pilar!

E, com um último aceno, Jarkenum Raned se virou e desceu a rampa para o porto, desaparecendo da vista do casal.

– "Tempo no pilar"? – perguntou Adapak assim que Sirara se aproximou. A mulher se debruçou na balaustrada.

– Depois que nós retornamos ao navio, eu... notei algo estranho no meu calendário. – Ela encarou meditativa as ondas. – Eu ainda não consegui entender o que isso significa e esperava que você me ajudasse a fazê-lo, mas queria estar certa dos números, por isso...

O rapaz aguardou que ela organizasse o raciocínio.

– Jarkenum, Reks e eu fizemos o ritual no pilar no dia 14 do mês do Barro – explicou Sirara. – O pilar se acendeu, Jark e eu desaparecemos e reaparecemos no pilar de Zabalamu, onde você estava, certo? Como se tivéssemos atravessado uma porta de um quarto para outro, certo?

– Certo.

– Errado – falou a capitã. – Segundo as minhas contas... E, Adapak, eu refiz essas contas tantas vezes... Segundo minhas contas, Jarkenum e eu só chegamos ao pilar de Zabalamu por volta da lua 45 do mês do Barro!

– Isso são... mais de trinta luas depois de terem desaparecido no primeiro pilar – disse o espadachim, franzindo o cenho.

– Exato! – exclamou a mulher. – Sei que não é *possível*, mas...

– Onde vocês estiveram todo esse tempo? *Dentro* do pilar?

– É isso que vem me enlouquecendo nos últimos dias – disse a mulher, passando a mão nos cabelos curtos. – Minha teoria é que, mesmo que Rekzar tenha conseguido aumentar o poder da *minha* espada, as *suas* espadas precisavam estar próximas a algum pilar para que o transporte se realizasse por completo. De alguma forma, o pilar nos... *guardou* dentro dele até que você, Igi e Sumi estivessem próximos a outro pilar e o poder das relíquias nos puxasse de volta.

– Mas para você e Jarkenum a viagem foi... instantânea? – perguntou Adapak.

A mulher confirmou com a cabeça.

– Apesar da minha origem, ainda há muito que eu não sei sobre as relíquias – falou Adapak. – Talvez eu possa perguntar a ele.

– Não – retrucou a capitã, enfática. – Não é preciso.

– Certo. – Adapak pôs a mão sobre a dela.

A humana abraçou o rapaz, surpreendendo-o; ele não estava acostumado a receber aquele gesto de carinho em público. Ele retribuiu o ato e ela o segurou ainda mais forte por alguns instantes.

– Eu... tenho uma reunião com Ollak agora – disse ela, desfazendo o abraço. Seus olhos pareciam ter recuperado a confiança a que Adapak estava acostumado. – Zarparemos ao nascer do sol.

Sirara Nanshe o beijou e rumou então para a cabine, disparando ordens à tripulação no caminhar firme.

Adapak inspirou fundo e se encaminhou até os degraus que levavam ao porão, descendo e se esquivando de um par de marujos suados que subiam com um pesado caixote. Abaixando o capuz que o escondia do mundo, o espadachim avançou na penumbra, contornando barris empoeirados e redes de dormir até alcançar a proa da embarcação.

Ali, oculto nas entranhas abafadas do navio, o solitário Guardião Cego repousava sentado; não num majestoso trono de cristal, mas num assento baixo e rudimentar, construído a partir de restos de madeira, cordas e sacos de grãos mofados, moldados como se pelas mãos de um artista talentoso, ainda que refém dos recursos locais. As paredes do porão gemiam como o estômago de uma enorme fera do mar, indigesta com o mais novo tripulante.

– Nós zarparemos para o continente de Larsuria logo pela manhã – informou o espadachim, parando em frente ao ser. – Existe um antigo forte dos Zeladores na cidade de Man' Ünna, onde eles certamente mantinham muitas das relíquias apreendidas antes de a Ordem ser dissolvida.

O Mellat aguardou alguns instantes antes de mover a enorme cabeça para encarar o recém-chegado. Com o topo do crânio roçando no teto do porão, ele se via forçado a sentar com as costas parcialmente no assento, lembrando Adapak do modo desajeitado como alguns marujos costumavam recostar-se quando embriagados.

– IKIBU CERTO DE QUE A MENTE DO MELLAT ESTARÁ NO LOCAL – falaram as muitas vozes do ser.

Adapak engoliu em seco.

– Se não estiver, estou certo de que ainda existam registros sobre o lugar para onde foi levada – respondeu ele. – Eu prometi que vou achá-la para você, não prometi?

– COM MENTE, MELLAT RECUPERARÁ ACESSO À CASA EM ENINNÜ. MELLAT CONSULTAR DINGIRÏ.

– Sim – confirmou o rapaz.

– FALE SOBRE A SUA SOLIDÃO, IKIBU – disse o Guardião Cego, a cavidade vazia no centro do crânio mirando os olhos brancos do espadachim... – ELA É TÃO GRANDE QUANTO A SOLIDÃO DO MELLAT?

Em www.leyabrasil.com.br você tem acesso a novidades e conteúdo exclusivo. Visite o site e faça seu cadastro!

A LeYa Brasil também está presente em:

facebook.com/leyabrasil

@leyabrasil

instagram.com/editoraleyabrasil

LeYa Brasil

ESTE LIVRO FOI COMPOSTO EM MINION PRO,
CORPO 11,5PT, PARA A EDITORA LEYA BRASIL.